dtv

Es ist ein einzigartiges Leben, und es ist die Geschichte einer ganzen Generation: Kindheit im Krieg, grausame Flucht, mühsamer Neuanfang, unvollständige Ausbildung, rasante Karriere – und eine große, lebenslange Liebe. Peter Härtling macht sich seine eigene Vergangenheit bewusst und erzählt ungemein fesselnd, wie aus dem Flüchtlingskind und Frühwaisen ein junger Journalist, ein erfolgreicher Lektor und Verlagsleiter und schließlich ein viel gelesener und vielfach ausgezeichneter Schriftsteller wurde. – »Ein überwältigend sympathisches Erinnerungsbuch.« (Jürgen Holwein in den ›Stuttgarter Nachrichten‹)

Peter Härtling, geboren am 13. November 1933 in Chemnitz, Gymnasium in Nürtingen bis 1952. Danach journalistische Tätigkeit; von 1955 bis 1962 Redakteur bei der ›Deutschen Zeitung‹, von 1962 bis 1970 Mitherausgeber der Zeitschrift ›Der Monat‹, von 1967 bis 1968 Cheflektor und danach bis Ende 1973 Geschäftsführer des S. Fischer Verlages. Seit Anfang 1974 freier Schriftsteller.

Peter Härtling

Leben lernen

Erinnerungen

Deutscher Taschenbuch Verlag

Ungekürzte, vom Autor neu durchgesehene Ausgabe
Januar 2005
Deutscher Taschenbuch Verlag GmbH & Co. KG,
München
www.dtv.de
© 2003 Verlag Kiepenheuer & Witsch, Köln
Umschlagkonzept: Balk & Brumshagen
Umschlagfoto: © Anita Schiffer-Fuchs
Gesetzt aus der Stempel Garamond 10/12·
Gesamtherstellung: Druckerei C. H. Beck, Nördlingen
Gedruckt auf säurefreiem, chlorfrei gebleichtem Papier
Printed in Germany · ISBN 3-423-13288-4

Für Mechthild

I

Das alte Kind

Wann habe ich zum ersten Mal gehört oder gelesen, ich sei ein alter Mann? Ich weiß es nicht mehr. Ich wollte es wohl auch nicht hören, nicht lesen. Inzwischen habe ich mich daran gewöhnt, mehr noch, ich habe mich in die Rolle gefunden, und manchmal spiele ich »alter Mann«. Ich spüre ihn auch. Er demütigt mich, macht mich lächerlich, wenn ich mich nicht mehr bücken kann, nur schwer aus einem Sessel hochkomme und beim Treppensteigen zu langen Atempausen anhalte. Abends und morgens schlucke ich Pillen, die den Blutdruck senken, das Blut verdünnen, den Zuckerspiegel normal halten sollen, lese mit Interesse, welche Nebenwirkungen die Beiblätter versprechen, und schließe in meine Erwartungen manche Krankheit bereits ein. Zum Beispiel, sage ich mir, geht das Zeug auf die Nieren, der Magen scheint ebenfalls bedroht.

Es ist wahr, die Haut auf meinen Händen wirft Falten, die Altersflecken mehren sich, die Haare sind grau geworden, und aus dem medizinischen Ersatzteillager wurde ich mit Linsen, die meine lebenslange Kurzsichtigkeit beinahe aufhoben, und mit einer kompletten und haltbaren oberen Zahnreihe bestückt.

Erinnerung bestätigt den Alten. Sie kann er ausspielen, mit ihr kann er sich aus dem täglichen Gerangel stehlen, sie kann er ummünzen, wenn ihm danach ist, und mit ihr kann er sich entfernen. Was ich vor zwanzig Jahren in ›Nachgetragene Liebe‹ erzählte, liegt fast sechzig Jahre zurück. Das ist mehr als eine Epoche. Der Krieg von heute und der Schattenkampf gegen Terrorismus ist nicht mein Krieg. Der Zweite Weltkrieg wurde noch von Ideologen geführt, die furchtbar einfach dachten, »Lebensraum« zu erobern vorhatten und nichts anderes fertig brachten, als die Wohnräume ihrer Völker in Trümmer zu legen. Der Krieg raubte mir meine Eltern und schenkte mir die Gabe, mit den Toten zu sprechen. Der Krieg wird nie aufhören. Ich weiß es. Sieben Jahrzehnte Leben haben es mich gelehrt. Vor meinen Kindern und Enkeln behielt ich diese Erkenntnis für mich. Als sie noch klein waren, erschienen ihnen meine gelegentlichen Hinweise auf die Not, das Elend meiner Kriegsjahre unendlich weit hergeholt. Auf jeden Fall didaktisch übertrieben. Jetzt sind sie längst im Beruf, kommen viel herum, fragen, die Bilder von Flüchtlingskindern in Afghanistan, Bosnien und Albanien vor Augen, nach dem Kind, das ich gewesen bin. Mein Krieg macht mich verspätet zum Zeugen. Die Alpträume kehren wieder, ständig wechseln die Reden und die Wirklichkeiten.

Ich rede mich zurück und zugleich heraus, denn nichts wird mir unheimlicher und lästiger als das erinnernde Kind.

Du hättest dich ganz anders entwickeln können, stellt Fabian, mein Ältester, fest und denkt vermutlich an seine Patienten in der Kinderpsychiatrie.

Es gab ohne Zweifel viele Möglichkeiten, antworte ich ihm, sicher auch einige üble, doch genau genommen hatte ich nur eine.

Sagst du, sagt er.

Das sage ich, sage ich.

Er steht lachend neben mir, einen Kopf länger als ich, nimmt mich in den Arm, lässt mich so alt sein wie ich will, was er auch noch mit einem leisen »Ach, Alter« bestätigt. Die Kluft der Jahre ist für einen Augenblick überbrückt.

Bin ich für ihn alt?, frage ich mich. Meine Kinder erinnern mich gleichsam mehrschichtig, in exemplarischen Anekdoten an den Vater von ehedem, den sie sich noch gar nicht so lange »Alter« zu nennen trauen. Diese Anrede hat mich schon beim ersten Mal nicht gestört. Ich verstand und verstehe sie als eine zärtliche und ein wenig angstvolle Beschwörung von dauerhafter Präsenz.

Ich habe vor, noch eine Weile auszuharren, wenigstens für die Dauer dieser Arbeit, also für die Spanne eines erinnernden Lebens. Da es mir Mühe macht, in mehreren Ichs die entsprechende Sprache zu finden, da ich mich nur noch in Sprüngen konzentrieren kann und rasch ermüde, wird es mir, ich bin sicher, gelingen, Zeit zu schinden. Meine Zeit. Dass sie bemessen ist, weiß ich.

Unlängst fand ich bei Ortega y Gasset, den ich als junger Mann enthusiastisch las, bis ihn mir ein älterer Feuilletonist als Feuilletonist vergällte, die Bemerkung, er glaube einzig und allein an die Gedanken von Schiffbrüchigen. An Gedanken, die keinen Halt, keinen Boden haben. Die fliegen oder schwimmen lernen müssen. Die sich, weil die Todesangst sie auseinander reißt, nicht mehr verbinden. Gedanken, die in der Not nach einer neuen lebensrettenden Grammatik suchen. Nach einer Sprache des Überlebens. Wird sie Gebet sein oder Musik? Weil ich mich nicht entscheiden kann, höre ich Musik, während ich diese Sätze schreibe, Mahlers Fünfte zuerst und jetzt eine der beiden späten Cello-Sonaten Beethovens, gespielt von Casals und Serkin, und aus jeder der Kompositionen höre ich, natürlich eng geführt von Ortegas Satz, die Sprache der Schiffbrüchigen. Jetzt, nur jetzt. Morgen kann ich mir Mahler und Beethoven anders erklären.

Morgen ist inzwischen heute, nach einem von unruhigen, von wachen Phasen durchsetzten Schlaf. Geradezu festlich empfängt mich dieser Tag. Der 14. Dezember 2001. Über einen makellosen Himmel zieht in flachem Bogen die kalte, mit weißen Blitzen blendende Sonne. Ich gehe hinaus in den Garten. Es weht kein Wind, eine eisige Luft macht den Atem leicht und mir die Hoffnung, die Sätze und Gedanken fügten sich nach dieser kurzen Winterkur müheloser.

Ich täusche mich. Der Anfang fällt mir schwer, Satz für Satz, während die aufgerufenen Erinnerungen drängen – unversehens habe ich es mit zwei Stimmen zu tun: der ungestüm erzählenden Stimme des Erinnerns und jener, die nach Wörtern sucht, die der Schnelligkeit und Heftigkeit der Bilder nicht gewachsen ist. Ich erkläre mir den Stau mit meinem Entschluss, dass ich nicht wie sonst erzählend mein Ich objektiviere, sondern bei ihm, in ihm bleibe. Das Ich des Kindes, des Dreißigjährigen, des Fünfzigjährigen – gegen das Ich des alten Mannes, der aus der Entfernung der Jahre beobachten kann, wie sein Ich, das er spürt, dessen er allerdings keineswegs sicher ist, ungezählte Vorgänger hat, sich in Szenen verhakt, Gegenden verbunden ist, von Zeit umschlossen, wie von einem konservierenden Kokon.

Ein Maler schaut in den Spiegel, bevor er sich porträtiert. Er schaut sich vielleicht nur einmal an, womöglich sogar flüchtig, um das eine Bild zu haben, das er dann, besessen von sich selber, aus dem Gedächtnis und der Empfindung, aus der wachsenden Erinnerung an sich verändert, immer ungebärdiger und sich immer näher, doch ohne jede konkrete Anschauung. Und einer, der von sich und über sich schreibt? Was kann mein Spiegel sein? Das Papier, das ich in Jahrzehnten häufte, die Bücher, die Briefe, die Notizen? Ich habe nie Tagebücher geführt. Soll ich meine Familie, meine Freunde fragen?

Ich. Ich. Ich.

Dreifach stemmt Gombrowicz in seinem Tagebuch das Ich übereinander. Ein Crescendo. Ihm traue ich dieses getürmte Ich zu. Ich habe ihn Mitte der Sechziger in Berlin kennen gelernt, einen Clown auf dem Rückzug, der in seiner Erinnerung Menschen mischte wie Karten, und dessen Unrast Gegenden in Bewegungen versetzte, wie den Ausschnitt, den er aus dem Fenster seines Ateliers in der Berliner Akademie sah, immer dieselben Bäume, Wiesenstücke und Hochhäuser: Ich muss ausziehen, ich muss, da dieser Ausblick nicht wechselt.

Wahrscheinlich ist er mir eingefallen, weil ich das dreifache Ich vor mir sah, selber unsicher mit dem einen. In seinem Tagebuch stemmt er sich mit seinem Ich gegen die Todesangst, mit einem übergroßen Ich, einem Sandwichman, der für die Unsterblichkeit wirbt. So habe ich ihn noch in Erinnerung: einen kleinen, eleganten Herrn, nirgendwo mehr zu Hause, erfüllt von der Hoffnung, dass die ersehnte Landschaft vor seinem Fenster erscheine, die Ansichten oder Aussichten austauschbar würden. Er muss um die sechzig gewesen sein. Er kam von weit her, beladen mit unvorstellbaren Erfahrungen.

Jetzt, im Rückblick, zählt er jedoch zu jenen »Alten«, die mich seit je anzogen. Schon als Kind beneidete ich alte Menschen um ihr Alter. Ich ging sogar so weit, alter Mann zu spielen, allerdings nur, wenn ich mich unbeobachtet glaubte. Ich machte Unterschiede. Es gab alte Frauen und Männer, die noch nicht das richtige Alter erreicht hatten, etwa mein Vater, Tante Lotte, Tante Manja, Onkel Wilhelm, Onkel Hans. Sie bewegten sich in einem Zwischenreich, das ans Alter grenzte. Natürlich traute ich mir zu, sie mit ihren Gesten und Ticks nachzuahmen, das fiel mir nicht schwer, und der Spiegel im Flur der großelterlichen Wohnung eignete sich, höher als ich, ganz ausgezeichnet dazu. Jedes Mal, wenn ich zum Beispiel Onkel Wilhelms absonderliches, ohne erkennbaren Grund auftretendes Augenzwinkern, das sogar die Backe in Mitleidenschaft zog, nachahmte, jedes Mal empfand ich, allerdings nur in der Abwesenheit des Parodierten, eine wunderbare Überlegenheit. Ganz anders ging ich mit Großpapa Härtling um. Er war richtig alt, erzählte, wenn er Lust dazu hatte, Geschichten, die ich ihm nicht glaubte, die aber auch nicht unbedingt geschwindelt sein mussten, denn sie kamen aus seiner Zeit, und die lag unendlich weit zurück. Wie er eines der ersten Autos in Brünn fuhr, nein, gefahren wurde von seinem Chauffeur, wie die beiden Mädels sich vor Angst beinahe in die Hosen machten, wenn es in die Kurve ging! Bei den Mädels handelte es sich um die auch schon »alten« Tanten. Wie er dunnemals, sagte er – und mit dunnemals fiel er weit in die Vorzeit zurück –, als die beiden Kaiser noch herrschten, der olle Wilhelm und der noch ältere Franz Joseph, nach Brünn gerufen wurde, weil er Tuche in ein Blau färbte, was ihm keiner nachmachte, keiner, sage ich dir, Kerlchen. Um sich richtig erinnern zu können, setzte er sich stets in den Erker, der sich mit einer Stufe vom Wohnzimmer abhob, saß also erhöht, auf dem Großpapathron, und von dort verurteilte er Masaryk und rühmte Hitler, der endlich mit der verkommenen Demokratie aufgeräumt habe, was mir keinen allzu großen Eindruck machte, denn Mutter verlangte ebenfalls regelmäßig, ich solle mein Zimmer aufräumen. Großpapa war kleiner als Vater, dafür kugelrund, auf kurzem Hals steckte ein mächtiger, ganz und gar haarloser Kopf, die goldene Brille saß immer ein wenig schief und die Gläser vergrößerten die ohnehin großen braunen Augen. Bis in den späten Vormittag hinein trug er einen Morgenmantel, tagsüber makellose Zweireiher. Ab und zu lud er mich in sein Gewächshaus ein, das er unterm Dach eingerichtet hatte. Die mir unangenehmen stachligen Kugeln und Blätter nannte er seine Steppenwesen. Er behandelte sie mit Schäufelchen, winzigen Rechen und ziemlich großen Spritzen. Als ich hörte, er habe Zucker, stellte ich mir vor, wie eine dünne Zuckerschicht sich unter seiner Haut ausbreite, bis mir Mutter erklärte, dass es sich um eine Krankheit handle und Großpapa, obwohl er Zucker habe, keinen Zucker vertrage. Er hat mir den Diabetes vererbt. Das Großpapa-Gefühl genoss ich; ich war sogar ein wenig süchtig danach. Vorm Spiegel konnte ich so alt werden wie er. Ich machte mich rund, was ich dadurch erreichte, dass ich die Backen aufblies, den Kopf einzog und den Bauch nach vorn wölbte. Ich bildete mir ein, schwer zu sein, so schwer, dass mein Leib auf die Beine drückte und die Füße sich wie von selbst nach außen stellten. Hatte ich diesen Zustand erreicht, bewegte ich mich, die Arme rudernd vorm Körper, wie Großpapa an der Wand entlang und schlug dann einen Bogen in den Spiegel hinein, aus dem ich mir als Großpapa entgegenkam, sehr sehr alt. Er starb mit fünfundsechzig Jahren, also jünger, als ich es heute bin. Ich habe das Alter, das ich als Kind spielte, aufgebraucht. Mehr noch, mit vierzig oder fünfzig rechnete ich nie damit, über sechzig zu werden. Das war eine Schwelle, die ich nur als Kind, spiegelspielend, übertreten konnte.

1949 kaufte ich auf Raten in der Bücherstube Hauber in Nürtingen Stifters ›Nachsommer‹, um ihn nach der Tanzstunde Mechthild, meiner Liebsten, zu schenken. Hat mich Margot Hauber gewarnt? Das sei kein Roman für Sechzehn-, sondern für Sechzigjährige. Ich langweilte mich keineswegs. Lese ich heute Stifter, stelle ich mich, gleichsam aus langer Übung, sofort auf sein Tempo ein, spreche, denke, schaue verlangsamt, umso genauer. Schon damals versetzte ich mich lesend in den alten Risach, nahm das Rosenhaus in Beschlag und kümmerte mich wenig um den Erzähler Heinrich Drendorf. Dessen Liebe zu Natalie erschien mir kümmerlich, während das späte Zusammenfinden Risachs und Mathildes mich rührte. Diese Rührung hält. Wie auch bei dem zweiten, wenige Jahre danach entdeckten Alten, Dubslav von Stechlin. Wann immer er sich unterhält, aus lässiger Erinnerung, sprach und spricht er auch für mich. Risach bewegt sich gravitätisch, Stechlin leger. Es gelingt mir, diesen durchaus spannenden Unterschied auszugleichen. Sie haben mich über Jahrzehnte vertreten, mir geholfen, Unruhe und Unsicherheit zu überwinden, und nun habe ich mit ihnen eine Schwelle erreicht, von der das Kind, das in mir noch rappelt, keine Ahnung haben konnte, wenn es im Spiegel Großpapa spielte und sich dabei nichts anderes wünschte, als eine Überlegenheit, die schützt. Ich bin alt, so alt wie Großpapa. Älter als er.

Inzwischen habe ich herausbekommen: Altern ist anders, doch gewiss nicht besser. Meine Schritte werden kürzer. Werde ich von Jüngeren begleitet, gebe ich mir Mühe, auszuschreiten wie sie, und komme mir zugleich lächerlich vor. Jede banale Erkältung überwältigt mich, macht mich müde und raubt mir den Mut. Es gibt Stunden, in denen das Herz schwer und schmerzhaft in meiner Brust hängt. Die Zahl der Tabletten nimmt zu. Ich schlafe länger und der Schlaf wird zu einer Höhle, an deren Wänden die Träume sich unsinnig und bös niederschlagen. Mir bleibt ein Trost, dass irgendwann die Höhle sich schließen wird und in der absoluten Finsternis die Bilder ihre Kraft verlieren.

Ich wende mich um und schaue zurück auf eine Gegend, in der die Zeiten Licht und Schatten einkerben, einmal voller Bewegung und einmal eisig leer. Ich rufe die Toten, erzähle Bruchstücke ihres Lebens und verletze ihre Ruhe. Ich sage Ich, und das Ich entfaltet ein Echo, aus dem ein Ich nach dem andern springt und wieder verstummt, verschwindet. Alle meine Ichs. Mit ihnen erkunde ich meine Unrast, meine Verwandlungen, meine Verluste und Bereicherungen, Krieg und Frieden, Ohnmacht und Friedlosigkeit. Am Ende, das mein Anfang war, wartet das Kind, das alter Mann spielt. Ich habe es eingeholt. Es spielt jetzt mich. Ich brauche seine Unschuld, die noch nicht erinnern will, denn ich alter Mann misstraue jedem Wort. Jeder Satz, den ich schreibe, sucht nach einem anderen, haltbareren. Meine Zweifel setzen den Wörtern zu.

2

Gegenden und Wohnungen

Jede Gegend hat ihre Zeit, wird von ihr beleuchtet und verfinstert. Auch die Menschen, die sich in ihr bewegen und oft auch mit ihr verschwinden, zählen dazu. Ein Jahrzehnt kann Gesichter formen, Haltungen und Ausdrucksweisen bestimmen und sein Personal dennoch so entlassen, dass es sich, ohne auf Charakter zu bestehen, in der kommenden Epoche zurechtfindet und sich ihr anpasst.

Chemnitz, meine Geburtsstadt, die ich nicht zu Gesicht bekam, da meine Eltern nach Hartmannsdorf, in die ländliche Nachbarschaft, zogen, Chemnitz wurde nie deutlich. Später hörte ich, es sei hässlich und grau, eine Ansiedlung von Fabriken. So sah ich es unter Schloten, unter einem dicken, schwarzen Rauch.

Mein Vater richtete in Hartmannsdorf, in der großen Wohnung seiner Eltern in der Leipziger Straße, seine erste Kanzlei ein. Gärten gab es von Anfang an. Ich ging auf dünnen Beinen in sie hinein. Anfangs in Begleitung meiner Mutter, manchmal zog ich meine um drei Jahre jüngere Schwester Lore hinter mir her. Doch am liebsten ging ich allein auf Entdeckungsreise, wobei in beiden Gärten, dem hinterm Haus der Großeltern und dem hinter unserem Wohnhaus in der Burgstädter Straße, mich besonders die Schuppen anzogen, Gartenhütten, in denen ich aus Kisten und Gartengeräten Höhlen baute: Nur wenig Licht drang durch die Ritzen zwischen den Brettern, es roch nach Erde, Gras und Maschinenöl. Die Hütte wurde allein durch die Macht meiner Phantasie zu einem Fahrzeug. Endlich kümmerte sich niemand mehr um mich, ich war auf mich selber angewiesen und konnte mich so weit entfernen, wie ich dachte.

Nur einmal gelang es mir tatsächlich, aufzubrechen und das Weite zu suchen, wie es vielversprechend heißt. Ein paar ältere Jungen, die zum Jungvolk gehörten, mir in ihren Uniformen enorm überlegen waren, luden mich in ein Zeltlager ein, am Teich an der Straße nach Penig. Weshalb sie mich mitnahmen, diesen dünnen, immer aufgeregten Buben, dieses Hätschelkind, kann ich mir nicht erklären. Vielleicht brauchten sie einen Schwächeren, den sie herumscheuchen, dem sie Befehle erteilen, Angst einflößen, den sie hänseln konnten. Mir hingegen gab dieser Ausflug Gelegenheit, meinen Eigensinn, meine von den Erwachsenen immer abgestrittene »Stärke« zu demonstrieren.

Wir würden über Nacht fortbleiben. Ob ich meinen Eltern nicht Bescheid sagen müsse? Jeder ihrer Sätze schürte die Angst und verstärkte meinen Trotz. Wir befanden uns im Krieg, wie die Lehrer sagten, als wäre es ein Zustand, der sich von selber eingestellt hatte, wie Bauchweh oder Fieber. Einer unserer Lehrer war bereits in Polen gefallen, und wir hatten die Fahne auf halbmast gesetzt. Ich hatte mich in der Angst eingerichtet. Sie war nicht ständig vorhanden. Ich schmeckte sie auf der Zunge oder sie machte mich enger und schneller.

Irgendwann am Nachmittag zog ich mit den Jungen los, Richtung Penig, und da ich den Zelt- und Proviantwagen ziehen musste, konnte ich nur selten den Blick heben. Ein paar Bilder habe ich eingesammelt, sie säumen den Weg ins Unvertraute, Verbotene. An dem Stacheldraht, der eine Pferdekoppel umgab, wehten lange Haare von den Mähnen, den Schweifen. Einzelne Bäume, die neben mir herstolperten. Und schließlich ein matschiger Hohlweg, wie ein Tor zu einem Ort, an dem Jungen zu Männern werden. Ich fügte mich den Jungen, lachte, wenn sie lachten. Ich war still, wenn sie schwiegen. Ich rannte herum, wenn sie es taten, und folgte ihren Befehlen: Trag den Karton zum Zelt! Zieh die Leine straff! Steh nicht herum!

Wir lagerten zwischen Bäumen, am Ufer eines Teichs, aus dessen Mitte eine kleine, mit Büschen besetzte Insel aufragte. Es muss Sommer gewesen sein. Wir badeten. Das Wasser roch nach Moor. Winzige grüne Schuppen setzten sich auf der Haut ab. Sie verlangten eine Mutprobe von mir. Schwimm hinüber zur Insel und wieder zurück! Ich weigerte mich. Sie zwangen mich, ich dürfe sonst nicht bei ihnen bleiben. Zur Gemeinschaft gehöre einfach eine Mutprobe. Wenn ich sie mir nicht zutraute, müsse ich verschwinden.

Ich muss acht gewesen sein, im Sommer einundvierzig, es gab Sondermeldungen im Radio, und als der Krieg begann, hatte mich Mutter weinend geweckt. Wir wissen nicht, was kommt, sagte Mutter, sagte sie, als wüsste sie bereits, wie schwer es uns gemacht würde.

Ich schwamm über den Teich, weil von einem zukünftigen Soldaten jede Mutprobe abverlangt werden kann. Das Wasser wurde immer dickflüssiger, meine Arme schafften es kaum mehr. Meine Wut verdrängte aber die Schwäche. Ich fühlte mich beinahe schwerelos, ließ mich treiben; die Insel schien mir entgegenzuschwimmen. Wasserpflanzen stiegen bis an die Oberfläche, versuchten mich festzuhalten. Die sind dran schuld, wenn ich absaufe, sagte ich mir. Sie müssen dann den Eltern erzählen, was passiert ist, was sie mir angetan haben, und am Ende werden die Arschlöcher eingesperrt, und Vater wird sie bestimmt nicht verteidigen.

Diese Sätze muss ich nicht erfinden, sie fallen mir ein, gegen alle Einschränkungen, die ich in Hartmannsdorf erfuhr, in meiner Kindergegend, in der es allerdings auch lichte Stellen gab: Die Herbstnachmittage auf dem Stoppelfeld an der Straße nach Burgstädt, wo ich mit anderen Kindern Drachen steigen ließ und zu Ringeln gebundene Gräser als Botschaften hinaufschickte. Oder die Aufenthalte mit Großpapa in seinem Gewächshaus. Oder die warmen, wunderbar duftenden Zufluchten in den Gartenschuppen. Oder die lange Krankheit, die mich ins Bett verbannte, an dem, als lustige Krankenschwester, Tante Suse, Vaters Stiefschwester, saß, mir verdrehte Märchen erzählte, wie sie das nannte, Märchen, in denen die Prinzen sich trottelhaft benahmen und böse Feen sich als rettende Geister entpuppten. Und Vater rückte, bei seinen seltenen Besuchen, Tante Suses Märchenwelt wieder zurecht, indem er mir den ›Froschkönig‹ vorlas, sein Lieblingsmärchen, weil es in ihm den treuen Heinrich gibt. Oder vorher noch, vor dem Krieg, als ich mit dem Dreirad – manchmal saß Lore hinter mir und klammerte sich an mir fest – weite Fahrten unternahm, beinahe bis Burgstädt. Oder die zwei Sommer mit Mutter und Lore im Schwimmbad, da kam es mir vor, als gäbe es Hartmannsdorf, Vater und die Großeltern bloß am Abend.

Die Insel hatte kein Ufer, ich zog mich an einer Wurzel hoch, taumelte ins Gestrüpp. Mein Atem wurde schnell und laut, als müsste ich nachholen, was ich mich im Wasser nicht traute. Einer rief: Komm zurück. Pause machen gilt nicht. Ich zähle bis drei, und du bist wieder im Wasser. Ich gehorchte.

Sie standen in einer Reihe, schwarze Turnhosen, nackte Oberkörper, und verblüfften mich. Auf einmal gingen sie freundlich mit mir um, beinahe besorgt, halfen mir beim Abtrocknen, legten mir eine kratzige Decke um. Eines der Lieder, das wir am Lagerfeuer sangen, habe ich, weil es so fremd klang, schon beim ersten Singen gelernt und kann es bis heute: ›Jenseits des Tales standen ihre Zelte‹. Mit der Melodie wird die Szene deutlich. Ich sehe mich, womit ich übertreibe. Ich bilde mich mir ein und gebe dem Sog des Lieds nach: in die Zelte jenseits des Tales zu wechseln, fort von den Jungen, die mich nach der Mutprobe zwar freundlich behandeln, doch denen da drüben nicht das Wasser reichen können. Die kommen aus einer anderen Zeit und gehören meiner Phantasie.

Zu den Füßen von drei Jungen durfte ich mich schlafen legen. Die Nacht verwirrte mich mit Geräuschen, die ich nicht zu entschlüsseln vermochte. Am tollsten trieb es der Teich. Er schlürfte, gurgelte, schwappte.

Was ich nun erzähle, wurde mir erzählt. Mit den Stimmen der Eltern ist es in meinem Gedächtnis geblieben. Nur haben sich die Sätze mittlerweile von den Stimmen gelöst, sind zum Refrain der Überlieferung geworden. Vom frühen Abend an haben die Eltern nach mir gesucht. Kein Mensch habe über mich Auskunft geben können, mich gesehen. Die Erde habe mich verschluckt. Vater habe sich mit dem Bürgermeister in Verbindung gesetzt, der wiederum die Polizei informierte. Was glaubst du, was uns alles durch den Kopf gegangen ist?, fragte er später, beschrieb aber »alles« nicht näher. Er sagte auch: Was hast du deiner Mutter angetan. Mir erscheint es merkwürdig, dass niemand beobachtet hat, wie wir uns mitten im Dorf, auf der Leipziger Straße, versammelten. Außerdem wussten die Eltern der Jungen bestimmt Bescheid.

Spät genug hätten sie es erfahren. Mit zwei Autos fuhren sie die Straße nach Penig, bis sie die Zelte sahen und in den geballten Jungenschlaf einbrachen, mein Vater mich aus dem Zelt zerrte, schüttelte, ausschimpfte, furchtbare Strafen androhte, Mutter mich in die Arme schloss, und ich eben noch mitbekam, wie die Jungen sich zusammenrotteten, grinsten, mich auslachten, das Kind, das etwas Unerlaubtes getan hat. Das Kind, das mit einer Woche Stubenarrest bestraft wurde.

Dabei wollte ich mit den Jungen auf Fahrt mir die eine Angst mit der anderen austreiben. Seit ich in die zweite Klasse gekommen war, verfolgte und drangsalierte mich eine

Gruppe von »dreckigen« Jungen. Einige von ihnen gingen in meine Klasse, sie kicherten, wenn ich Gedichte aufsagte, nahmen mich beim Völkerball, obwohl ich zu ihrer Mannschaft gehörte, in die Zange, trieben mich auf dem Heimweg vor sich her, bis ich rannte, vor Angst blind. So lief ich gegen den Mast einer Straßenlampe, holte mir eine klaffende Wunde in der Stirn und eine Gehirnerschütterung. Die Narbe verwuchs sich nicht ganz. Fahre ich mit dem Finger über die Stirn, erinnert sie mich an die Hartmannsdorfer Kinderangst.

1941 verließen wir Hartmannsdorf, 1983 sah ich es, wenn auch nur flüchtig, wieder. Hans Altenhein, mein westdeutscher Verleger, begleitete mich auf einer Lesereise in der DDR. Auf dem Weg von Berlin nach Leipzig schlug er mir einen Abstecher nach Hartmannsdorf vor. Der schnelle BMW überholte gleichsam mein Dreirad. Wir befanden uns schon in Burgstädt, als ich noch nach »unserem Haus« an der Burgstädter Straße Ausschau hielt.

Ich besuchte meine Gegend mit einem veränderten Blick. Alles war zusammengeschnurrt. Das Haus der Großeltern schützte noch immer mit massiger Front den verwilderten Garten dahinter, den Schuppen oder den Pavillon am Bach. Ich traute mich nicht ins Haus. Auch das Betongebäude gegenüber erkannte ich wieder. Dort saß die Partei, erklärte ich Altenhein. Ein alter Mann, der vorüberkam, bemerkte leise und deutlich: Da sitzt sie noch immer. Womit er uns Gesprächsstoff für die Weiterfahrt gab: dass manche Gebäude bestimmte Bewohner anziehen, und die Bewohner wiederum nicht unbedingt ausziehen, wenn die Politik wechselt, sondern sich nur »umziehen« müssen, und für den kargen Rest an Gesinnungswandel sorge dann schon die jeweilige Partei.

Nach Dresden reisten wir regelmäßig. Es war Mutters Stadt. An die Wohnungen dort erinnere ich mich bei weitem genauer als an die in Hartmannsdorf. In sie kam ich zu Besuch, sie musste ich erkunden, ihre Geräusche blieben mir unheimlich, vor allem die in der Wohnung an der Borsbergstraße, meiner Schlafwohnung. Abends brachte mich Mutter hin, zu Onkel Wilhelm und Tante Suse, der älteren Stiefschwester Vaters. Beide waren sehr klein, fast Liliputaner, doch Onkel Wilhelm hatte es »weit gebracht«. Der fürchtet sich auch vor dem Mutschmann nicht, stellte Vater mit Respekt fest. Mutschmann, Gauleiter Sachsens, nahm in seinen Reden, und vor allem in den Flüchen von Großmama Häntzschel, die Gestalt eines Bösewichts an.

In der Wohnung Onkel Wilhelms hätte der Fahrplan einer Straßenbahnlinie hängen können. Sie fuhr genau vorm Haus in regelmäßigen Abständen klingelnd und quietschend um die Kurve. Tante Suse brachte mich deswegen auch erst dann zu Bett, wenn die Trambahnen größere Pausen machten. Onkel Wilhelm sammelte Bücher. Nirgendwo hatte ich bisher eine solche Menge Bücher in Regalen und Schränken gesehen. Er liebte schöne, in Leder gebundene Bände. Und er kannte die Dichter, als ginge er jede Nacht mit einem aus. Das half ihm, vermute ich, als Forstingenieur für den Gauleiter Mutschmann tätig zu sein, sich zu verstellen. 1949 – er und Tante Suse hatten den Feuersturm von Dresden überlebt – machte er sich mit den Kommunisten gemein, zum Entsetzen von Großmama Härtling, wurde zum leitenden Forstingenieur befördert und blieb hauptamtlich Leser: Er schenkte mir zum fünfzehnten Geburtstag Gottfried Kellers sozialkritisches Romanfragment ›Martin Salander‹.

Die andere Dresdener Wohnung betrübte Mutter als kläglicher Schlusspunkt einer glanzvollen Familienkarriere. Zwei Zimmer, von Großmama Häntzschel in Anspruch genommen, die ehemals zum Kontor der Combella-Werke gehörten, die Großvater Häntzschel – wenn nicht der Erfinder, so doch der Verfeinerer der Gurkenmilch – gegründet, ausgebaut und verloren hatte. Ihn habe ich nur in Erzählungen kennen gelernt. Er muss so klein wie Onkel Wilhelm gewesen sein, nach Tante Suses Urteil ein »minderwertiger Weiberheld«, der sich mir, als ich ›Eine Frau‹ schrieb, als phantasievoller Stadtwilderer aufdrängte, als Großsprecher und generöser Kaufmann.

Tante Suse drückte mir, bevor ich ins Bett ging und die letzte Tagesstraßenbahn um die Ecke kreischte, ein silbernes Glöckchen in die Hand, mit dem ich sie oder Onkel Wilhelm wecken und herbeirufen durfte. Ich tat es zu oft. Sie nahm es mir wieder ab, und ich musste mit meinen Wachträumen alleine zurechtkommen.

Großmama Häntzschels zwei Zimmer lagen am Ende einer prachtvollen Geschichte, wie ein armes, einfallsloses Kapitel, belebt von den flatternden Bewegungen der alten Dame, die mit einem Maßschäufelchen Vogelfutter in bunte Tüten füllte. Mit ihr, Mutter und Lore, die sich in Dresden nie aus Mutters schützender Nähe entfernte, standen wir vor dem Zaun in Klotzsche, hinter dem in einem parkähnlichen Garten eine schlossähnliche Villa stand, die Mutter mit einem Satz zum unerreichbaren Paradies werden ließ: Das hat alles mal uns gehört. Der Schriftsteller Wolfgang Hegewald schrieb mir, in dem Haus, das in ›Eine Frau‹ eine so beherrschende Rolle spiele, sei er zur Welt gekommen. Es habe längere Zeit als Geburtsklinik gedient.

Wir fuhren mit einem Raddampfer der »Weißen Flotte« bis Bad Schandau, Mutter erzählte von ihren wilden Brüdern, Onkel Günter und Onkel Helmut, von ihrer Schwester Elle, die, auf einer Lustfahrt mit jungen Herren aus Hellerau, Dichtern und Offizieren, ertrunken sei. Die Halunken seien besoffen in einen Bach gefahren, hätten sich aus dem sinkenden Wagen gerettet und Elle einfach vergessen. An Tante Elle erinnerten die Zigarettenspuren auf der viel zu großen Anrichte in Großmama Häntzschels Wohnung.

In der Gemäldegalerie hielt mich Mutter jedes Mal bei Raffaels Engeln fest, aber sie entzückten mich nicht wie sie. Ich wartete, bis wir das Museum verlassen hatten und ich zum großen Brunnen rennen konnte, zum steinernen Delphin und zu Arion, dem Dichter, der von dem großen Fisch gerettet wird.

Nach 1942 reisten wir nicht mehr nach Dresden. Großmama Häntzschel überlebte, auch die anderen Verwandten kamen mit dem Leben davon. Stundenlang sei, erfuhren wir später, Großmama durch die brennende Stadt geirrt, bis man sie aufgriff. Wer das tat, und was das bedeutete, erfuhren wir nicht.

In Hartmannsdorf starb Großpapa Härtling. Der Zucker hatte ihn, stellte ich mir vor, von innen ausgefüllt und erstickt.

Ich entdeckte auf dem Weg zur Schule eine Mauer, auf der grüne Scherben steckten. Sie schmückten nicht, sondern sie schützten vor Eindringlingen. Vor welchen? Ich versuchte mir die Bewohner des Hauses hinter der Splittermauer vorzustellen. Es gelang mir nicht. Kaum war Großpapa unter der Erde, kaum hatte er die Wohnung an der Leipziger Straße für immer verlassen, drängte es Vater fort. Nicht nur ihn. Auch Tante Käthe und Großmama fühlten sich, wie sie beklagten, allein gelassen. Großpapa musste sie alle an Hartmannsdorf gebunden haben. Dabei hatte er fast sein ganzes Leben in Brünn verbracht, als der beste Indigofärber weit und breit, und Hartmannsdorf für seinen Ruhestand gewählt, weil er in der Nähe, in Glauchau, auf die Welt gekommen war, weil er, was mir die Tanten allerdings erst später und etwas gequält erklärten, wegen Hitler unbedingt ins Altreich wollte. Wegen Hitler verließ Vater offenbar Hartmannsdorf. Die Leute im Parteihaus gegenüber setzten ihm zu. Auch das hörte ich erst von den Tanten. Es zog ihn nach Brünn, nach Hause. Dort lebte seit einiger Zeit eine seiner Schwestern, Tante Lotte, verheiratet mit einem Tschechen. Dort hatte er seine Kindheit und Jugend verbracht, in Prag studiert, am Ende in Leipzig, weil das böhmische Recht im Altreich nicht anerkannt wurde.

Mein Vater ist in mehreren Rollen aufgetreten. Nicht jedoch in der des Vaters. Als er sie in Olmütz nachzuholen versuchte, blieb ihm nicht viel Zeit, und es fiel ihm ungleich leichter, Lore für sich zu gewinnen, als mich. Er misstraute mir, meinen Freunden, meinen Führern beim Jungvolk, die er als Großmäuler bezeichnete, sogar meinen Lehrern. Stritten wir, nannte er mich einen Lügner und Aufschneider. Wann immer wir einander näher kamen, er mich ernsthaft ins Gespräch zog oder mich in seine Kanzlei mitnahm, ich seiner Sekretärin, Frau Spaček, bei der alphabetischen Ordnung der Akten half oder, wenn es an der Tür klingelte, die Klienten hereinließ und ins Wartezimmer führte, wann immer wir uns näher kamen, spürte ich meine Befangenheit, etwas, das wir nicht aussprechen konnten. Sagte er, den Kopf schüttelnd, »du Lauser«, genoss ich den leisen Tadel wie eine Zärtlichkeit.

Der alte tschechische Advokat, dessen Kanzlei er in Olmütz übernahm, zögerte die Übergabe hinaus. Wir hielten uns länger als geplant in Brünn auf, fast ein Vierteljahr, und ich konnte die Stadt für mich entdecken, umerzählen, neu finden. Dafür gab es genügend Helfer und Begleiter. Sie wurde zu einer Gegend, die sich fortwährend verwandelte, Häuserschluchten gab es, tiefer und dunkler als in Dresden, die Festung auf dem Spielberg, die nach der Besichtigung traurige Geschichten von Gefangenen preisgab, die Parks, vor allem der Augarten, der Duft aus einer Oblatenbäckerei in seiner Nähe, der Drachen im Rathausgewölbe, von dem mir keiner sagen konnte, ob er ausgestopft oder einfach ge-

fälscht sei, der Krautmarkt mit dem Geschrei der Markt-
weiber, und die vier Wohnungen, nach denen sich die Topographie der Stadt ordnete, eigentlich drei, denn in dem
kleinen Hotel in der Nähe der Villa Tugendhat, dessen Architekt Mies van der Rohe, so behauptete Onkel Beppo,
nach Amerika habe verschwinden müssen, weil der Führer
keine Schachteln aus Beton liebe – in dem kleinen Hotel
wohnten wir für die Übergangszeit und schwärmten von
dort tagsüber und mitunter auch abends in die Wohnungen
aus. Das Hotel hat mein Kinder-Ich vergessen. Ich erinnerte
mich erst wieder daran, als ich ›Božena‹ schrieb und mich
fragte, wie wir zu unserem Hündchen kamen, das uns in
einem Korb nach Olmütz begleitete. Der Pekinese. Die zwei
Hände lange schwarze Bestie, die wir Mohrle tauften.

Die drei Wohnungen stehen, schaue ich zurück, zur Stadt
in Beziehung, nicht nur zu ihren Bewohnern, sie ordnen und
teilen, ziehen Linien und Schattenschwerpunkte. Mich, das
Kind, aber auch mich, den erinnernden Alten, zieht es zuerst
in die Wohnung Tante Lottes in den Schwarzen Feldern. Sie
ist klein, sie steckt voller wunderbarer Unmöglichkeiten.
Voll von dem, was ich damals für unerwartet und undenkbar
hielt. Sie verfügte über eine Dependance, eine Viertelstunde
entfernt, Am Bergl, die allerdings Onkel Beppo vorbehalten
blieb, da ihn dort, zu jeder Tages- und Nachtzeit, sein Bu-
senfreund Waldhans empfing. Onkel Beppo, dem die deutschen Besatzer die Arbeit nahmen, hatte einen geregelten
Tageslauf, der auch das Leben in der Wohnung und nicht
zuletzt das von Tante Lotte bestimmte. Da die Wohnung aus
Wohnzimmer, Schlafzimmer, Bad, Küche und einem söller-
ähnlichen Balkon bestand, teilten sich Onkel Beppo und
Tante Lotte die Arbeitsplätze. Er hielt das Wohnzimmer
besetzt, sie die Küche. Er malte. Malte Miniaturen von Ro-
kokoschönen und Tieren auf Elfenbeinblättchen, und die
Lupe, die er in einem Auge geklemmt hielt, zeichnete, nahm

er sie heraus, einen roten Ring. Malte er nicht, schrieb er Briefe, schrieb er nicht, saß er vor dem Grammophon und hörte Musik, vorzugsweise von Dvořák, Smetana und Janáček. Tante Lotte nahm die Küche in Anspruch, telefonierte im Vorzimmer, plante Einladungen, sprach mit Freund Waldhans, mit Tante Manja, meinem Vater, Tante Ženka, beobachtete das flaue Leben der Karpfen, Forellen oder Krebse in der Badewanne, rupfte Fasane, füllte Tauben. Obwohl das alles nicht auf Lebensmittelkarten zu bekommen war, brauchte sich Tante Lotte um diese verbotene Fülle nicht zu kümmern. Dafür sorgten Onkel Beppo und Waldhans, die mindestens dreimal im Monat hinaus an den See fuhren, den Onkel Beppo gepachtet hatte und in dessen Nähe seine Hütte stand. Schießen durfte er nicht, das hatten ihm die Deutschen untersagt. Manchmal, erklärte er, falle ein Vogel vom Himmel. Onkel Beppos Launen fürchtete ich. Er habe die Schwindsucht, warnte mich Tante Käthe, wenn er mich umarme, solle ich meinen Kopf an seine Brust drücken und es vermeiden, von ihm beatmet oder geküsst zu werden. Was er sowieso nie tat. War er wütend, redete er tschechisch auf mich ein, sprach er jedoch deutsch, merkte man nicht, dass er Tscheche war. Tante Lotte redete brünnerisch. Die deutsche Wehrmacht, die SS, meine Jungvolkuniform, die deutsche Schule in den Schwarzen Feldern, auf die ich eine Zeitlang ging, fand Onkel Beppo zum Speiben, Waldhans zum Vergessen. Tante Lotte sparte derartige Ansichten aus. Weshalb mich Onkel Beppo bevorzugte, ich »sein Petr« sein durfte, konnte ich mir nicht erklären, genoss es jedoch.

Die zweite Wohnung, die von Großmama Härtling und Tante Käthe, lag am Weg in die Stadt, nicht allzu weit entfernt von dem Neubauviertel Schwarze Felder, an einer abschüssigen, von überaus noblen Mietshäusern flankierten Gasse, die Am Bergl hieß. Die Wohnung dehnt sich in meiner Erinnerung ungleich opulenter und geräumiger aus, als die in den Schwarzen Feldern. Ich kann meine Maßstäbe von damals nicht mehr prüfen, ihnen nur misstrauen. Vermutlich waren die Zimmer höher und der Vorsaal größer. Das Wohnzimmer beherrschten die dunklen, mächtigen Möbel, die ich aus Hartmannsdorf kannte, die mich da schon das Fürchten lehrten. Dazu kamen schwere, maisgelbe Vorhänge mit Litzen und Bommeln. Auch den Erker gab es, wie in Hartmannsdorf, nur größer, sodass ein Tisch und zwei Stühle hineinpassten. Ich zog das Zimmer von Tante Käthe vor. Es war bei weitem kleiner, das dunkle Parkett verschwand unter einem hellen, dicken Teppich, auf dem ich mit Vorliebe lagerte und las. Tante Käthe rühmte als Attraktion ihren Breuer-Stuhl, in dem ich nicht sitzen, doch liegen konnte. Was immer ich auf dem Teppich las – ein Buch ist mir unvergessen. Tante Käthe hielt mich allerdings nicht reif dafür. ›Ich an Dich‹ hieß es, eine Liebesgeschichte, die für mich spannend wurde durch ungewöhnliche Beigaben: eingeklebte Briefe und Postkarten, Kinokarten, Fahrkarten und sogar »echte« Lippenstiftabdrücke. Anfang 1945 änderte sich Großmamas Wohnung mit einem Schlag, als Brünn von den Engländern oder Amerikanern bombardiert wurde. Wir zogen in den Keller, und zwischen Entwarnung und Alarm durften wir bloß in den Hinterhof, nicht hinauf wie die Großmama, die rasch ein Kartoffelgulasch oder einen Erbseneintopf kochte. Nachdem eine Bombe in der Nachbarschaft einschlug, durften wir alle ansehen, was sie angerichtet hatte. Die Fensterscheiben in Großmamas Wohnung waren aus dem Rahmen geflogen, hatten sich als Splitter in die Möbel gebohrt. Sie erinnerten mich an die grünen Flaschenscherben auf der Hartmannsdorfer Mauer.

Der Weg vom Bergl zur Kröna führte quer durch die Stadt, die mir von Onkel Beppo, Babitschka, Tante Manja und Vater immer von neuem erzählt wurde. Es war ein tschechisches Brünn, das sich hinter deutschen Benennungen wie Deutsches Haus, Deutsches Theater keineswegs versteckte. Die Stadt blieb in einer eigentümlichen Schwebe: Ihre Parks, Boulevards, ihre engen Altstadtgassen, in denen Onkel Beppo die Weinstuben aufzählen konnte, der Rathausplatz, der Krautmarkt und darüber die lastende Festung, in der Silvio Pellico, Onkel Beppos italienischer Freiheitsheld, »unter den Habsburgern hat schmachten müssen«.

Manche dieser Sätze hängen wie Spruchbänder über den vergegenwärtigten Bildern. Als ich im Jahr 2000 an der Brünner Universität sprach, mich am Tag danach in die Stadt hineintastete, schien sie sich zurückzuziehen, ich wurde nicht mit ihr vertraut, obwohl ich dieses Straßeneck und jenes Gebäude, vor allem den Spielberg wiedererkannte. Es fehlten die Stimmen.

Ich bin imstande, mir die Häuser in den Schwarzen Feldern und Am Bergl vorzustellen, sie zu »sehen«. Bei dem Haus an der Kröna, Babitschkas Burg, gelingt mir das nicht. Es sprengte, vermute ich, meinen Blick. Der Häuserblock machte mich klein. Aber das Treppenhaus, steinern, geschwungen, mit einem für mich viel zu hohen Geländer und Treppenabsätzen, auf denen eine Theatertruppe hätte spielen können, Szene für Szene nach oben, bis in die fünfte Etage, bis unters Dach – dieser steigende Raum ist mir im Gedächtnis geblieben. Gehe ich die Stiege zu Babitschkas Wohnung hinauf, habe ich schon unten geläutet, an dem großen Tor, in dem eine kleinere Tür meistens offen stand. »Hlavka« steht in einer dünnen Schreibschrift auf dem Emailleschild. Von Tante Lotte weiß ich, dass Hlavka auf deutsch Salathäuptl heißt. Ich habe nie alle Zimmer kennen gelernt. In den Gängen entdeckte ich immer neue Türen, es gab nicht nur einen Vorsaal, sondern zwei, und abweisende dunkle Ecken. Fast überall strömte Licht durch die Fenster zum Innenhof. So wechselten auf jedem längeren Weg von Zimmer zu Zimmer Licht und Finsternis. Brannten allerdings die Lampen, entwickelten die Korridore einen Sog, und neugierig, wie ich war, gab ich ihm nach. Mich beunruhigte freilich, dass ich nie wusste, wohin ich und wovor ich fliehen musste. Solange ich des Wegs zur Küche, das hieß zu Babitschka, sicher war, schreckten mich die Geräusche, die hinter den Türen laut wurden, oder das Ächzen des Parketts nicht besonders. Nur gab es viele unterschiedliche und unerklärbare Laute, als beherbergten die Zimmer und Kammern eine Kolonie riesiger Vögel, die sich leise und pausenlos in dumpfen, zirpenden, brummenden Tönen miteinander verständigten. Manchmal war auch Musik zu hören, als trage Onkel Beppo sein Grammophon hinter den Türen auf und ab, einmal lauter, ein andermal sehr leise. Immer jedoch, da war ich nicht zu täuschen, wurde seine Musik gespielt, die böhmische. Nie bekam ich heraus (und ich wagte auch nicht danach zu fragen), ob Tante Ženka und ihr Mann Karel, ein hoch aufgeschossener Mann, dem jeder Anzug zu weit war, mit einem kleinen Kopf auf einem dünnen Hals, aus dem der größte Adamsapfel, den ich je gesehen hatte, sprang, ob die beiden ebenfalls an einem der Gänge wohnten oder im Stockwerk darüber. Onkel Karel wurde im Allgemeinen ignoriert und nie von den andern angesprochen. Redete er, wendete er sich niemandem zu.

Jede der drei Wohnungen könnte ich, bis heute, durch ihren Geruch identifizieren. Die in den Schwarzen Feldern roch immer nach Küche, ein wenig nach Fisch und nach Teichwasser, im Wohnzimmer nach den Farben Onkel Beppos. Die Am Bergl nach Tante Käthes Parfüm und nach Großmamas Puder. Die an der Kröna teilte sich in zwei Duftsphären: In der Nähe der Küche roch es nach Kräutern, häufig nach Dill, und je mehr ich in die Korridore eindrang, umso eigentümlicher mischten sich die Gerüche, Staub, Leder, verschiedene Parfüms. Im Grunde brauchte Babitschka diese weitläufige, mich mit ihren Geheimnissen beunruhigende Wohnung gar nicht, dachte ich damals. Heute sehe ich sie, im Gegenteil, als souveräne Hüterin von Geheimnissen, als durchtriebene und zugleich gutmütige Regisseurin eines Spiels mit ihren Mitbewohnern, Tante Manja, Tante Ženka, Onkel Karel, das ich nicht verstehen konnte, in das ich jedoch gehörte. Abends, bevor ich ins Bett gehen musste (wie viele Male habe ich an der Kröna geschlafen? Allzu oft kann es nicht gewesen sein. Bevor wir in das Hotel zogen? Natürlich beim letzten Besuch im späten Sommer 1945), trafen sich alle rund um den großen Tisch im Speisezimmer zum Essen. Tante Manja und Tante Ženka trugen im Wechsel auf. Sie redeten und redeten. Worüber sie sprachen, blieb mir verschlossen. Sie deuteten an, gaben Leuten, die ich kennen musste, andere Namen. Oder sie unterhielten sich tschechisch und schlossen mich ganz aus. Ihr Verwirrspiel machte sie mir fremd, rückte sie auf eine Distanz. Wenn ich von der Schule erzählte, vom Besuch eines erfolgreichen Jagdfliegers, so einem wie Mölders, nickten und lachten sie, ohne zuzuhören. Sie dagegen sprachen von ehemaligen Hausbewohnern, von Freunden, die verschwunden waren, geholt wurden, wie Onkel Beppo es bezeichnete. Ribaschs, deren Wertsachen sie nun aufbewahrten für den Fall, dass sie doch zurückkehren werden. Ich begriff, dass die Ribaschs, eine jüdische Familie, von den Deutschen nach Theresienstadt gebracht worden waren.

Die Deutschen. Lore und ich gehörten zu ihnen, Vater und Mutter auch. Babitschka und Onkel Beppo hörten mir nicht zu, weil ich deutsche Geschichten erzählte. Ich wünschte mir, ich könnte wie Vater Tschechisch. Mutter schwieg, wenn nicht Babitschka sich mit ihr unterhielt. Das hörte sich dann so an, als wiederholten sie ein altes Gespräch.

Am liebsten hielt ich mich in der Küche auf und sah Babitschka bei der Arbeit zu. Platz hatte sie genug. Die Küche war größer als das Speisezimmer. In ihrer Mitte ragte der Herd bis zur Decke, wie eine blauweiß geblümte Lokomotive aus lauter Kacheln. Wie Babitschka sprach, habe ich nicht vergessen. Ihre Stimme glich der einer Taube, gurrend, dunkel. Die Tauben im Hof redeten manchmal mit. Sie alle redeten brünnerisch. Einmal, während der großen Ferien 1943, erlebte ich Babitschkas unbändige Lust an der Fülle. Sie weckte ein. Berge von Stachelbeeren, die sie Angreschln nannte, oder Ribiseln, die ich inzwischen wieder Johannisbeeren nenne, Erdbeeren, Zwetschgen, die in Körben aufgereiht darauf warteten, geputzt, gepresst, gekocht, verwandelt zu werden in Marmelade, Jam oder Gelee. Die Töpfe dehnten sich vor lauter Anstrengung und entsandten duftende, heiße Schwaden. Babitschka redete, erklärte mir, was sie tat, was geschah, was sie vorhatte, wischte sich die Hände an der Schürze ab, und zur verabredeten Zeit erschien Tante Manja, um ihr beizustehen, auch ein bissl zu naschen. Mutter hielt zu Recht Tante Manja für schön. Sie überragte Babitschka um einen halben Kopf, Mutter um einen ganzen, und ihre schwarze Haarmähne glänzte wie lackiert. Ich kam von ihren Augen nicht los, musste immer wieder in sie hineinschauen, ohne verlegen zu werden: Sie waren riesengroß, traten ein wenig hervor, und die großen, schwarzen Pupillen waren umgeben von blauen, tiefen Seen. Ich habe sie nie ungeschminkt gesehen. Tante Manja füllte die Marmelade in die Gläser. Babitschka behauptete, da könne sie ihre Geduld ausprobieren. Im Laufe eines solchen Nachmittags setzte sich meine tschechische Großmutter nacheinander auf einen der acht oder zehn weiß lackierten Stühle, die neben den Schränken oder in Nischen standen. Einmal wenigstens musste ich damit rechnen, von ihr umarmt zu werden, heftig und ausdauernd, und jenen Satz zu hören, den sie als Wunsch- und Zauberformel bei solchen Gelegenheiten, auch bei Abschieden gebrauchte: Der liebe Gott wird schon ein Einsehen haben. Es ist der einzige Satz, der mich wörtlich mit ihr verbindet. Jetzt hilft er mir, dieser damals gar nicht so alten (mir nur sehr alt erscheinenden), von mir geliebten Person auf die Spur zu kommen und vielleicht sogar ihre Attraktion zu erklären. Sie holt den Himmel herunter zu sich, erwartet, nicht ohne gläubige List, doch auch nicht ohne ironische Aufgeklärtheit, einen Widerschein von göttlicher Vernunft in unserer näheren und ferneren Zukunft. Der ist, nach meiner Erfahrung, ausgeblieben.

Babitschka, die mir allen Schutz der Welt wünschte, sorgte ebenso dafür, dass ich meine Gefühle entdeckte, nicht mehr mit ihnen zurechtkam und den Erwachsenen zu misstrauen begann. Einmal, als sie mich über die Maßen umarmte, dachte ich mir aus, nackt in den Armen Tante Manjas zu liegen. Mutter riet ich, sich solch einen Mund zu schminken, wie die tschechische Tante. Womit ich sie unbedacht verletzte.

Ich schlenderte durch einen der Korridore, drückte ab und zu eine Klinke nieder, öffnete die Tür nie ganz, schnupperte die Duftsphären und erblickte durch einen Türspalt ein lebendiges Bild, das es nicht geben durfte, das mich derart erschreckte, dass ich an dem angehaltenen Atem fast erstickte: Mitten im Zimmer standen Vater und Tante Manja eng aneinander gepresst, küssten sich und hörten überhaupt nicht damit auf. Habe ich mich geschämt? Bin ich wütend gewesen? Auf alle Fälle habe ich als Mitwisser geschwiegen und an Macht gewonnen, an einer sinnlosen und schmerzhaften Macht.

Mitte fünfundvierzig, als Tante Käthe und ich ein letztes Mal in die Wohnung an der Kröna kamen, mich die Ratlosigkeit der Erwachsenen erzürnte, nur Babitschka noch deutsch sprach und Onkel Beppo schon gestorben war, verabschiedete mich meine tschechische Großmama, nach der ich mich bis auf den Tag sehne, mit dem Segen, der ihre Zweifel einschloss: Der liebe Gott wird schon ein Einsehen haben.

Auf Olmütz habe ich ungeduldig gewartet. Auf meine hochgebaute Stadt. In ihr brach das Kind aus, veränderte sich mein Ich. Als ich zurückkehrte, nach fünfzig Jahren, musste ich nichts neu erzählen, keine Straße, kein Haus, keinen Park. Zwar hatte ich geahnt, dass es keine Gegend gäbe, aus der ich mehr mitgenommen und aufbewahrt habe, als die Stadt an der March. Aber dass ich sonderbarerweise auch in ihrem Gedächtnis steckte, überraschte mich. Ich wüsste keinen Ort auf der Erde, dessen Architektur, Topographie mir so eingeprägt wäre. Ich erinnere, wenn ich durch die Stadt gehe, mich an mich. Das heißt, an die Stadt, die meine Kindergefühle teilte, vergrößerte, bestätigte oder schluckte. In der ich aufging, wie in einem vielsprachigen Wesen. Das Olmütz meines Alters ist auch schön in seinem Alter. Im Bischofs-, im Universitätsviertel scheint der Stein geradezu sein Gewicht verloren zu haben, in jenem kaiserlichen Gelb, das die Städte von Brünn bis Zagreb einfärbt, und der Zusammenhang ist längst erzählt von Joseph Roth, von Musil und Hofmannsthal. Gerade hier fielen die Phrasen der Nazis über mich her, hier machte ich mich groß, hier übte ich mich in einer bübischen Sexualität, hier konnte die Babitschka nicht hineinreden, und ich entdeckte, dass meine Mutter mich und meine Schwester verriet wie meinen Vater, hier, auf diesem unvergleichlich reichen Spielplatz, entfernte ich mich aufbrausend, krähend, in vermeintlicher Stärke, schon aus der elterlichen Sphäre, als ahnte ich, dass sie ohnehin bald schwinden würde. Dieses Ich, verletzt und glücklich zugleich, sprengte die Puppe Kindlichkeit.

Wir wohnten über einer Passage. Schon in Brünn hatten

mich Passagen angezogen, diese gläsernen, überdachten, mit Läden bestückten Hausdurchgänge. Mir schien es, als existierten Verkäufer und Passanten in einem besonderen, hervorgehobenen Zustand. Nachts führte der Durchgang, sobald die Geschäfte geschlossen waren und das Kino sein Publikum entließ, ein geheimnisvolles Leben, sammelte unersättlich ein, was sich tagsüber ereignete, und alles wurde zusammengekehrt, wie der bunte Abfall vor dem Obstgeschäft.

Olmütz reizte von Anfang an meine Phantasie. Das Haus an der Wassergasse (die es nicht mehr gibt) steht unverändert. Ich schaute hoch zu dem Balkon, der in einem Halbrund um das Kinderzimmer führt, und sah, wie Lore und ich meiner Mutter zuhörten, die uns eindringlich warnte, nichts, aber auch gar nichts hinunterzuwerfen auf die Gasse. Es könnte Menschen treffen und erschlagen. Ich höre ihre Stimme, doch so, wie alle Stimmen von damals, von jenseits, in einer deutlichen Verzerrung, mit vielen Obertönen und ohne dunkle Färbung, als hätten sie ihren Grund verloren. Die Wohnung war Vaters Entdeckung. Ich habe sie in ›Nachgetragene Liebe‹ beschrieben. Im Laufe von zwanzig Jahren ist sie noch größer geworden, im Nachhinein unsinnig groß, da Vater 1943, ein Jahr nachdem wir eingezogen waren, nicht mehr als Anwalt tätig sein durfte und, obwohl uk geschrieben (wegen seines kranken Herzens), zur Wehrmacht eingezogen wurde, nach Wallachisch-Meseritsch. Das Herrenzimmer, in dem er mich einige Male in den großen Besucherstuhl setzte, mir Standpauken hielt, wurde ebenso wenig benutzt wie das Speisezimmer. Zur Insel wurden Mutters Salon, der von einem, die Proportionen des Räumchens sprengenden, grünen Kachelofen beherrscht wurde, das Wohnzimmer, das uns das Speisezimmer ersetzte, und das Kinderzimmer, dieser halbrunde, von einem Fensterband gefasste, wunderbar helle Raum, der mit dem Vorsaal eigens durch einen Korridor verbunden war. Bad, Mädchen- und Elternschlafzimmer lagen in einer Flucht hinter der Küche. Bestimmt, dachte ich, als ich nach einem halben Jahrhundert vor der Wohnungstür stand, ist die Wohnung geteilt worden: Nur, wo findet sich die zweite Tür? Nein, ich wünschte nicht, dass sich auch nur eine Tür öffnet. Die Bewohner von heute, der Ingenieur und seine Familie, haben mit meiner Erinnerung nichts zu tun, bis auf jene Frage, die alle Flüchtlinge ihren Nachfolgern hinterließen: Wer sind die gewesen, wie haben sie gelebt? Eine Frage mit unterdrücktem Nachhall. Der Lift, der uns Kindern anfänglich verboten war, fährt noch. Das Kino unten in der Passage, in dem ich ›Alcazar‹ und ›Junge Adler‹ sah, und aus dem ich jedes Mal als Held ins Licht trat, gibt es nicht mehr. Bei diesen Filmen habe ich Mutter nicht fragen müssen, ob ich nachmittags ins Kino gehen dürfe, ›Alcazar‹ und ›Junge Adler‹ sah ich gemeinsam mit dem Jungzug, und nach der Vorstellung trafen wir uns in der Abenddämmerung auf dem Plätzchen vor der Theatergasse. Der Jungzugführer erzählte den Film noch einmal, machte uns klar, was es bedeute, wenn ein francistischer General seinen Sohn, der von den Bolschewisten gefangen gehalten werde und mit dem sie den Vater erpressen wollten, opfere. Für eine große Sache sein Leben zu opfern, sei selbstverständlich.

An einem Sommerabend im Jahr 1944. Mich überkommt eine tolle Stimmung, kindlicher Übermut, frei zu sein, für den Führer zu sterben.

Bin ich das gewesen? Ein Kind nimmt sich nicht Zeit. Es handelt sie mit den gegebenen Widerständen und vorhandenen Ängsten aus.

Wo sich die Volksschule befand, weiß ich nicht mehr. Dort trat, unverhältnismäßig vergrößert, Oberlehrer Kögler auf, eine Gestalt, wie auf Kothurnen, die uns klein und demütig hielt, uns den Lebenslauf Hermann Görings als

Abschiedsaufsatz von der Volksschule schreiben ließ und die Rettung der Sudetendeutschen vor den Ansprüchen der Tschechen durch Adolf Hitler und Konrad Henlein ein Schuljahr lang in Fortsetzungen erzählte.

Vater stellte mich im Gymnasium vor. Wir gingen quer über den Sportplatz zum Schulgebäude. Ich fragte mich, warum er den Weg wählte. Den Platz gibt es nicht mehr. Immer, wenn ich mich an verschwundene Orte erinnere, habe ich die Vorstellung, von einem anderen, unsichtbar gewordenen Leben zu schreiben, einem, das schon aus seiner Wirklichkeit weggerissen wurde und in meinem Gedächtnis (wie in dem eines Ertrinkenden) übrig blieb. Ich spüre den schweren, dunklen Mann neben mir. Er redet dringlich auf mich ein. Was? Gibt er mir gute Ratschläge für die Schule? Oder versucht er meine Begeisterung für das Jungvolk zu dämpfen? Er hat nie genau gesprochen, meistens in Andeutungen, Bildern. Oft verstand ich ihn nicht. Womöglich fürchtete er, ich könnte plappern, ihn bei meinen »Führern« bloßstellen, verraten. Ich wusste viel zu wenig von seiner Arbeit, und auch das war mir nicht geheuer. Ich höre ihm zu. Ich habe alles, was er mir sagte, auf dem Gang über den Platz, vergessen.

Damals ging er noch jeden Tag in die Kanzlei in der Schulgasse, die »zweite Wohnung« in Olmütz. In ihr erwartete ihn Frau Spaček, seine tschechische Sekretärin. Noch im letzten Kriegsjahr, als der »Dienst« für das Jungvolk mich außerordentlich beanspruchte, flüchtete ich mich manchmal in die Kanzlei, wo die Akten in den Regalen immer mehr einstaubten, dennoch von Frau Spaček gehütet wurden. Sie war sicher, dass der »Herr Doktor« zurückkomme. Einmal sagte sie: Wenn der Krieg aus ist ... und versuchte mit ausdauerndem Gelächter den Satz aus der Welt zu schaffen. Ich mochte sie. Sie konnte sich eine Menge erlauben, mich rügen und zurechtweisen, denn niemand sprach mit so viel Achtung von Vater, von dem Segen seiner Arbeit, nicht einmal Mutter. 1943, kurz bevor er eingezogen wurde, stand ich an einem Abend mit vielen anderen Jungen im Karree vor dem Rathaus auf dem Adolf-Hitler-Platz, und wir schworen den Eid auf Führer, Volk und Vaterland. Die Fackeln loderten. Der Bannführer hielt eine Rede über das Deutschtum, den Opfertod. Ich trug Uniform. Viele Eltern befanden sich unter den Zuschauern. Meine nicht. Zum Dienst trafen wir uns in einer Baracke, unterhielten uns über Mädchen, die zur gleichen Zeit die andere Hälfte des Baus besetzten. Wir wurden aufgeklärt über die Rassentypen, den nordischen, den alpinen, den dinarischen. Über unreine Rassen wurde ausgiebig referiert, ihre Nichtswürdigkeit, ihre Gefahr für das arische Blut. Auf die Theorie folgte die Praxis. Wir mussten unseren Mut in Sprüngen von drei Meter hohen Mauern beweisen oder im Schwimmbad fünfundzwanzig Meter tauchen. Wer früher hochkam, landete im Verschiss.

Je häufiger im Radio von »ehrenvollen Rückzügen« gesprochen wurde, umso wüster und gieriger erschien mir das Leben der Erwachsenen. Irgendwann wurde eine Parole laut, die unsere Höllenfahrt als Motto begleitete: Genießt den Krieg, der Frieden wird fürchterlich sein. Die Wohnungen wurden zu Tanzdielen, die Kneipen zu Treffpunkten von Etappenhengsten, eingeschüchterten Urlaubern und männerlosen Frauen. Mein Freund Günter Brunnbauer und ich gaben unsere Bubenspiele auf und beschäftigten uns mit einer uns bis dahin unbekannten Art von Literatur: Wirtinnenverse. Sie erregten uns, weil sie »verboten« waren. Verbotene Schweinereien. Sie veränderten meine Träume. Bohumila, unser tschechisches Hausmädchen in den ersten zwei Jahren und Mutters Freundin danach, bedrängte mich mit hochgezogenem Rock und offener Bluse so heftig, dass ich schwer atmend aufwachte und ihr, wenn sie zu Besuch kam, auswich. Ich dachte an Tante Manja in Vaters Armen, und stets, wenn er nach Brünn zum Gericht reiste, wusste ich, dass die Szene sich wiederholte. Mutters Liebhaber, dem Großbäcker T., musste ich nicht auf die Schliche kommen. Sie nahm uns Kinder gelegentlich mit in die Bäckerei, wo wir im Zuckerwarenlager, bei den kandierten Früchten, deponiert wurden und sie und der kleine, immerfort gestikulierende Herr in einer Kammer verschwanden. Die Gedanken bekamen eine Schmutzkruste. Die Briefe der Eltern aus jenen Jahren bekam ich später von Tante Käthe, die sie aus Mutters Nachlass übernommen hatte: lauter Hilfeschreie und zukunftssüchtige Beteuerungen.

So aufgewühlt, voller unerlebter und unerfüllter Wörter, verreiste ich zum ersten Mal ohne Eltern, Passagier der sogenannten Kinderlandverschickung. Die Fahrt mit dem Sonderzug führte über Wien, wo wir übernachteten, weiter über den Semmering, Judenburg nach Murau. Die Stationen haben sich mir eingeprägt. Offenbar sah ich unablässig aus dem Fenster. Von Murau aus stiegen wir in einer peinigend langen Wanderung ins Gebirge. Auf einer großen Lichtung empfing uns das Heim. In den ersten Tagen erlag ich dem Heimweh, ich heulte nachts, verfluchte meine Mutter, die mich lieblos dieser furchtbaren Horde ausgesetzt hatte. Allmählich fing ich mich, spielte den Außenseiter mit Erfolg, scharte Anhänger um mich, trieb mich herum. Ich entdeckte eine Gegend, die mich in ihrer Vielfalt – von dichten Wäldern, über Kletterfelsen bis zu einer amphitheatralischen Senke – nicht nur anzog, sondern meine Phantasie herausforderte.

Wieder bekamen die verbotenen Gedanken Anschauung. Einer der älteren Jungen führte uns auf der paradiesischen Lichtung vor, wie man seinen Schwanz so lange traktiert, bis ein dicker Saft aus ihm herausschießt. Die Jüngeren versuchten es unter Geschrei und Gekicher vergeblich. Ich schämte mich, dachte nicht daran, mich bloßzustellen. In den Freistunden las ich. Ich hatte mir Felix Dahns ›Ein Kampf um Rom‹ mitgenommen. Dieses Buch, in das ich später nie wieder hineinschaute, verhalf mir zu einem Triumph. Gelegentlich baten Kameraden mich, zu erzählen, was den Betreuern auffiel. An einem der Nachmittage, an denen sich die Gruppen zu gemeinsamem Spiel in der Senke trafen, forderte eine Betreuerin mich auf zu erzählen. Ich widersetzte mich nicht, tat so, als hätte ich nichts anderes erwartet. Die Aufmerksamkeit schloss sich wie ein lauschender Ring. Ich blickte zum Himmel, sah die Wolken ziehen, legte mich auf den Rücken, lauschte, hörte den Wind und das Horchen der Kinder. Die Wolken wurden zu meinen Schauspielern, rasch sich verwandelnd, einer oft übertriebenen Dramaturgie folgend, erst übergroß, dann nichts als wehende Schleier. Ich erzählte von Theoderich, von Dietrich von Bern, von Alarich, ich baute Ravenna in den Himmel, bei weitem kühner, als es Dahn beschrieb, eine Stadt der Verliese, Türme, Folterkeller, Duellplätze und Liebesnester. Die schnellen Wolken forderten mich heraus, meinen Helden immer neue Gestalten zu geben. Zum ersten Mal fand ich mich so im Mittelpunkt und zum ersten Mal überwältigte mich die Lust an Wörtern. Theoderich endete im Kampf, eine zerstiebende Wolke vorm Gebirge. Schaut hin, rief ich. Habe ich es tatsächlich gerufen? Mir ist es, als könnte ich diese Stimme, die sich hell und dünn von mir entfernt hat, jetzt, nachhallend, hören. Der Applaus riss mich hoch. Ich lief aus dem Kreis, fort auf die kleine Lichtung. Auf einmal war ich den Tränen nah, das Heimweh, das sich gelegt hatte, stellte sich wieder heftig ein. Eine der Betreuerinnen war mir gefolgt. Wie alle anderen trug sie Dirndl. Sie war die Einzige, die nicht ständig befahl, mit Strafen drohte. Sie kam auf mich zu, schloss mich, wogegen ich mich ein wenig wehrte, in die Arme, roch nach Puder und Schweiß, lobte mich, ließ mich nicht los, zog mich ins Gras, wurde in ihrer Bewegung dringlicher, lachte und keuchte, zog mich auf sich, drückte mein Gesicht zwischen ihre Brüste, die sich wie von selbst aus dem Ausschnitt hoben, wiegte mich. Ich fand es entsetzlich und zugleich wunderbar. Manchmal hob sie ihren Leib, wippte. Sie zog ihren Rock hoch, ich rutschte mit dem Kopf auf ihren Bauch, dort hielt sie ihn fest, und ihr Bauch straffte und lockerte sich in einem ungestüm werdenden Rhythmus, bis er einsank, sie einen Klagelaut ausstieß, der mich erschreckte. Haben Sie sich wehgetan?, fragte ich. Sie lachte, stand auf, zog mich hoch, putzte sich und mich, befahl mir, kein Wort darüber zu verlieren, kein Wort, und erklärte, sie gehe voraus, ich solle ihr etwas später nachkommen. Wir gingen uns nicht aus dem Weg. Manchmal berührten wir uns, und ich war stolz, ein Geheimnis mit ihr zu teilen.

An einem Morgen wurden alle Kinder zum Appell gerufen. Wir standen aufgereiht vor dem Heim, die Hakenkreuzfahne über uns, und alle Betreuerinnen und Betreuer traten aus dem Haus auf die Treppe, rückten zusammen, als müssten sie sich vor einer Attacke schützen. »Meine« Betreuerin begann zu reden. Dass auf den Führer ein Attentat versucht worden sei. Dass eine Bande ruchloser Verräter sich daran beteiligt habe. Dass Adolf Hitler sich schon in einer Rede an sein Volk gewendet und versichert habe, den Kampf bis zum Endsieg fortzuführen. Sie hob den Arm und rief Sieg Heil. Danach brach sie in Tränen aus. Wir wurden aufgefordert, das Deutschlandlied und das Horst-Wessel-Lied zu singen. Während wir sangen, schoss mir durch den Kopf, dass die verbotene Liebe und das Attentat womöglich zusammenhingen. Weshalb, konnte ich mir allerdings nicht erklären. Vielleicht, weil uns befohlen wurde, der Vorsehung für die Errettung Adolf Hitlers zu danken.

Denke ich an die Räume in dem behäbigen Berghaus,

fallen mir nur noch drei ein, ohne dass ich sie erzählend bewohnen wollte: der Schlafsaal mit einer Flucht von Stockbetten, der Speisesaal, in dem es sechs Wochen lang nach Kohl roch, obwohl wir meistens Erbsen- oder Graupen-Eintöpfe vorgesetzt bekamen, und der Duschraum, vor dem ich mich fürchtete, da er zunehmend verschlammte. Die Erinnerung an die Betreuerin im Dirndl begleitete mich nach Hause. Eine Weile konnte ich Frauen nicht ansehen, ohne an die wunderbare und furchtbare Handgreiflichkeit zu denken, ohne dass ich Wörter vor mich hinflüsterte, in mich hineindachte, die sich nicht gehörten.

Ich passte mich einer schnell gewordenen, aus den Fugen geratenen Umgebung an. Nicht einmal die Uniform, der Dienst, die Durchhaltereden unseres Fähnleinführers, die Ängste meiner Mutter und der Spott Onkel Beppos, den ich bei den Besuchen in Brünn abbekam, konnten mich davor bewahren. Ich nahm meine Pubertät voraus. Ich machte mich groß und prahlte mit einem Vorwissen, das mit immer neuen Wörtern gefüttert wurde. Die Frau aus Murau machte sich in meinen Träumen breit. Bei meinen Kameraden gewann ich an Statur. Sie nahmen meine Aufschneiderei ernst. Wir lümmelten an der Dreifaltigkeitssäule am Adolf-Hitler-Platz, feuerten uns gegenseitig für den Endkampf an, wie wir, als Werwölfe, die Russen zurückwerfen würden.

Wir spielten Krieg im Michaelerausfall, diesem von mächtigen Bäumen beschirmten Park zwischen Marcharm und Stadtmauer, kletterten auf den Felsen herum, die aus der Mauer springen, und rieben uns die Knie wund. Hoch über uns der Bischofssitz, aber auch das Sanatorium, in dem ich den Blinddarm verlor, »beinahe zu spät«. Nach fünfzig Jahren fand ich es gleich wieder und staunte, in welcher Kostbarkeit ich operiert worden war: ein von Klimt ausgestattetes Haus.

Mit Mutter und Lore zogen wir im Sommer, im letzten

Sommer, ins Schwimmbad, und ich entdeckte, dass meine Mutter die schönste von allen Frauen sei. Oft kam ich spät am Abend nach Hause, vom Dienst. Wir Jungen drängten uns zusammen, ein Rudel, das sich bedroht fühlte. Von Weibern war kaum mehr die Rede. Die Front rückte näher. Wir übten uns an Waffen, an Attrappen. Ging ich mit der Taschenlampe quer über die Brache heim, kam ich mir schon fremd vor, als stieße die Stadt, meine Stadt, mich ab.

1995 lese ich vor einer Kamera des Westdeutschen Fernsehens ein Gedicht, das ich 1962 über die Jahre in Olmütz schrieb. Als Ort für die Lesung hatte ich den Domberg gewählt, diesen wie von einem längst vergessenen großen Bühnenbildner erfundenen Platz mit dem gepflasterten Entree zum Dom, zu dem Museum der Přemisliden und einem Rasenflecken, an dessen Rand ein oder zwei Bänke fast immer unbesetzt bleiben, weil dieser Stadtraum zum Umhergehen einlädt, vom Kirchenportal hinüber zur Kapelle, zum Tor des einstigen Bischofssitzes, in dem der kleine Mozart eine lange Reise unterbrechen musste, um seine Pocken auszukurieren. Eine Tafel erinnert daran. Nein, zwei Tafeln, die eine aus Holz las ich vor 1945, die andere aus Stein, lese ich nun, oder erinnere mich an die deutschen Sätze, die gleichsam unter den tschechischen liegen, allein in meinem Gedächtnis. Hierhin möchte ich immer wieder kommen. Das kleine Hotel, in dem ich übernachte, liegt fünfzig Schritte entfernt.

›Der Fluss erstarrt zu Stein‹. Welche ferne Stimme hat mir diesen Vers eingeredet. Ich hatte doch die Wassergasse vor Augen, das Mäuerchen, das den Marcharm säumte, auf dem wir uns sonnten oder Spuren von Schwarzpulver zogen, die wie ein Blitz abbrannten. Vom Balkon vorm Kinderzimmer konnte ich auf diesen Platz schauen und warten, bis sich meine Kameraden dort trafen.

Ich ging nach fünfzig Jahren in die Stadt hinein ohne zu zögern, ohne die Bilder von einst ordnen zu müssen. Nur hier, wo die March die Straße teilte, geriet ich durcheinander. Der Fluss war verschwunden unterm Asphalt. Wer hat damit begonnen? Waren die Städtebauer schneller oder ich mit meinem Gedicht? Ich habe das Gedicht dem Bischof geschenkt. Er sagte kein Wort über meine Prophetie. Aber Professor Vaclávek, der kundige Begleiter durch eine Gegenwart, die ich erst erkunden musste, wusste Bescheid: Es könnte eine Art zweites Gesicht gewesen sein. Warum nicht?

In den Schutz der steinernen Bischofshaube habe ich mich Ende 1944 nicht mehr begeben können. Die Angst steigerte sich zur Unrast, setzte uns in Bewegung. Die Front rückte näher. Das musste Mutter mir nicht sagen. Ich hörte es, wohin ich kam. Unsere Englischlehrerin hat sich, wie der Herr Direktor den Schülern der ersten Gymnasialklasse mitteilte, aus Feigheit in Luft aufgelöst. Gerade die, an die wir, schön und offen wie sie war, unsere wilden Phantasien verschwendeten. Auch ich habe mich nicht abgemeldet. Es begann ein schulfreies Jahr. Die Brünner, vor allem Großmama und Tante Lotte, bedrängten Mutter, zu ihnen zu kommen. So ließe sich das Ende gemeinsam überstehen. Wir brachen unvermittelt auf. Noch einmal fand ich die Gelegenheit, neben Onkel Beppo zu sitzen, ihm beim Malen mit allerfeinsten Pinseln zuzusehen, mit ihm Dvořák zu hören, einen »ungehörigen« Schluck seines angesetzten Schlehenlikörs zu trinken, Babitschka durch die Unergründlichkeiten der Wohnung an der Kröna zu folgen und ihren Umarmungen schon den Abschied abzuspüren. Von ihr bekamen wir – Tante Käthe und Großmama waren zu uns nach Olmütz gekommen – auch den Tipp, erst einmal bis Mährisch-Trübau zu reisen, zu deutschen Bekannten, einem Großbauern, der uns unterbringen könnte, bis wir uns vielleicht nach Dresden durchschlügen. Was Mutter überzeugte, auch nachdem die Stadt von den Bombern in Trümmer gelegt worden war. Auf der Fahrt hielten wir uns mühsam zusammen. Jeder setzte seine Ellenbogen ein und trat um sich. Die Wut brach durch die Haut wie Schweiß. In Mährisch-Trübau fanden wir ohne Mühe den Hof, bekamen Unterkunft, allerdings in einer Scheune, die schon Dutzende besetzt hielten, die auf ihre älteren Ansprüche pochten, auch als Essen verteilt wurde, Hering in Tomatensoße und Kartoffelbrei. Ich erbrach alles, weil mein leerer Magen sich weigerte, den fetten Fisch aufzunehmen. Mir wird bis auf den Tag übel, wenn ich Hering in Tomatensoße sehe und rieche. Die Gerüchte, die wir in knappen Abständen erfuhren und austauschten, schlugen eigene Schlachten, häuften Niederlagen und trieben uns von neuem in die Flucht: nach Hause, zurück nach Hause.

Bevor wir aufbrachen (noch fuhren die Züge halbwegs regelmäßig), kotzte ich noch ein paar Mal, bis ich nichts mehr im Magen hatte. Wir spazierten um einen Teich, an dem Großmama mit großer Geste sich vom Führer löste: Sie warf schwungvoll ihr Mutterkreuz ins Wasser. Zu meiner Überraschung fuhren wir nicht nach Brünn, sondern nach Olmütz. Vermutlich weil uns Großmamas siebter Sinn dazu geraten hatte. Denn dort erwartete uns Vater, der mit einer von ihm, dem »Schreibstubenhengst«, gefälschten Reiseerlaubnis gekommen war, um uns zu holen. Weg von den Russen, zu den Amerikanern. Großmama triumphierte. Sie habe es ja gewusst.

Von nun an wurden die Wohnungen Zufluchten, immer nur vorläufig. Wer wird bei uns wohnen? Ich höre Lores Stimme, leise und brüchig. Das ist eine alte Flüchterfrage.

Jetzt könnte ich mir nachschauen, wie ich mit Vater den Leiterwagen, auf dem sich unsere Habe häuft, durch die Stadt ziehe, die uns vergessen will. Welches Ich verschwindet da? Tut es sich noch wichtig, zappelt es noch, sucht es, nachdem es auf neuen Freiheiten bestand, plötzlich wieder Schutz bei den Erwachsenen? Oder hat es eine andere Frei-

heit, die Einsamkeit heißt? Ich. Ich. Immerhin haben die
Eltern ihren Verrat nicht ausgehalten und sind wieder zusammen. Nur ich weiß, der ich mir nachschaue, der alles
weiß und vieles vergessen hat, der ich mich erzähle und mich
im Ich irren könnte, nur ich weiß, dass ihre Zeit abläuft.

In Prag fanden wir kein Hotelzimmer. Wir verbrachten
einen Tag in einem Café auf dem Wenzelsplatz, und als Vater
mit Reichsmark zahlen wollte, bestand der Kellner auf Kro-
nen. Großmama hielt es für eine Frechheit, Vater für den
Anfang vom Ende. Der Bursche hat ja recht, fand er.

Offenbar fuhren die Züge nicht mehr nach dem Fahrplan.
Überall auf dem Bahnhof drängten sich Wartende. Für
Großmama fanden wir die Ecke einer Bank. Um sie herum
lagerten wir uns. Kein Zimmer mehr, ein Revierabschnitt,
den es zu verteidigen galt. Obwohl Vater mich ständig mahnte, in der Nähe zu bleiben, streunte ich, verlor mich in der
unruhig kreiselnden Menge. Einen SS-Offizier, der mich am
Ärmel festhielt, sehe ich so, wie ich ihn schon mehrfach
erzählt habe, in ›Nachgetragene Liebe‹, in ›Zwettl‹. Es ist ein
festgeschriebenes Bild. Was suchst du hier?, fragte er. Oder
er sagte: Warte. Er hat einen Akzent, den er auch erklärt. Ich
bin Wallone. Weißt du, woher ich komme? Er spricht mit
mir, als könne ich ihn nicht verstehen. Aber ich verstehe
jedes Wort. Ich weiß auch, dass er zur SS-Division Degrelle
gehört. Hast du Angst? Er nennt mich einen kleinen Pimpf,
was mich ärgert. Du brauchst dich nicht zu fürchten. Die
Russen werden nicht mehr weit kommen. Adolf Hitler wird
Waffen einsetzen, die wir alle noch nicht kennen, furchtba-
rer als die V2. Ich glaubte ihm. Ich habe ihm geglaubt.
Wahrscheinlich, weil dieser längst Ausgesetzte seiner Pro-
phezeiung selber glaubte. Geh nach Hause, sagte er. Ich riss
mich los, rannte zu unserer Insel, erhitzt von der glühenden
Hoffnung des SS-Offiziers, erzählte die Neuigkeit Vater
und wurde, worauf ich nach alldem nicht vorbereitet sein

konnte, erbittert aus jeder Hoffnung gerissen. Vaters Wut machte mich zu einem Teil von ihm. Er drückte mich an sich, schlug mich auf den Kopf, auf den Rücken, zerrte, als wolle er mich ausziehen und nackt über den Bahnhof jagen, an meiner Uniformjacke: Aus ist es mit dem Helden-, mit dem Soldatenspielen, vorbei mit allen Wunderwaffen, vorbei, vorbei, und solche Großmäuler wie dieser werden verschwinden, werden draufgehen. Er packte mich an meiner schwarzen Uniformhose, hielt mich nach dieser schmerzenden Nähe auf Abstand und riss mir, mit dem Daumennagel nachhelfend, den Winkel, der mich als Hordenführer auszeichnete, der mich befördert hatte, vom Ärmel. Es schmerzte. Ich hätte Vater, in diesem Augenblick auf dem Prager Bahnhof, umbringen können.

In Zwettl saßen wir wieder vorm Bahnhof, allerdings ohne jegliche Gesellschaft, um auf Vater zu warten, der bei seinen Freunden, den Neunteufels, nachfragte, ob wir bei ihnen unterkommen könnten. Vor 25 Jahren habe ich in dieser Landstadt im österreichischen Waldviertel für ein Buch recherchiert, nachgefragt nach meinem Vater, der im Juli 1945 auf dem Truppenübungsplatz Döllersheim im russischen Kriegsgefangenenlager starb, dessen Grab durch die Skizze eines Lagerarztes nachgewiesen ist, das dennoch, im Lauf von Exhumierungen, Umbettungen, bürokratischer Nachforschung einfach verschwand. Ein Grab auf Papier und in der Luft.

Die Fremdenzimmer des Gasthauses Neunteufel sind besetzt oder noch von deutschen Offizieren requiriert. Wir werden in die »Körstube«, das aufgegebene Büro des Viehzüchterverbands, eingewiesen. Es liegt an der Pawlatschen, dem hölzernen Umgang im ersten Stock und überm Hof.

Zum ersten Mal seit Wochen werden wir wieder willkommen geheißen. Das alte Ehepaar Neunteufel, ihre erwachsenen Kinder, Mimi und Walter, begrüßen uns herzlich, und für den Abend wird uns eine warme Mahlzeit versprochen. Vor Hunger und Erwartung schießt mir der Speichel in den Mund. Mimi führt uns zu unserer »Bleibe«. Mir ist das Wort, eingefasst von Staunen, im Kopf geblieben. (Merkwürdig, dass die mich befremdenden Wörter nicht gesammelt vorhanden sind, mir vielmehr zeitweilig verloren gehen. In den frühen Erinnerungen an Zwettl meldete es sich noch nicht.) Wir steigen die Stiege zur Pawlatschen hoch, was Lore und mir derart imponiert, dass wir sie zweimal hinauf- und hinunterrennen. Durch die offene Tür schauen wir hernach verwirrt in ein Büro. In dem sich allerdings, wie ein Versprechen, auch ein Stockbett befindet.

Bis zum Abend, zum versprochenen Abendessen, konnten wir tatsächlich einziehen. Die Schreibtische wurden zusammengeschoben, Matratzen darauf gelegt und Bettzeug; es blieb Platz für einen größeren Tisch und Stühle, die, wenn sie nicht gebraucht wurden, an die Wand geschoben standen. Neben dem Stockbett hatte sich sogar Platz für einen Schrank gefunden. Wer wo schlafen sollte, bestimmten Großmama und Vater, die auch die Stockbetten in Anspruch nahmen. Mutter, Tante Käthe, Lore und ich teilten uns das Matratzenlager über den beiden Schreibtischen. Die Knödel, unser Abendessen, eine Notversion der berühmten »Waldviertler«, die es zu einer Soße gab, wurden von Vater dankbar Bomben genannt. Sie lagen wie Wackersteine im Magen, störten unseren Schlaf aber keineswegs.

Die ersten Wochen hielten wir uns tagsüber in der Wirtsstube auf, einer Karawanserei, in der Vater und Mutter die Schreiber spielten, die Feder führten. Vater hatte aus seiner Schreibstube in Döllersheim einen unerschöpflichen Stapel blanker Entlassungspapiere mitgehen lassen, die nun für alle, die sich dünnemachen, verschwinden, nach Hause wollten, nützlich wurden. Vater füllte die Papiere aus, Mutter unter-

47

schrieb sie als Kompanieführer. Dabei rissen die Gespräche nie ab, gehetzte Reden, Fragen, die keine Antwort wünschten: Ob die Russen doch eher kommen als die Amerikaner? Die Amerikaner sollen an der Enns stehen geblieben sein. Aber das mache doch keinen Sinn. Sinn? Vater setzte sich ans Klavier, das in einer Nische stand, und spielte Schlager, die die Frauen und Soldaten mitsummten, mitsangen. Es geht alles vorüber, es geht alles vorbei. Ich tanze mit dir in den Himmel hinein. Es steht ein Soldat am Wolgastrand. Hast du da droben vergessen auf mich. Ihre Sentimentalität scheuchte mich hinaus.

Ich setze mich auf den Eckstein an der Toreinfahrt: Die ganze Welt ist in Bewegung, kein Mensch mehr zu Hause. Zu Fuß, auf Lastwagen oder Motorrädern strömen sie vorbei, einfache Soldaten, Offiziere, SS-Leute, Wehrmachtshelferinnen. Alle drängen sie zu den Amerikanern, bloß nicht in die Hände der Rotarmisten fallen. Das wollen vor allem die Russen in den schwarzen Uniformen nicht, die Wlassow-Russen, die »auf unserer Seite« kämpften. Sie schließen sich auch nicht unseren Truppen an, die Tag und Nacht durch Zwettl marschieren, laufen, humpeln, latschen, fahren, geschoben werden – immer nach Westen. Die Wlassow-Soldaten verschwinden in den schwarzen Wäldern, in die sich sowieso niemand traut.

Da gibt es einen kleinen Satz, der geht in Schuhen mit durchgelaufenen Sohlen. Er ist mir eine Zeitlang aus meinem Wortschatz verloren gegangen. Nun taucht er wie von selbst wieder auf: Ich geh stiften. Das heißt, ich mache mich dünn, ich haue ab, ich verlasse die Pflicht in Uniform. Aber was bedeutet »stiften«? Ich kann die Männer nicht mehr fragen, die stiften gingen. Vielleicht ihre Freiheit, ihr früheres oder ein neues Leben. Viele von ihnen, die in der Neunteufelschen Stube aus der Wehrmacht von Vater und Mutter entlassen wurden, von denen, die in Fünferreihen die Hauptstraße hinunterliefen, neben denen ich eine Weile hertrottete, die ich im Auftrag vom alten Neunteufel mit Wasser versorgte, die sich über mich, den Pimpf in Uniform, lustig machten, viele von denen kamen in Dreier-, Vierer- und Fünferreihen zurück, erschöpft, krank, ohne jede Hoffnung, abgewiesen von den amerikanischen Truppen an der Enns, ausgeliefert an die Sowjets. Sie gerieten in die »falsche Gefangenschaft«, verschwanden im Innern Russlands, in den sibirischen Lagern, und ein Rest kehrte zurück, viel später, als wir schon wieder eine Wohnung gefunden hatten.

»Menschenwürdig wohnen« war in der Körstube zum Gesprächsthema geworden. Großmama zählte bereits nach einigen Tagen auf, was uns fehlte, oder verglich unser Elend mit dem Luxus unserer unmittelbaren Nachbarn an der Pawlatschen, Fräulein Lintschi und ihrer Schwester, die sich zu zweit in zwei Zimmern ausdehnen könnten, allerdings aufs Klo nach vorn im Hausflur müssten, wie wir auch. Und fließendes Wasser gebe es bei ihnen ebenfalls nicht. Für die Abend- oder Morgenwäsche musste der Krug mehrmals nachgefüllt werden. Einmal in der Woche war das meine Aufgabe. Wenn Großmama sich an- oder auszog, musste ich die Stube verlassen, wenn sie sich wusch, selbstverständlich auch.

Ich muss die Körstube als Zuflucht, als schützende Höhle empfunden haben, denn alle Bilder, Szenen, die ich mit ihr verbinde, schaffen eine eigene, enge Gemeinsamkeit, auch Wärme: Das Rudel rückte zusammen. In den Viererschlaf auf den Schreibtischen schickte ich mich ohne Unruhe und Streit. Da jeder sich in seine eigene Decke wickeln konnte, ging es nur darum, seinen Platz zu halten.

Großmama quengelte so ausdauernd, dass Vater ihr schließlich eine leer stehende Villa anbot, auf die ihn jemand nur aus blanker Tücke aufmerksam gemacht haben konnte. Ich frage mich, weshalb ihn Neunteufels nicht gewarnt haben. Rechneten sie nicht mit dem Einmarsch der Roten Armee? Hegten sie noch immer irgendwelche unsinnigen Hoffnungen?

Wir zogen um. Die Bewohner – wir hielten uns nur in der Wohnung im Parterre auf – mussten überstürzt aufgebrochen sein. Der Tisch in der Küche war nicht abgeräumt. Wer kochte? Großmama oder Mutter? Aßen wir überhaupt? Die vielräumige Wohnung glich einem Bauernmuseum. Lauter handgeschreinerte, handbemalte Möbel, riesenhafte Schränke, Betten wie Schiffe – nicht jeder hatte eines für sich. Lore schlief in der Ritze zwischen Tante Käthe und Mutter. Vater heizte den Badeofen an. Es floss tatsächlich nach einer Weile heißes Wasser. Reichlich, doch nicht genug: Lore und ich mussten ins selbe Wasser.

Es ist kurios genug. Diese Wohnung ist die erste Wohnung aller Wohnungen, an die ich mich genau erinnere, die ich wie abgebildet sehe, ungleich deutlicher als die Olmützer Wohnung. So, als sei ich mit aufgerissenen Augen langsam durch die Räume gegangen, durch eine unerlaubte Umgebung. Versuche ich mir nachzugehen, zu spüren, wie ich mich in den Zimmern bewegt habe, merke ich noch im Nachhinein, dass ich bereit bin, fortzulaufen, zu verschwinden. Ich sehnte mich nach der Enge, dem Mief der Körstube, nach den Stimmen der beiden alten Weiber von nebenan und Großmamas Mahnung: Seid leise, die Lintschi stirbt. Wir bekamen die Lintschi nie zu sehen, nur manchmal ihre uralte Schwester, draußen auf der Pawlatschen, wenn sie schmutziges Wasser hinunter in den Hof goss und jedes Mal der alte Neunteufel aus der Küche schoss und schrie, er werde ihr diese Schweinerei noch abgewöhnen. Diese Räume, die vor sich hin froren, wiesen uns ab.

Mein Vater entschied sich zu bleiben. Auch als die Rote Armee einmarschierte. Sie marschierte gar nicht ein. Das Geschütz- und Gewehrfeuer hatte schon vor längerer Zeit aufgehört. Plötzlich erschienen sie. Ungezählte Panjewagen stürmten die Straße vorm Haus hinunter zum Fluss, zur Brücke. Die Soldaten, die die Pferde zügelten, standen und tänzelten, ihre Kameraden saßen geduckt und eng aneinander. Sie lachten nicht. Sie drohten nicht. Manche hielten wachsam die Maschinenpistole. Die SS-Leute, die Zwettl gegen die Sowjets hatten verteidigen wollen, waren spurlos verschwunden. Meine Mutter stand hinter dem geschlossenen Fenster, mein Vater hielt sich im Hintergrund. Ich stoße in meinem Kindergedächtnis auf Sätze, die damals wie heute nicht sonderlich viel bedeuten, aber wörtlich geblieben sind. Mutter sagt, wenn die Soldaten den Gürtel straff um das lange Hemd gebunden haben, sieht es aus, als hätten sie Röckchen an. Das stimmte. In Zwettl, ich habe es spät begriffen und konnte es vielleicht, solange ich jünger war, nicht begreifen, gab es einen Moment, in dem ich um Jahre alterte: aus Angst. Aus einer Angst, die sich ausbreitete wie Gas knapp über dem Boden. Ich wehrte mich gegen sie, ein Junge, der sich von den Erwachsenen löst, der sich nichts mehr sagen lässt, weil sie nichts mehr zu sagen haben. Geh nicht hinaus auf die Straße, bat meine Mutter. Ich verschwand dennoch, stolz, mich in Gefahr zu begeben. Ich stand am Straßenrand, guckte, wie die Wagen vorüberholperten, und wurde davon überrascht, dass mir ein Soldat Brot zuwarf. Meine Mutter schimpfte mich aus und freute sich doch über die Beute. Solche Widersprüche verwirrten mich nicht mehr. Längst war ich kundig, Verbote zu verletzen.

Die Nacht, die folgte, habe ich mir immer von neuem in Erinnerung gerufen, habe sie erzählt und erzählt, bis ich die Sätze auswendig wusste, oder um mich der unerwarteten Nähe zu meinem Vater zu versichern – wie ich ihn wiederfand, nein, wie er mich wiederentdeckte. Keineswegs dramatisch, kein verlorener Sohn im Alter von zwölf Jahren, sondern einfach ein entferntes Kind.

Die Rotarmisten drangen mit Gewalt ein. Zerschlugen zuerst die Haus-, dann die Wohnungstür. Sie nützten unseren Schrecken aus. Großmama hat tatsächlich aus lauter Furcht gepfiffen. Darauf bestehe ich, auch wenn Tante Käthe das ihr Leben lang abstritt: Zu so etwas ist Mutter nicht fähig gewesen.

Wie haben wir geschlafen? Wo? Wahrscheinlich alle im Schlafzimmer. Es könnte sein, Vater – und das wäre eine neue Version dieser Geschichte – saß nebenan auf der gewaltigen gepolsterten Eckbank. Auf jeden Fall hatte er sich nicht ausgezogen. Als die Rotarmisten eindrangen, das Licht anging, stand er in seinem grauen Zweireiher, die Arme über den Kopf. Der Offizier sprach deutsch. Vater hätte ihn ohnehin verstanden. Er konnte nicht nur Tschechisch, sondern auch ganz gut Russisch.

Mein Vater befahl mir mehrmals, ich solle liegen bleiben. Auch der Offizier befahl uns, liegen zu bleiben.

Er fragte Vater, ob wir hier wohnten.

Vater antwortete ihm mit einem leisen Ja. Das stimmte: Wir hatten diese Wohnung in Anspruch genommen, da sie leer stand.

Dann kenne er sich im Haus wohl aus, fragte der Offizier.

Nein, antwortete mein Vater.

Wie ist das möglich?

Wir wohnen hier erst seit kurzem.

Das soll ich Ihnen glauben?

Ich bitte Sie.

Ich denke mir solche Wortwechsel aus. Sicher gab es sie ähnlich. Nur bleiben sie stimmlos.

Der Offizier befahl Vater, ihm das Haus zu zeigen. Vom Keller bis unters Dach. Es könnten Waffen versteckt sein.

Das weiß ich nicht, das kann ich nicht wissen.

Aber Sie wohnen hier. Der Offizier lachte. Die Soldaten führten Vater hinaus.

Alle, auch Großmama, waren aufgestanden. Wären wir nur in der Körstube geblieben, klagte eine der Frauen.

Der junge Rotarmist, der zurückgeblieben war, um uns zu bewachen, nicht aus der Wohnung zu lassen, hatte Großmama freundlich Babuschka genannt. Nun saß er und erwartete wie wir, dass etwas geschehe, Stimmen im Haus laut würden. Doch die Stille hielt an, dehnte sich.

Wer ist überhaupt auf die Idee gekommen, hierher zu ziehen?

Rudi.

Aber das muss ihm doch jemand gesagt haben, ein Einheimischer.

Vielleicht der junge Neunteufel.

Unser Bewacher konnte uns nicht verstehen, hob die Schultern und lächelte verlegen.

Ich weiß nicht, wie lange wir gewartet haben.

Merkt man den Sprung, wenn Angst sich zur Todesangst steigert? Ist es Todesangst, wenn man den Tod eines anderen, des Vaters befürchtet?

Sie brachten ihn zurück, groß, dunkel und bleich. Die Augen winzig hinter den Brillengläsern. Es ist nichts, sagte der Offizier, eine Verwechslung. Das wird er Ihnen erklären. Und zu Vater gewendet: Sie sind selber schuld daran.

Lauter rätselhafte Soldatensätze. Ich hatte mich neben Vater gestellt, drückte mich an ihn, fasste nach seiner Hand. Sie war schweißnass, und er bebte. Wir teilten unsere Angst. Nie zuvor, nie danach bin ich ihm so nahe gewesen.

Vater offenbarte uns, nachdem er sich einen Esel geschimpft hatte, das Geheimnis dieser Villa. Wer unsere Zimmer bewohnt hatte, habe er nicht herausbekommen, wahrscheinlich auch ein Parteibonze, im ersten Stock nämlich habe der Gauleiter von Niederösterreich, Doktor Jury, residiert, einer der ranghöchsten Goldfasane der »Ostmark«. Er habe sich nicht, wie unser unfreiwilliger Quartiergeber, aus dem Staub gemacht, sondern sich eine Kugel in den Kopf gejagt. So liege er in voller Montur neben seinem gewaltigen Schreibtisch.

Als wir am frühen Morgen das Haus verließen – in meiner Erinnerung schlichen wir uns auf Zehenspitzen hinaus –, brachten zwei Arbeiter gerade den Gauleiter fort. Ehe sie ihn auf eine Schubkarre warfen, traten sie den Leichnam. Vater sagte: Sie würden jeden treten, der sich nicht rührt.

Wir zogen zurück in die Körstube. Mit dem Unterschied, dass die deutschen Soldaten, die von Vater und Mutter entlassen wurden, von der Bildfläche verschwunden waren und im großen Hof unter der Pawlatschen Rotarmisten ein verwegenes, buntes Lager aufgeschlagen hatten, Last- und Panjewagen rund um ein ständig brennendes Feuer. Mutter ließ mich nicht hinunter. Sie und Tante Käthe zeigten sich sowieso nicht auf der Pawlatschen, spielten mit ungewaschenen Haaren und Kopftüchern alte Weiber, um die Soldaten nicht zu reizen. Vater war in einer Kammer im Vorderhaus verschwunden, unsichtbar. Wenn wir uns in der Neunteufelschen Küche zum Essen trafen, wurden die neuesten und übelsten Nachrichten ausgetauscht, Tatarenmeldungen nannte sie Herr Neunteufel: Wie beinahe jedes Geschäft und jede Wohnung geplündert wurden; wie Frauen jeden Alters vergewaltigt wurden; wie die Kerle scharf seien auf Uhren, Ziehharmonikas und veritable Klaviere. Zwei Wochen habe ihnen das Armeekommando Plünderungen erlaubt, danach solle alles wieder normal werden.

Sobald die Erwachsenen die Zukunft beschworen, fiel, als ginge ein Zauber von ihm aus, das Wort »normal«. Was bedeutete normal? Wohin normalisierte sich diese geschundene, ins Schleudern geratene Welt? Mein Kinder-Ich hatte sich in der Unrast eingerichtet, gelernt, Ängste zu beherrschen, es fühlte sich den Erwachsenen überlegen, weil es zwischen Freund und Feind wechseln, sich auf beiden Seiten bewegen konnte und es die Gefahren, die den Älteren drohten, unterlief.

Obwohl die zweiwöchige Zeit der Plünderungen abgelaufen war, trauten sich die Frauen noch immer nicht aus der Körstube. Auch Lore durfte nicht hinaus. Sie merkten es kaum, wenn ich mich verdrückte. An den Abenden allerdings wurde ich gebraucht. Ich musste der Gesellschaft vorlesen. Wahrscheinlich hatten sie die Bücher, allesamt Liebes- und Heldengeschichten, von Mimi Neunteufel ausgeliehen. Großmama versprach mir nach jeder Lesung eine große Karriere als Schauspieler.

Die Gegend weitete sich aus. Erst war es der Hof, wo ich mich unter die sehr jungen Soldaten mischte, die oft schon am Vormittag betrunken waren, unablässig traurige Lieder sangen, erst der Vorsänger, danach der Chor, begleitet von der unvermeidlichen Ziehharmonika. Um Mutter, die sich darüber beklagte, keinen Tabak zum Wutzeln zu haben, zu erfreuen, stahl ich aus den Seitentaschen in den Fahrerhäusern der Lastwagen Virginias, die ich dann klein schnitt.

Unterhalb des Neunteufelschen Anwesens, das über der Stadtmauer lag, befand sich ein Gärtchen, das ein Bach abgrenzte. Dort wuchsen Karotten, von denen ich gelegentlich eine herauszog, im Bach wusch und heißhungrig verschlang. Einmal erwischte mich der junge Neunteufel und schlug mich grün und blau.

Ich mochte ihn ohnehin nicht, denn er hatte Vater im Stich gelassen. Drei oder vier Wochen nach dem Einmarsch teilte die Kommandantur auf Anschlägen mit, dass sämtliche männliche Bewohner zwischen 16 und 65 Jahren sich zu melden hätten. Der junge Neunteufel brachte die Nachricht und zog sogleich die Konsequenzen: Er werde verschwinden, doch nicht, nachdem alles vorüber sei, noch in die

Gefangenschaft gehen. Vater sprach nach einem Muster, das ich kannte und unter dem ich mich duckte. Ihm sei es unmöglich, die neuen Gesetze sogleich wieder zu verletzen. Außerdem sei er sicher, sie würden nicht lange von den Russen festgehalten, wahrscheinlich nur zur Registratur. Alle redeten auf ihn ein, bestürmten ihn. Die Frauen brachen in Tränen aus; ihr Flehen erschien mir eigentümlich anstößig. Er ging, ging mit sich im Reinen. Aber er war krank. Seit Tagen plagte ihn die Ruhr.

Ständig strömten Menschenmengen durch die kleine Stadt. Sie wurde zur Bühne für die Elenden. Manchmal laufe ich ihnen und ihrer Geschichte ein paar Schritte nach. Manchmal hebt sich der eine oder andere von dem diffusen Hintergrund ab. Wie der Feldwebel mit dem Motorrad, der auf der Kreuzung neben der Pestsäule stand, ein Artist, der die Ströme leitete, hin und her sprang, Autos anhielt, Pferden in den Weg hüpfte, kopflose Trupps auf den Weg brachte, Ortsnamen rief, Blitzmädels, die vor Schwäche zusammenknickten, für einen Moment unter die Arme fasste und zaubernd Kraft übertrug. Er sprang erst aufs Motorrad, als sich niemand mehr zeigte, aus keiner Gasse mehr ein Zug, eine Kompanie von einem unsichtbaren Fluchthelfer auf den Weg geschickt wurde. Er kam davon und doch nicht. Wahrscheinlich wurde er von den Amerikanern zu den Sowjets zurückgeschickt.

Vater trat nicht hervor. Er mischte sich unter die anderen Kriegsgefangenen, die nie gefangen genommen wurden, die sich, wie er, gemeldet hatten. Mutter gab mir eine Packung Tabletten gegen die Ruhr. Ich solle sie ihm auf jeden Fall zustecken. Ich saß auf den Stufen der Pestsäule. Ich habe geschrieben, was ich jetzt schreibe, und je häufiger ich zurückkehre an diesen Ort, die Szene wiederhole, nein, mich wiederhole, umso mehr entfernt sich die Wirklichkeit, die ich zu erreichen versuche, in einen unwirklichen Raum.

Mein Vater lebte, als er zwischen anderen Kameraden vor-
übermarschierte, und er war doch schon tot. Die Medikamente konnten ihm nicht mehr helfen. Es gelang mir auch
nicht, sie ihm zuzuwerfen, denn einer der jungen Rotarmisten drückte mich mit dem Schaft der Maschinenpistole zurück. Nixnix. Ich gehorchte, steckte die Pillenschachtel in
der Neunteufelschen Scheune tief ins alte staubige Heu.
Hast du ihn gesehen? Hast du's ihm gegeben? Ich erinnere
mich nicht mehr, wie ich antwortete, ob ich antwortete.

Damals, als mein Vater verschwand, waren die Nächte in
und um Zwettl laut. Es wurde wieder geschossen, wenn
auch entfernt. Es wurde geschrien. Die Russen plagten ihre
Landsleute, die Wlassow-Soldaten, weil sie auf der falschen
Seite für die Deutschen gekämpft hatten.

Ich hatte genug von Zwettl, von der Körstube, obwohl
wir inzwischen mehr Platz hatten, Großmutter zu Lintschis
Schwester zog, da Lintschi starb; ich hatte genug, obwohl
ich nicht miterlebte, da ich mit Tante Käthe unterwegs nach
Brünn war, um Dokumente und Schmuck zu besorgen, wie
Großmama an Typhus beinahe einging und Mutter verge-
waltigt wurde. Mit Tante Käthe stellte ich mir die Frage:
Was können wir dafür, dass diese Geschichte nicht endet?
Und erfuhr, erlöst, dass wir nach Wien reisen würden, um
von dort ins »Altreich« transportiert zu werden.

Die Wiener Wohnung, ein Palast im Vergleich zur Körstube,
weitläufig, mit Zimmerverstecken und vor allem weiß überzogenen Betten für uns, wurde von Bronka beherrscht. Sie
bekam nie einen zweiten Namen, erschien mir wie eine
Botin aus einer anderen, reicheren, menschenfreundlicheren
Zeit, aber sie hatte Auschwitz überlebt und eine blaue Zah-
lenreihe auf dem Unterarm. Wer kannte und empfahl uns
diesen rettenden Engel, diesen umarmungslüsternen Seelen-
wärmer? Vielleicht kannte sie Tante Käthe noch aus Brünn,

vielleicht gehörte sie zu den Ribaschs, den jüdischen Freunden. Das zerstörte Wien war ihr Terrain. Sie kannte sich aus, wusste, in welchen Ruinen es noch Leben, noch Wohnungen gab. Manchmal durfte ich sie begleiten. Gemeinsam lasen wir die Zettel, auf denen Menschen Menschen suchten. Als ob eine einzige große Explosion uns alle in jede Windrichtung geschleudert hat, sagte sie. Als wir über einen Schotterberg stolperten, stand plötzlich ein Rotarmist vor uns. Er grinste übers ganze Jungengesicht, drückte mir ein Buch, das er offenbar zwischen den Steinen herausgezogen hatte, in die Hand: Kästners ›Emil und die Detektive‹.

Bronka hieß uns willkommen mit einer Köstlichkeit, die ich mir immer wieder wünschte: Salat aus weißen, dicken Bohnen, gewürzt mit Zwiebeln, Knoblauch und Pfeffer. Das Gericht übertraf selbst Mutters »Kartoffelgulasch mit Sondermeldungen« oder Frau Neunteufels Waldviertler Knödel, die sie uns zum Abschied anstatt der üblichen »Bomben« aufgetischt hatte.

Bronka riet mir, Straßenbahn zu fahren. So lernte ich Wien kennen. Wien und den Schwarzhandel. Wien und die Soldaten der Vier Mächte. Wien und die Verheißungen schöner, heftig duftender Frauen, die Buben wie mir mit der flachen Hand unters Kinn fuhren. Gehörte der 9. Bezirk den Franzosen? Ich habe keine Lust, nachzuschlagen, zu fragen. Alle, außer Lore und mir, leben nicht mehr. Also bestehe ich auf dem 9. Bezirk, auf Schuberts und Doderers Bezirk, und bin mir jetzt sicher, dass ich dies alles schon gesehen habe, 1946 mit frühen und unverdorbenen Augen: den Himmelpfortgrund, das Schubert-Haus, die Lichtentaler Kirche, die Strudlhofstiege, das Doderer-Beisl, dessen Namen ich nicht preisgeben will und deshalb immer von neuem vergesse. Dieses Wien aus dem ersten Nachkriegsfrühjahr weitet sich steinig und grau zu einem unvergleichlichen Spielplatz, belebt von Personen, die alle nicht bei sich, in die Rollen anderer geschlüpft sind. Sie werden verschwinden, doch nicht spurlos.

Die Trümmer sind längst abgeräumt, die Ruinen unauffälligen Neubauten gewichen, die alten Paläste am Ring, am Graben wurden ausgebessert und poliert. Im »Hawelka« traf ich mich 1970 mit Friedrich Torberg. Er steckte mit Kopf und Herz und ohne jede Andeutung eines Witzes in seinem Roman über den einzigen jüdischen Minnesänger, Süßkind von Trimberg, und nahm mich als seinen Lektor in Beschlag.

1946 hörte ich einem anderen zu, der Torberg, anspruchsvoll wie er war, höchstens Mitleid abgerungen hätte: Hugo Maria Kriz, recte Krizkowski, Freund Tante Lottes aus ihrer frühen Brünner Tennisplatzzeit, Autor von ›Hör-zu‹-Romanen, wie ›Golowin geht durch die Stadt‹ oder ›Geständnis unter vier Augen‹. Tante Käthe hatte mich, als sie ihn traf, mitgenommen. Ins »Hawelka«? Die Cafés, die Beisl glichen einander – allein durch ihre Gäste, die miteinander handelten, einander übers Ohr hauten, doch darauf vertrauten, dass es ihnen bald besser gehen würde. Der Krieg, den sie hatten genießen wollen, lag hinter ihnen, und der fürchterliche Frieden versprach doch mehr: Schon erzählte jeder seine Geschichte um, mehrten sich die Widerstandskämpfer gegen Hitler, schon baute jeder auf die vorsätzliche Vergesslichkeit des anderen, und wer etwas über den andern wusste, erpresste ihn mit dem, was er über ihn wusste.

Zwischen den Gauklern und Überlebenslügnern nahm sich Hugo Maria Kriz wie ein Edelmann aus. Nicht dass ich ihn bewunderte. Ich misstraute ihm eher. Die Dichter der Bücher, die ich liebte, Cooper, Maryat, Dinah Nelken, Eichendorff, stellte ich mir nicht so arrogant und blasiert vor. Sie nahmen klaglos jedes Abenteuer auf sich, überquerten Meere, erforschten unbekannte Inseln. Der liebe Hugo, wie Tante Käthe ihn nannte, teilte seine Werke nach dem Lauf der

Zeit: Mein letzter Film vor dem »Zusammenbruch«, mein erster Roman danach. Er musste sich nicht, wie die meisten, Zukunft und Erfolg einreden. Zwar konnte er Torberg das Wasser nicht reichen, aber auf der Schattenfolie meines Kinder-Wiens fehlte er nie. Jahrzehnte später, wir hatten uns im »Bristol« auf dem Kurfürstendamm verabredet, korrigierte er das Bild, das ich mir nach der Wiener Begegnung von ihm gemacht hatte: groß, feingliederig und untadelig gekleidet, ein sehr alter Herr, geboren im böhmischen Jungbunzlau und doch reif, in Torbergs ›Tante Jolesch‹ wenigstens eine Nebenrolle zu spielen. Ein Dandy, der, gebildet und melancholisch, noch immer sein Leben damit bestritt, seinen Lesern Banalität als Schicksal zu verkaufen. Ich sagte ihm, er sei der erste Schriftsteller meines Lebens gewesen. Möglicherweise habe ich Sie angesteckt, antwortete er. Ich widersprach ihm nicht. Von ihm erfuhr ich, dass Bronka nach Israel ausgewandert sei, mit einer Handvoll Kindern. Jüdischen Waisenkindern, deren Eltern im Konzentrationslager ermordet worden waren und die sie provisorisch in einem Heim unterbrachte. Jetzt verstand ich das provisorisch.

An den Debatten zwischen Tante Käthe und Mutter beteiligte sich Bronka nie. Es war ihr gleichgültig, was die beiden Frauen planten, wohin es sie zog. Ob nach Brünn, ob nach Dresden. Was Tante Käthe für unsinnig hielt. Die Stadt gäbe es nicht mehr.

Ich nehme an, Bronka hat unsere Reise vorbereitet, für die Papiere bei den Franzosen gesorgt und vor allem den Transport unseres Gepäcks zur Abfahrtsstelle geplant, einem Industriegleis an der Donau. Ein Fiaker brachte uns hin. Eine Reihe Viehwaggons erwartete uns. Großmama hielt es für unmöglich, dass wir in ihnen reisen sollten. Bronka lachte: Was soll es euch besser gehen als uns Juden, und half uns, in einem der Waggons ein Familienclaim abzustecken. Wer weiß, wie lange ihr unterwegs seid. Ich hielt sie fest, als sie mich umarmte. Sie war nicht größer als ich. Ihr Haar duftete und knisterte. Das Heimweh, das ich nach ihr empfand, überkam mich Jahre später, als ich ›Zwettl‹ schrieb. Oder liebte ich sie, ohne es zu wissen?

Wir hatten unsere erste und einzige fahrende Wohnung bezogen. Bevor, zwei Tage danach, eine Lokomotive angekoppelt wurde, verteilten französische Soldaten Proviantpakete. Die Kinder bekamen die gleichen wie die Erwachsenen. Sie enthielten zwei Packungen »De Troupe« – Zigaretten mit einem pechschwarzen Tabak –, gesalzene Kekse, Trockenmilch, Trockenei, Trockenmarmelade, die bei Empfindlichen für Durchfall sorgte. Auch bei mir. Dazu für jede Familie einen Laib Brot.

Noch in Wien rauchte ich meine erste Zigarette. Ich bestand darauf, wenigstens eine Packung für mich zu behalten. Sie sei auch mir zugeteilt worden.

Wir fuhren.

Der Zug hielt immer wieder an, als falle es ihm schwer, Wien zu verlassen, hinaus ins ungeschützte oder von anderen geschützte Land zu stoßen. Auf alle Fälle führte unser Schienenweg durch die Sowjetische Zone. Was die denkbaren Befürchtungen auf die Spitze trieb: Die Russen werden uns festhalten. Sie werden uns herausholen. Dann befinden wir uns genau wieder dort, wo wir nicht sein wollen. Der Zug wurde zwar kontrolliert, ebenso die einzelnen Waggons, aber die Rotarmisten wurden stets von Franzosen begleitet, unseren neuen Beschützern.

Geredet wurde unaufhörlich, doch niemand wurde angesprochen. Übergriffe in den Bereich des anderen wurden beklagt, es wurde gejammert über Gestank und verloren gegangene Manieren, über Hunger und Durst und wie ein anständiger Mensch seine Notdurft verrichten könne, solange der Zug fahre. Einige redeten vom Scheißen und vom

Schiffen. Die Trockenmarmelade aus der täglich überreichten eisernen Ration sorgte für allgemeinen Dünnpfiff, und selbst die geübten Frauen aus der Batschka schafften es nur unter Aufwendung aller Kräfte, sich bei offener Waggontür an die Haltestange zu klammern und den bloßen Hintern unter gelupftem Rock hinauszuhalten. Jedes Mal, wenn der Druck auf die Blase überhand nahm, geriet ich in Panik. Es gab feste Regeln: Mit dem Wind pinkeln. Immer eine Hand an der Querstange, die andere am Schwänzel. Auf jeden Fall eine gerade Schienenstrecke wählen. Für die kleineren Kinder stand ein Eimer neben der Tür. Nachts wurde, auch aus Angst, dick und dünn in die Hosen gemacht, es stank infernalisch. Dennoch drückte uns die Kälte zusammen.

1946 wurden wir fünf Wochen lang von einem Abstellgleis zum andern transportiert, erst in Österreich, was die meisten noch Ostmark nannten, dann in Deutschland, und die Gerüchte umgaben wie Giftschwaden die Waggongemeinschaften: Wahrscheinlich werden wir von den Franzosen doch noch den Russen übergeben. Ja, wir hatten die Russische Zone verlassen, das bedeutete aber noch lange nicht, in der Französischen Zone bleiben zu dürfen. Die Zugleitung habe bekannt gemacht, an der Grenze bei Passau würden die Katholiken von den Protestanten getrennt und in verschiedenen Orten untergebracht.

Mutter kaprizierte sich längst wieder auf Dresden. Sie wollte nirgendwo sonst hin. Großmama nahm gleichgültig jede Entscheidung entgegen. Sie besetzte einen beträchtlichen Teil unseres Claims. Meistens saß sie, eine Decke zusammengerollt im Rücken, angelehnt an die Wagenwand, und wehrte mit Blicken, Händen, Taschentüchern den angreifenden Schmutz ab. Wurde an einer Station Suppe oder Brei verteilt, breitete sie als Einzige eine Serviette auf ihrem Schoß aus und aß mit Besteck, inmitten einer Horde schmatzender, ausgehungerter Wilder. So sehe ich sie noch immer.

So habe ich sie später immer wieder gesehen, eine Dame, die dem Chaos gewachsen bleibt. Bis in die Träume begleiten mich auch die beiden sehr Alten, die eng nebeneinander unter einer Decke saßen, die wie eine Mütze über ihre Stirnen fiel. Oder die Mutter, die während der Fahrt plötzlich ihr Baby über den Kopf hob und nicht mehr zu schreien aufhörte: Es ist tot. Es ist tot. Wir haben es umgebracht.

Der Mann mit den Krücken erwachte erst nach Passau, nach der Grenze, aus seiner Starre. Vorher saß er in Reichweite der Tür, die wegen des eiskalten Windes geschlossen blieb. Er schob sie einen Spalt weit auf, wenn jemand pinkeln musste. Hielt der Zug an, schob der Krüppel mit dem einen erhaltenen Bein die Tür auf, und alle rannten in die Landschaft.

Zu Beginn der Fahrt hielt ich mich meistens in der Nähe von Mutter auf. Sie beherrschte die Ungewissheit, die Unordnung. Sie lachte, unterhielt sich mit den anderen, fragte sie aus. Deshalb merkte ich auch als Erster, wie sie sich, nein, wie sie uns vergaß und einem Mann zuwendete, der mich abstieß. Tante Käthe wird ihn einen Proleten nennen. So einer gehört nicht zu uns, wird sie feststellen. Aber da gehörte Mutter längst ihm.

Ich hatte aus Zwettl einen Balg mitgenommen, ein mit Spreu gefülltes Stoffsäckchen, ein Wesen zwischen Mensch und Tier. Mimi Neunteufel hatte es genäht und geformt. Es passte in die Hosentasche (noch immer trug ich die von meinem Vater demontierte Jungvolkuniform) oder unter die Jacke. Nachts, wenn die anderen laut atmeten, schnarchten, im Schlaf redeten, durfte es Luft schnappen. Ich streichelte es, redete mit ihm, drückte es an mich. Einmal erwischte mich Tante Käthe dabei und fand, ich verhalte mich nicht normal.

Zunehmend fürchtete ich mich vor der Krätze. Es ging das Gerücht um, die Kranken würden aus dem Wagen geholt.

Lore beneidete ich um die selbstverständliche Nähe zu Mutter. Sie schien auch nichts von der neuen Liebe bemerkt zu haben. Sie ist zu klein, sagte ich mir.

Es kann sein, ich schloss mich Krücke und seiner Kinderbande an, um Mutter und ihrem Kerl aus dem Weg zu gehen. Krücke versammelte die Kinder des Transports. Es gelang ihm sogar, die Erwachsenen im Waggon zu überreden, etwas zusammenzurücken, wenn wir im Kreis um ein handgemaltes Halma kauerten. Wurden wir zu laut, ging Krücke mit einer seiner Krücken dazwischen. Wenn wir bei einem Halt aufs Feld rasten, unsere vom Sitzen, Stehen steifen Glieder austobten, gehörte es sich, dass Krücke an der Spitze blieb. Er hüpfte behend und schnell und seine Stimme dröhnte wie eine Trompete. Der Transport gewöhnte sich an uns, und die Eltern waren Krücke dankbar. Ihm wurde auch nicht wie anderen Männern misstraut oder böse nachgeredet. Selbst wenn er ein SS-Mann gewesen sein sollte, hatte er mit dem Verlust des einen Beines »gebüßt« und konnte nichts mehr anstellen.

Noch leuchtete mir diese schlichte Moral ein. Nicht lange. Schon ein paar Monate nach der Reise, im Sommer 46, fiel mir auf, dass die Bühne Großdeutschland offenkundig nur von Hitler, Goebbels, Göring und höchstens dreitausend anderen wichtigen und unwichtigen Führern besetzt gehalten worden war, während die anderen sich alle im Widerstand befunden hatten, natürlich zurückhaltend, denn es hätte ja lebensgefährlich werden können. Nein, »Krücke« gehörte nicht zu denen. Er verbot uns, Krieg zu spielen, erzählte lieber von seinem linken Bein, das ein Arzt in Russland abgesäbelt und in einen Abfalleimer geschmissen hatte, erzählte, wie es zum Phantombein geworden war, verfault in Russland, unsichtbar und dennoch vorhanden, und die dumme Angewohnheit besaß, manchmal schneller zu laufen als das gesunde, oder wenn er im Bett lag, schwer zu werden wie eine Bleiwurst. Er erzählte so anschaulich, dass ich manchmal von diesem Bein, diesem selbständig gewordenen Bein, träumte und nicht schlecht staunte, als es mir 1949 in der Giacometti-Ausstellung in Zürich gegenübertrat. Ohne jeden Hinweis auf Krücke im Katalog.

In Passau empfingen uns die Amerikaner. Großmama empörte sich, dass die Soldaten ihr zutrauten, Läuse zu haben. Unanständig benähmen sie sich außerdem. Wir mussten die Hemden öffnen, die Gummibänder der Unterhosen nach vorn ziehen, und sie bliesen uns mit Apparaten weißen Staub hinein. Tante Käthe gelang es, Großmamas Widerstand zu brechen, indem sie auf die Krätze hinwies. Wir fuhren weiter, die Amerikaner übernahmen die Betreuung. Die Zugleitung wechselte. Einige Insassen unseres Waggons verschwanden, vor allem die unsicheren Kantonisten, wie Mutter sie misstrauisch nannte, doch auch die beiden alten Leute. Sie hätten nur noch mit Mühe gelebt, sagte Mutter. Für uns gab es etwas mehr Platz. Die Claims dehnten sich aus. Die Amerikaner nahmen auf unsere »menschlichen Bedürfnisse« mehr Rücksicht, womit sie Großmama überzeugten. Der Zug hielt häufiger an, die waghalsigen Manöver an der Tür waren kaum mehr nötig. Wir rannten ins Gelände, die Figuren verteilten sich wie auf einem Breughel-Bild: stehend, hockend, kauernd, kniend. Nachdem wir in Passau eine Suppe und ein Fresspaket bekommen hatten, holperten wir über eine Unzahl von Weichen in die Amerikanische Zone hinein.

Auf dem Bahnhof von Landshut, einer unendlich weiten Wüstenei von Gleisen und Bombentrichtern, hielten wir am längsten. Als die Lokomotive verschwand, biwakierten wir neben den Waggons. Endlich ohne Furcht vor dem Pfiff der Lok, der uns in die Wagen trieb. War es kalt, war es warm? Die Feuer, um die wir uns setzten – also muss es in der Nacht kühl gewesen sein –, wurden genährt von Bohlen, die durch Bomben gespalten und zerrissen worden waren. Ihre Glut hielt lange.

Krücke ging mit uns Jungen auf Forschungsreise rund um den Bahnhof. Wir suchten nach Holz, legten uns auf einem Sandplatz alle auf den Rücken und erklärten uns die Sternbilder. Ein paar Mal zog ich auch mit Lore los, die von Tante Käthe dazu ermuntert wurde: Peter kennt sich ja schon aus. Was nicht zutraf. Viele Ecken vermied ich, Schutzhäuschen zwischen den Geleisen, die offenbar besetzt waren, denn manchmal sausten gekrümmte Figuren durch die Gegend.

Landshut blieb wegen einer sehnsüchtigen, selbstverlorenen Stunde ein besonderer Name. Nicht der einer Stadt, sondern der eines Zustandes. An einem Abend, als meine »drei Weiber« sich schon zum Schlafen in den Waggon zurückgezogen hatten, entdeckte ich jenseits des Gleisfeldes ein beleuchtetes Fenster. Ich schaute, gab dem Sog nach, stand auf und lief, in einer Art Trance, auf das Licht, das immer größer werdende Fenster zu. Bis ich – es befand sich im Parterre eines bescheidenen Hauses – nahe vor ihm stand, mich mit den Händen an der Wand abstützte und auf die Zehenspitzen stellte. Was ich erblickte, kam mir in seiner Ruhe, seiner Unversehrtheit ganz und gar unwirklich vor. Obwohl es genau jene Wirklichkeit war, nach der ich mich sehnte. Zwei Frauen, eine alte und eine jüngere, saßen sich gegenüber an einem Tisch und tranken Tee. Sie redeten miteinander. Ich konnte sie nicht hören. Manchmal warf die jüngere einen Blick zum Fenster, und ich drückte mich zur Seite. Aber ich konnte mich auch täuschen. Mit meinem ganzen Körper drängte es mich hinein, in diese Ruhe, dieses Licht. Würden die beiden mich aufnehmen? Würden sie mich davonjagen? Wahrscheinlich. Welches Theater würden Großmama und Tante Käthe veranstalten, wenn ich nicht rechtzeitig zum Zug zurückkäme. Die junge Frau stand auf, trug ihre Tasse zum Spülstein und verließ die Küche. Die alte legte ihren Kopf in die Hände und rührte sich nicht. Sie schien zu schlafen. Mit einem Mal überkam mich das Gefühl, ich störe. Die Ruhe, die mich so heftig angezogen hatte, wies mich nun zurück.

Wochenlang seien wir unterwegs gewesen. Fünf Wochen lang. Tante Käthe wusste es genau. Ich konnte es nicht sagen. Der Zug fuhr ohne Zeit. Die alte Kinderfrage »Wann sind wir da?« stellten wir nicht, denn niemand konnte uns das Ziel der Reise nennen.

Dann tauschten wir doch unsere rollenden Hütten mit Baracken, in denen in endlosen Reihen Stockbetten warteten. Dieses Mal gelang es uns nicht, einen Bezirk für uns zu erobern. Mir wurde ein Platz entfernt von Großmama und Tante Käthe, Mutter und Lore zugewiesen. Gab es da einen Augenblick, in dem ich mich nicht zurechtfand? Wenn überhaupt, erinnere ich mich an meinen Trotz, mit diesem Durcheinander allein fertig zu werden. Ein paar Eigenschaften hatte ich auf der langen Reise gewonnen und geschult: Neugier, Wachsamkeit, Misstrauen. Ich hatte gelernt, dass die Erwachsenen, vor allem die Männer, häufig andere waren, als sie es gewesen sind. Der Einzige, von dem ich fest annahm, dass er nicht mitgespielt hatte, war Vater. Er, der mich auf dem Bahnhof in Prag »degradierte«. Genau genommen hatte ich keine Ahnung, wie er als Anwalt unter Hitler handelte und dachte. Ich stilisierte ihn zum Gegen Helden. 1992, bei meinem ersten Besuch in Olmütz, verblüffte man mich, indem man durchaus voller Verehrung an einen Advokaten dachte, der bis 1943 nicht nur Deutsche, sondern ebenso Tschechen und Juden vertrat.

Zum ersten Mal konnten wir uns im Lager Wasseralfingen wieder waschen und duschen. Wir bekamen Seife und Handtücher. Frauen und Männer badeten getrennt. Die Kinder wurden von den Frauen mitgenommen. Zum ersten Mal sah ich Mutter nackt unter nackten Frauen. Schämte ich mich? Ich fand Mutter schöner als die anderen. Ich war stolz auf sie, liebte sie. Einmal sah ich zu, wie eine Rotkreuzschwester einer jungen, fetten Frau die Schamhaare rasierte, sie erst einseifte, bis es schäumte, dann Haare und Schaum mit dem Rasiermesser zur Seite zog. Sie hat Läuse, Filzläuse, erklärte sie. In einer der wenigen Nächte in Wasseralfingen hatte ich im Schlaf meinen ersten Samenerguss. Ich weigerte mich hartnäckig aufzustehen, hoffte, dass das Zeug, wenn es getrocknet war, keine Spuren hinterlasse.

Ich hätte die Tanten fragen können, wann, zu welcher Jahreszeit wir von Wien nach Wasseralfingen transportiert wurden. Sie leben nicht mehr. Ob die Transportpapiere irgendwo archiviert sind, fragt sich. Wer hätte dafür sorgen sollen? Die Amerikaner, die Franzosen, die deutschen Behörden? In meiner Erinnerung fährt der Zug durch zwei Jahreszeiten. Von Wien bis Wasseralfingen (oder doch nur bis Passau?) in einem kalten Spätwinter. Aber er kommt im Sommer an. Die Kirschen müssen reif gewesen sein. Wir rannten, angeführt von dem virtuos hüpfenden Krücke, in eine Obstwiese, stopften uns den Mund mit den süßen Früchten, schluckten und spuckten Kerne. Als ob sie uns erwartet hätten, sprangen zwei Männer hinter einem Schuppen hervor, Sensen schwingend, fremd und bedrohlich wie aus einem anderen Zeitalter. Sie hatten allerdings unseren Anführer unterschätzt. Der hob die eine Krücke, stützte sich auf die andere und begann wild zu fluchen: Kriegsgewinnler nannte er sie, Etappenhengste, die hungrigen Kindern nicht eine Kirsche gönnten. Sie duckten sich unter seinem Geschrei.

Wieder enterten wir, im Sommer, ganz gewiss im Sommer, die Waggons, lauter Ahnungslose, von einer entfernten Behörde verplant, denn wir wussten nicht, wohin es gehen würde. Gerüchte spielten mit Ortsnamen. Der Zug brachte uns bis Bad Cannstatt, dort hielten wir gegenüber der

ESZET-Schokoladenfabrik. Das Wasser lief uns im Mund zusammen. Krücke plante einen Raub- und Beutezug mit uns Kindern, wir kamen jedoch nicht dazu: Es wurde rangiert, drei Waggons wurden abgekoppelt, darunter unserer, und wir fuhren weiter, nicht weit: In Nürtingen endete die Reise auf einem Abstellgleis.

3

Ankünfte und Anfänge

Die ganze Reise lang sind wir begleitet worden von Besatzungssoldaten oder zivilen Helfern. Unsere Fahrt fand nach einem gewaltigen Plan statt, nach dem Menschenströme geleitet, Lager eingerichtet oder neu bestimmt, Fahrpläne entworfen wurden. Ich sprang aus dem Waggon, schaute einer Handvoll Menschen ins Gesicht, die abwartend, neugierig, misstrauisch herumstanden. Nürtingen, las ich auf dem Stationsschild, und konnte nicht ahnen, dass ich ein Leben lang mit dieser Stadt streiten und ihr meine Liebe erklären würde, dass ich mir die Erinnerung an sie austreiben und dennoch immer wieder heimkehren würde, denn hier liegen alle Frauen begraben, mit denen ich reiste, die nachkamen, die mich großzogen, gefangen hielten, die mir nachwinkten und die mich viel zu früh verließen: Mutter, Großmama, Tante Lotte, Tante Käthe. Mutter noch auf dem alten aufgelassenen Friedhof hinter der Psychiatrie am Neckar.

Ein Kaff, erklärte Mutter verächtlich und gesellte sich zu dem Kerl. Sie schlug die Stadt als Ort für sich aus.

Ich habe mit Krücke die Stadt erkunden wollen, doch er verschwand, ehe wir anderen unsere neuen Unterkünfte erfuhren, er blieb vom Boden verschluckt, und ich traf ihn erst zwei Jahre später wieder, in einer neuen, aber dauerhaften Rolle: als Betreiber eines Kiosks.

So ging ich allein. Gegen Mutters Mahnungen und Zurufe. Wir können nicht auf dich warten. Ich lief hinein, hinauf, an der Post vorüber, die Uhlandstraße hoch, hielt an der Kreuzkirche an, auch an der Alten Schmiede, und kam bis zum Marktplatz. Die Stadtkirche sah ich aus wechselnder

Distanz, übermächtig und dennoch gewichtslos. In einem Schaufenster lag neben anderem Krimskrams ein Beutel mit Nudeln. Niemand, kein Hungriger hatte die Scheiben eingeschlagen. Auf dem Rückweg beeilte ich mich, verwirrt und eigentümlich misstrauisch gegen das, was ich entdeckt hatte: eine unbeschädigte Stadt, einen Ort, der sich aus unserer Zeit gestohlen hatte, wahrscheinlich ahnten auch die Bewohner nichts vom Krieg, von Flucht, von Bomben, von Russen, Plünderungen und Vergewaltigungen. Ob sie diese Wörter überhaupt kannten? Die Menschen, denen ich begegnete, sahen aus, wie wir vor langer Zeit ausgesehen hatten: gewaschen, in ordentlichen Kleidern. Ich nahm an, sie kannten keine Sorgen. Manche gingen mir aus dem Weg. Ich trug noch immer die lange schwarze Überfallhose, die Pimpfenhose. Die Uniformbluse hatte ich bei meinem Zeug gelassen. Es war sehr warm. Die Frauen erkundigten sich nach meinen Eindrücken. Es gibt Nudeln zu kaufen. Sie liegen im Schaufenster. Mutter lachte. Er phantasiert.

Sie hatte, ohne Lore und mich in ihren Plan einzuweihen, sich von Großmama und Tante Käthe losgesagt, wollte alleine mit uns anfangen. Es ging ihr nicht um unsere Selbständigkeit, sondern um den Kerl, um die unbeobachtete Nähe zu ihm. Ich wünschte mir inständig, er verschwände. Die unsichtbaren Menschenverteiler halfen uns. Alle, die mit uns angekommen waren, fanden in Nurtingen Quartier, außer uns. Wir sollten in ein nahe liegendes Dorf, nach Raidwangen. Mutter wehrte sich, verhandelte mit Zivilisten und Uniformierten, verlangte den Leiter des Wohnungsamts zu sprechen, und sie ließ uns dabei nicht los, hielt uns an den Händen, riss uns hin und her. Wir gehörten zusammen. Wir. Dieses Kaff, sagte sie, und es blieb offen, ob Nürtingen oder Raidwangen. Sie glühte in ihrer Verachtung für diese Gegend, die »ganz« geblieben war.

Wie kamen wir nach Raidwangen? Mit einem der wenigen

Autos? Mit einem Pferdefuhrwerk? Womöglich zu Fuß? Raidwangen schnurrt in meinem Gedächtnis zu einem sehr grünen Hügel zusammen, auf dem das bescheidene Bauernhaus stand. Immerhin bekam jeder von uns ein Bett und unvergleichlich dicke, schwere Plumeaus. Immerhin versorgte uns die Bäuerin mit Milch, Brot und Butter und versuchte sogar mit Mutter eine Unterhaltung zu beginnen. Die jedoch hatte sich entschlossen, alle und alles fremd und abweisend zu finden. Dieser Misthaufen vorm Haus. Wie kann man das nur aushalten. Ich fand das nicht weiter schlimm und folgte der Einladung des Bauern, ihn aufs Feld zu begleiten. Zum ersten Mal sah ich Kühe einen Heuwagen ziehen. Zum ersten Mal fuhr mir das Schwäbische in den Mund und gegen die Kiefer. Ich saß auf dem Bock. Plötzlich schrie der Mann von unten herauf: Mick a mole! Tatsächlich umschwirrten Mücken die beiden Kühe. Was sollte ich mit ihnen anfangen? Was bedeutete a mole? Schüchtern deutete ich an, dass ich ihn nicht verstehe. Wütend wies er auf den Drehgriff der Bremse: Des isch d'Micke. Ich übersetzte mir stumm: Das ist die Bremse. Wie von selbst übersetzte ich »a mole«: einmal! Bremse einmal!

Mutter betrieb den Umzug nach Nürtingen unnachsichtig, hielt sich fast nur noch auf dem Rathaus auf. Schon nach wenigen Tagen verabschiedeten wir uns von dem freundlichen Bauernpaar und kehrten zurück nach Nürtingen. Wie? Wer brachte uns hin?

Wir bezogen eine Mansarde im Haus der Familie Fischer, die offenbar bereits in der zweiten Generation Kies aus einem immer größer und tiefer werdenden See baggerte, mit Erfolg und unbehelligt von der eben herrschenden Politik. Wir Kinder könnten uns auf den Winter freuen, versprach uns Frau Fischer, auf dem See lasse sich fabelhaft Schlittschuh fahren. So lange hatten wir nicht vor zu bleiben. Das Zimmer war winzig; die Wärme staute sich unterm Dach.

Wollten wir uns bewegen, mussten wir die Matratzen, auf denen Lore und ich schliefen, gegen den Schrank lehnen. Zum Frühstück oder Abendessen rückten wir eine kleine Kiste als Tisch ans Bett von Mutter, auf dem wir zu dritt Platz nahmen. Mutter beklagte sich nicht, hielt alles für vorläufig, unsere Existenz ganz gewiss, träumte vielleicht doch noch, irgendwo anzukommen, entschloss sich, das Provisorium Nürtingen herauszufordern, die Stadt als Bühne zu benützen. Aus einer gestenreichen Trauer schöpfte sie ihre Energie. Uns jedoch schob sie an den sicheren Rand und überwand sich, Großmama und Tante Käthe zu bitten, sich um uns zu kümmern.

Öfter traf ich sie in der Stadt, manchmal auch mit dem Kerl oder in Gesellschaft von Menschen, die, wie sie, doch aus anderen Gründen, Nürtingen als Versteck und als Ausgangspunkt für abenteuerliche Unternehmungen gewählt hatten. Sie musste sich nicht tarnen, keinen neuen Lebenslauf ausdenken. Ihre Freiheit verbündete sich mit einer schrecklichen Gleichgültigkeit. Ich habe ihr aus wechselnder Entfernung den ganzen späten Sommer zugeschaut, begriff sie nicht, schämte mich, bewunderte sie. Dass ich zur Schule ging, wurde mir erst später bewusst. Genau genommen konnte ich in Nürtingen nicht ankommen, da meine Mutter es nicht vorhatte. Sie sagte nicht einmal mehr: dieses Kaff. Sie betonte, was sie von der Stadt und ihren Einwohnern unterschied. Die sind nie herausgekommen und Nazis geblieben, als ob Hitler nicht in die Hölle gefahren sei. Sie sind nicht bereit zu teilen. Sie erklären alle Flüchtlinge zu Schwindlern, Taugenichtsen, Großsprechern. Sie sind nicht einmal imstand, Gramm in Deka umzurechnen.

Ihre Verbindung zu Großmama und Tante Käthe riss nie ganz ab. Und auch mich zog die Wohnung an, die ihnen zugewiesen worden war, ein an Nischen und Erkern, Stufen und Absätzen tollkühnes Zimmerunwesen, diffus erhellt durch Fenster, aus denen man auf Gänge, Wände, Stiegen schaute. Die Hauswirte, der Flaschner Schweitzer und seine gnomische, von einer furiosen Neugier beseelte Frau, ihre beiden Töchter und ein Spitz gaben die bizarre Wohnung unterm Dach frei, obwohl eines der Zimmer von einem Fräulein besetzt gehalten wurde, das die Rolle der Lintschi übernahm. Die Möbel hatten sich im Lauf von Jahrzehnten unterm Dach angesammelt, ein wunderbar brüchiges Ensemble, das Großmama und Tante Käthe immer neu ordneten, selbstverständlich auch viel Nippes, Porzellanvögel, musizierende Hummelfiguren und – dieser Attraktion konnte ich mich nicht entziehen – eine schwindsüchtige Ballerina in einer Glaskugel, in der es schneite, wenn man sie bewegte. Die Hausaufgaben besorgten wir hier, Lore in der Hexenküche bei Großmama, ich in einer erkerähnlichen, allerdings fensterlosen Nische. Sobald das Gespräch auf Mutter kam, begehrte ich auf oder verschwand. Jede Andeutung über ihren »Lebenswandel« (was für ein albernes, anstößiges Wort), jede Klage Großmamas verletzte mich. Sie hatten keine Ahnung. Sie dachten sich lauter Gemeinheiten aus. »Die Eri« – wann immer ein Satz so begann, leise oder laut, freundlich oder tückisch, krümmte ich mich und war bereit zuzuschlagen. Oder zu schreien. Sie vernachlässigte uns nicht, wie Tante Käthe behauptete. Jeden Abend trafen wir uns in unserer Bude zum gemeinsamen Essen. Wir saßen auf dem Bett, sie fragte uns ein wenig aus, sah sich die Schulhefte an, doch über das, was sie tagsüber getrieben hatte, schwieg sie. Nachdem wir uns Gesicht und Hände gewaschen hatten, half sie uns, die Matratzen auszubreiten, die Leintücher darüber zu ziehen. Es bleibt euch gar nichts anderes übrig, als schlafen zu gehen, sagte sie, hielt ihr Gesicht nah an den kleinen Spiegel, der über dem Waschtisch hing, schminkte und verwandelte sich wieder in jene, die alle meine Gedanken mitnahm, der ich mitunter nachstellte, die ich beobachtete, die ich mir ausdachte und zugleich verwarf.

Einige Wochen später zogen wir in die Neuffener Straße 75, endlich in eine »richtige« Wohnung, zwei Zimmer und eine Küche. Allmählich beginnen wir, wie Menschen zu leben, sagte sie, nahm mit ausholenden Schritten und Gesten die Räume in Beschlag, brachte uns unter – die Betten ziehen wir auseinander, dass ihr euch nicht gegenseitig stört – und war schon wieder weg.

Lores und mein Weg in die Schule oder in die Marktstraße zu Großmama war nun bei weitem länger. Wir gewöhnten uns daran, früher aufzustehen, unsere Zeit strenger einzuteilen. Mutter kam mir leiser vor. Sie trumpfte nicht mehr auf. Sie bewegte sich vorsichtig, als könne sie überall anstoßen. Einmal, als ich im Neckar schwamm, tauchte sie plötzlich neben mir auf, lachte, drückte mich für einen Augenblick unters Wasser und fragte dann leise: Wo hast du deine Freunde? Ich antwortete ihr nicht. Unsere Köpfe ragten nebeneinander aus dem Wasser. Sie könnte mich umarmen oder mit den Beinen gefangen nehmen. In ihrem ungebändigten, teerschwarzen Haar wucherten graue und weiße Strähnen. Bist du allein?, fragte ich. Ja, sagte sie, und kraulte zum Ufer.

Ich erfinde diesen Wortwechsel, weil ich ihn wiedergefunden habe, als ich mich an die Szene im Neckar erinnerte. Von neuem verwirrt es mich, dass sie spricht, ich ihre Stimme aber nicht hören kann.

In diesen Tagen muss die Mitteilung vom Roten Kreuz in Genf gekommen sein, dass Vater bereits im Juli 1945 im Kriegsgefangenenlager Döllersheim gestorben sei. Wir haben ihn alle in Gedanken am Leben gehalten. Das Datum erschien mir wie ein Betrug. Zur gleichen Zeit hat der Kerl wohl erfahren, dass seine Frau nach ihm suche. Er zog sich aus Mutters Leben zurück.

Es kann sein, dass sie mehr zu Hause blieb. Aufgefallen ist mir das nicht. Wir sind wie stets miteinander in die Amerika-Bibliothek gegangen, und wenn sie es für richtig hielt, haben wir die Bücher ausgetauscht. Sie ging abends weiter aus, vielleicht nicht mehr so oft wie früher. Ich rufe mein Gedächtnis nun Tag für Tag ab. Irgendwann, an einer Grenze, die sie sich gezogen hat, hielt sie an, wenige Tage vor dem Wochenende, an dem sie uns verließ. Ihre vorausgenommene Abwesenheit hat uns Kinder aufmerksam werden lassen. Wir drängten uns in ihre Nähe, spielten miteinander Patiencen, baten sie am Abend zu bleiben, und sie folgte unserem Wunsch. Ich sehe ihre Hand für einen Moment auf Lores Hand. Hat sie Vaters Brief noch einmal gelesen, sich die Skizze angeschaut, die der Feldarzt von Vaters Grab anfertigte? Hat sie uns im Schlaf beobachtet? Am Samstag sagte sie uns etwas später und etwas ausführlicher Gute Nacht. Etwas muss an diesem Abend anders gewesen sein. Eine winzige Verzögerung. Eine ungewöhnliche Geste. Sie hat ständig Tabletten genommen, litt unter Kopfschmerzen. Die Namen der Pillen kannten Lore und ich. Quadronal. Ein Röhrchen mit Tabletten lag stets herum. Vor den Schlaftabletten, denen, die ihr in der Nacht halfen, Quadronox, warnte sie uns. Sie seien giftig, schädlich. Sie ließ sie auch nie liegen. Zwei Röhrchen, zwanzig oder vierzig Stück genügten. Sie wird sich vorbereitet haben. Es braucht Zeit, bis so viele Tabletten im Wasser zergehen.

Am nächsten Morgen – einem Sonntagmorgen, wir konnten so lange schlafen, wie wir wollten – fand Lore sie, die es drängte, Mutter zu wecken. Sie kam zurück. Mutter sei etwas passiert. Es gelang uns nicht, sie zu wecken, aber sie atmete.

Ich will nicht noch einmal erzählen, wie ich Lore allein bei der anders Schlafenden ließ, losrannte, um in Nürtingen einen Arzt zu finden, mehrfach abgewiesen wurde, bis ich in der Uhlandstraße einen alten Doktor überreden konnte, mir in die Neuffener Straße 75 zu folgen: Bitte, meine Mutter hat Tabletten genommen.

Je mehr sich die Szene entfernt, umso dringlicher werden einige Fragen, genau jene, die auf Wirklichkeit bestehen: Wieso hat der alte Doktor nichts gegen die Vergiftung getan, nicht den Magen ausgepumpt? Wieso ließ er sie drei Tage in einer Umgebung liegen, in der ihr medizinisch kaum zu helfen war? Wieso wurde sie nicht ins Krankenhaus gebracht? Wer hat Großmama und Tante Käthe gerufen?

Sie starb am dritten Tag. Drei Tage lang röchelte sie, und wir wischten ihr Schweiß und Schleim aus dem Gesicht. Es gibt keine größere Nähe. Sie ist unzulässig und schamlos. Eine Art Austausch von Atem und Haut.

1987 schrieb ich, nach einem Besuch in Nürtingen, ihr Gedicht. Ich musste nicht mehr erzählen. Die Bühne, die sie beherrscht hatte, eine entrückte Figur, ein Geschöpf wie Fellinis Gelsomina, gab das Stück her, das nur ein einziges Mal gespielt wurde, von ihr:

Meine Mutter

Drei Tage lang
starb meine Mutter.
Sie liebte unerlaubt
einen Tagdieb,
einen Wegelagerer,
einen Namenlosen,
behaupteten die Frauen,
die über ihre Treue
wachten.

Keinen Brief schrieb sie,
keinen Zettel:

Komm und hol mich.
Sie lief ihm einfach
zu.
Sie lief uns einfach
weg.

Die Wohnungen waren
aus den Häusern gebrochen
und die Wege vermint.
Auf den Dächern wuchsen
Birken.
An den Horizonten schwelte
Feuer.
Und die lang gedachte
Zeit
schmolz zu einem Tag.

Ungeduldig
brach sie auf.
Wer wollte, ungeliebt,
noch einen Namen haben?
Schön war sie
auf dem Weg zum Tier,
auf der Flucht vor
dem eingeschränkten Leben.

Ich sah sie
vor der Stadt, dort,
wo die Soldaten
ihre Pflicht vergaßen,
sah sie
in seinen Armen,
sich das Glück ausreißend
wie ein Geschwür,

ohne Gedächtnis
und leicht.

Zurückgerufen
nahm sie Gift
und starb
drei Tage lang.

Sie hat keinen Brief hinterlassen, sich nicht erklärt. Wir haben nie darüber gesprochen, nachgedacht. Erst jetzt, da die Erinnerung durch die Wiederholung eher unsicher wird, ich schon nicht mehr zwischen wahr und wirklich unterscheiden kann, beginnt mich diese leere Stelle zu beunruhigen. Hätten ein paar hinterlassene Sätze Lore und mir nicht Halt geben können, auch gegen die späteren Vorwürfe und Verdächtigungen? Sie ließ uns unbegründet ganz einfach zurück.

Die Trauer leerte meinen Kopf, betäubte mich. Großmama und Tante Käthe kamen und richteten sich ein. Sie erklärten uns nichts, fragten uns nicht. Sie übernahmen, was gar nicht übernommen werden konnte. Anstelle von Mutters Bett wurde ein Doppelbett aufgestellt. Die Hauswirte, Herr Sättele und seine Tochter, halfen. Am Abend, nachdem Mutter fortgebracht worden war, kochte Großmama. Wir müssten etwas Warmes in den Leib bekommen.

Als sie Mutter holten, nahm mich ein schwer atmender Mann in die Arme, hielt mich fest, bis ich aufhörte zu schluchzen. Er sei der Pfarrer Lörcher, und er werde, wenn wir nichts dagegen hätten, auf meine Schwester und mich ein wenig aufpassen. Er hat sein Versprechen gehalten, Teil der väterlichen Dreifaltigkeit, die sich ohne mein Zutun herstellte, ein Geschenk Nürtingens, eine zufällige Konstellation: der Pfarrer, der Maler, der Lehrer. Martin Lörcher, Fritz Ruoff und Erich Rall. Sie führten mich allerdings nicht, sie ließen mich in Fallen laufen. Wenn es jedoch zu prekär wurde, griffen sie mir unter die Arme. Sie wussten zwar voneinander, doch sie kannten sich nicht. So hatte ich, selbst wenn ich drauf und dran war durchzudrehen, nie die Gelegenheit, sie zu meinem Vorteil gegeneinander auszuspielen.

Einen Schulweg gab es erst, nachdem wir in die Neuffener Straße eingezogen waren. Er zog sich hin, ohne große Abwechslung, die Schritte und Blicke lernten die Stationen auswendig, maßen auf diese Weise Entfernung und Zeit, und schließlich, nach Jahren, lief ein Film im Kopf, und es brauchte eine Weile, bis er riss, ersetzt wurde von anderen wiederholten Strecken, Wegen, Fahrten.

Durch den Vorgarten, das Gartentor mit einem Schlenker zuziehen, vorbei an der Metzgerei und Gaststätte »Siedlerstube«, an einigen Villen in großen Gärten, abschließend das Anwesen des Fabrikanten Heller, dessen Werkzeugmaschinenfabrik sich ziegelrot linkerseits hinzieht, kokett mit einem Vorgartenstreifen versehen, in dem Sträucher wie unter Zwang oder Not verkrüppeln, zur Rechten eine Reihe weißer Einfamilienhäuser, erbaut im Auftrag des Fabrikanten für seine leitenden Angestellten, unter ihnen auch der Vater meines Klassenkameraden, Siegerle Wagner, einem Knirps, der in seinem Kellerlabor waghalsige chemische Versuche unternimmt, linker Hand noch immer das kellerrote Ziegelband, das an einer Straße abreißt, sich in einem Parkplatz fortsetzt, rechter Hand nun die Wirkwarenfabrik Künkele, linker Hand, nach einem nur undeutlich erinnerten Gebäude, die Villa Künkele, Wohnsitz des gleichnamigen Klassenkameraden, dessen auffallende Mimik sein Kennzeichen war, ein unausgesetzt staunender, offener Mund und zwinkernde Augen, und an der Ecke Neuffener/Steinengrabenstraße linker Hand die Burg der Schwerhörigen- oder Taubstummen-

schule, der folgt rechter Hand nach Überquerung der Wera-
straße nichts, was den Blick festhält oder füttert, bis hin zur
Einmündung der Neuffener in die Kirchheimer Straße, bis
zum Eisenbahnübergang, da pflockt ein vierstöckiger Bau
die graue Reihe ab, ein Ankerbaukastengebäude mit einem
Türmchen und einem Dachboden, auf dem ich mit einem
Klassenkameraden, dessen Namen ich vergaß, Zigarren seines Vaters rauchte, bis ich sterben wollte, doch noch einmal
davonkam, allerdings hier in der Aufzählung eine ganze
Häuserreihe zur Linken unterschlage, die Weinhandlung,
die Kneipe, den Fußgängertunnel unter den Bahngeleisen
und den Bäcker, Haussmann mit Namen, am Bahnübergang,
hier hinüber und rechts in die Bahnhofstraße, die zu breit
ist, um das Linkerhand noch wahrzunehmen, und rechts
baut sich hinter dem Kiosk, in dem »Krücke« dient, stattlich
in Dreißigerjahremanier die Post auf und nach einem freien
Platz der Bahnhof, doch davor wird die Straße überquert,
linker Hand rücken das Bahnhofsrestaurant und der Spiel-
zeugladen näher, dann das Eckhaus, in dem eine Schulkame-
radin wohnt, Irmgard, die mit dem ausholenden Schritt, und
links wieder eine jener Textilfabriken, in der Hand einer
führenden Fabrikantenfamilie, deren Namen und Besitz-
tümer ich jetzt, da einige der Fabriken verschwunden sind,
vollends durcheinander bringe, und nun nach rechts, vorüber an der Blumenhandlung Rieger, auf den von Kastanien
gesäumten Hof zu, die Schule vor mir, vor dem Ersten Weltkrieg gebaut, eine Schule aus dem deutschen Bilderbuch,
stattlich, mächtig, abweisend und erst im Gedächtnis anzie-
hend, in den Kriegen auch geeignet als Lazarett, zu meiner
Zeit noch ohne Namen, die Oberschule, jetzt das Max-
Planck-Gymnasium, steinerne Schatulle für einige meiner
Bubengeschichten.

Ich finde nicht gleich hinein, habe meinen Körper verloren, frage mich, wie ich mich bewegt habe, vorsichtig oder

ruppig, für oder gegen, ich habe kein Gefühl mehr dafür, ich erinnere mich an die andern, nicht an mich, habe den Kopf voller Geräusche und Gerüche, ich rieche die tägliche Quäkerspeisung, Suppenschwaden, Schlunzwolken, einmal süß, das andere Mal das reinste Maggi, obwohl es Maggi wahrscheinlich nicht gab, höchstens Erbsen, die, gebrüht, in Maggi mutierten. Selbstbewusst aus Not, kehre ich Unaufmerksamkeit heraus, um die Lehrer über den Mangel eines schulfreien Jahres im Unklaren zu lassen, doch die lassen sich nicht täuschen und stufen mich genau zu dem Zeitpunkt, in dem der Anfang des Schuljahres auf das Frühjahr verlegt wird, um ein halbes Jahr und in eine andere Klasse zurück, die 2 c. In der Klasse bleibe ich vorerst allein, werde nach einiger Zeit in die Gruppe der Flüchtlinge aufgenommen, lauter lange Kerle, Gusti Pöschl und Helmut Brejzek.

Ich höre zu, schaue mich um. Mein Banknachbar, Gerhart Maier, lässt mich in Ruhe, horcht mich nicht aus. Er hilft mir mit Kleinigkeiten, Heft, Stift, Radiergummi. Je ungezwungener ich mich in der Bank zurücklehnen kann, umso deutlicher treten die Lehrer als Personen auf. Vor allem die älteren Männer besetzen ein eigentümliches pädagogisches Niemandsland, in dem die braune Lehre und Re-education sich streiten. Ich verabscheue ihre Ungenauigkeit, kann mich aber nicht entscheiden, was ich widerwärtiger finde: die hurtige Bußfertigkeit, die sich durch ein frömmelndes Vokabular hervortut, die kollektive Scham der kollektiven Schuld vorzieht, die Opfer, die gebracht wurden, nicht verhöhnt sehen will, oder die zynische Abwehr jeglicher demokratischer »Umerziehung«, die manchen Lehrer förmlich dazu zwingt, seiner Erinnerung treu zu sein, indem er die geschwärzten Texte im Geschichtsbuch oder im Lesebuch auswendig »liest«.

So waren nicht alle. Es gab die Leisetreter, die auch unter den Nazis nicht laut gewesen waren. Es gab die Eigensinnigen. Jenen, die andeuteten, Widerstand geleistet zu haben, traute ich nicht über den Weg. Die Lehrerinnen glichen in ihrer politischen Einfärbung den Kollegen, nur legten die meisten, sogar die unverkennbaren einstigen Nazissen, deutlich Wert auf didaktische Neutralität. Bis auf unsere Englisch-Lehrerin. Sie spuckte beim »Th«.

Neu erfuhr ich – die Olmützer Lehrer hatten darauf verzichtet – die »körperliche Züchtigung«. Einer meiner Zeichenlehrer verabreichte Tatzen, der Mathematiker gab Kopfnüsse und der Lateinlehrer, unser alter aus Baden stammender Direktor, »loddelte«, griff in den Haarschopf des Delinquenten und trieb ihn rüttelnd vor sich her. Obwohl ich zu denen gehörte, die seiner Loddelei so gut wie nie entgingen, mochte ich ihn. Er schützte mich, auf seine Weise, vor mir selber, erzog »väterlich« den Vaterlosen. Das alles zwar sehr rauh, doch keineswegs anmaßend. Übel nahm ich ihm, dass er, wenn ich's seiner Meinung nach besonders schlimm trieb, dem Hausmeister erlaubte, mich mit dem Stock zu verprügeln. Jahre, nachdem ich die Schule verlassen hatte, bekam ich aus seinem Besitz ein Bündel Papier, darunter auch mein letztes Zeugnis. Er hatte weiter auf mich aufgepasst, nach dem Gesetz, wie er gelegentlich betonte, nach dem er angetreten war.

Gerhart Maier wurde mein Freund. Seine Offenheit und Hilfsbereitschaft lösten mein Misstrauen. Das nicht allein. Ich hatte mich in seine Schwester verschaut, die »Wesse«, wie er sie rief. Sie saß in der Bankreihe rechts neben der unseren, fast auf gleicher Höhe – schon in den ersten Tagen entdeckte ich sie. Ein lebhaftes, kräftiges Mädchen, mit einem Gesicht, das in meine Tagträume einging, einer hoch ausgebuckelten Stirn, die Augen betont von den starken Wangenknochen und unter einer Nase mit ausgeprägt empfindlichen Flügeln ein schwerlippiger, vom Lachen verwöhnter Mund. Sie regte etwas in mir an, das ich bisher nicht kannte. Unausgesetzt dachte ich an sie. Vergaß sie aber auch wieder, wenn ich mich in Streitigkeiten mit Klassenkameraden einließ, mich unter den Gemeinheiten, dem Spott einiger Lehrer duckte, die es offenbar auf mich abgesehen hatten, wenn ich, gleich nach dem Unterricht, den drei Buchhäusern zustrebte, die es in den ersten Nachkriegsjahren in Nürtingen gab: die Deutsch-Amerikanische Bibliothek, aus der später die Stadtbücherei hervorging, die Bibliothek der Arbeiterwohlfahrt und, in der Neckarsteige, die Bücherstube Margot Hauber, in der es Bücher zu leihen, doch auch das Neueste zu kaufen gab. Ich las, was mir in die Hände fiel. Die Stimmen gerieten unentwirrbar durcheinander, die ›Stimmen aus dem Leunawerk‹ von Walter Bauer, und die Stimme Beckmanns aus Borcherts ›Draußen vor der Tür‹. Zwischen dem Erscheinen dieser beiden Bücher lagen siebzehn Jahre, das Regime Hitlers und der Krieg. Ich nahm es nicht zur Kenntnis, verlangte von der Literatur, dass sie mich bestärke, mich gegen das Gerede der Erwachsenen wappne, die mit schnellen Sätzen falsche Bekenntnisse ablegten, für Spruchkammerverhandlungen »Persilscheine« sammelten und als Mitläufer (eine Bezeichnung, die ich in ihrem ausgewogenen Zynismus ungeheuerlich fand) sich freigesprochen sahen. Da setzte ich Raskolnikow dagegen oder verlief mich in Schillers ›Kabale und Liebe‹, die mir mein Freund Gerhart empfohlen hatte, wobei wir, im Bündnis, das Wort Kabale auf der ersten Silbe betonten, wahre Kabalisten.

Mit Gusti Pöschl wanderte ich einmal in der Woche die zehn Kilometer nach Kirchheim unter der Teck, hin und zurück, weil ich in einer schäbigen Bücherausleihe doch Funde erhoffte, allerdings nur Literatur aus der Hitler-Zeit fand, die Geschichte eines Mädchens namens Tami (oder hieß die Autorin mit Vornamen so?), Wiecherts ›Majorin‹ und ›Das gottgelobte Herz‹ von Kolbenheyer. Margot Hauber reinigte mein verschmutztes Lesergemüt mit einem zerlesenen großformatigen Band, den sie aus ihrem Bestand »aussteuerte« und mir schenkte: Rilkes ›Duineser Elegien‹. Tänzer und Engel halfen mir mit Arroganz den Schulalltag zu bestehen. Die Tatzen des Zeichenlehrers, das Geloddel des Direktors – dies alles ertrug ich, indem mir meine Lektüre, wenn auch ungewisse, Hoffnungen machte.

Zunehmend verbanden mich Freundschaften, auch die unerklärte Liebe, mit der Klasse. Unerwartet wurde sie gefährdet: Die Schulleitung hatte vor, die Flüchtlinge auf die Parallelklassen zu verteilen. Weshalb, erfuhren wir nicht. Wahrscheinlich hielt sie die geballte Fremde für gefährlich. Auf mich fiel das Los, ich solle weg in die 2 b. Diese Weisung riss mich aus einer Möglichkeit, aus einem Zusammenhang, der ohnehin kaum ausprobiert war, sie nahmen mir wieder alles. Ich starrte die Lehrerin an. Weshalb ich? Ich fragte sie nicht. Ich brachte kein Wort heraus, sank auf die Bank, legte den Kopf aufs Pult und weinte. Ich heulte nicht aus Wut, nicht einmal aus Schmerz, sondern aus Fassungslosigkeit. Warum gerade ich? Gerhart fragte, ob er für mich reden dürfe. Aber seine Schwester kam ihm zuvor. Ich hörte ihr nicht zu. Jetzt schämte ich mich. Er soll bleiben, riefen nun auch andere. Die Lehrerin gab nach. Ich war aufgenommen, ein zweites Mal, bis Jahre später ebenfalls ein Lehrer dafür sorgte, dass ich die Klasse endgultig verließ.

Gerhart lud mich zu sich nach Hause ein. Eine Fluchtburg tat sich auf, eine nur im Nachkrieg mögliche Villa Kunterbunt: das Arzthaus in der Marktstraße, stattlich, nachbarlich angelehnt an das ebenso massive Dekanat. Gegenüber die Lateinschule, in die Hölderlin und Schelling gegangen waren. Aus dem Kern eines Bauernhauses hatte in den dreißiger Jahren ein phantasievoller Architekt unter einem Glasdach, also rund um einen Lichthof, Wohnwaben bis unters

Dach und in den Souterrain geschichtet. Ein Gehäuse für eine Familie, die ständig größer wurde, sich mit Laune ausbreitete. Der Doktor und seine Frau, die Maiers, hatten sieben Kinder. Bis auf den Ältesten, der sich in französischer Kriegsgefangenschaft befand, gehörten die Kleinen und Großen zu einem Hausstand, der nie ganz zu übersehen war, jedoch mit unbeirrbarer Güte und sorgloser Naivität von den Maiers bestritten wurde. Fast jedes Zimmer war bewohnt. Das große Haus brummte, lärmte, nur im Erdgeschoss, wo der Doktor seine Patienten empfing und untersuchte, hatte Ruhe zu herrschen. Die Zeit hatte eine Gesellschaft ins Haus geschwemmt, die wenig erwartete, viel erinnerte: einen invaliden Skatspieler mit Frau und Kind, ein Prolet, der sich offenbar vorgenommen hatte, hier, nur hier seinen Ruhestand zu beginnen. Einen sudetendeutschen Schuhfabrikanten, der, im Gegensatz zum Skatspieler, voller Unrast eine neue Karriere vorbereitete, was ihm auch bald gelang, er gründete ein Schuhgeschäft, sein Sohn hielt sich zurück, ging mit uns zur Schule, die kleine Tochter bildete sich für die Zukunft aus, begrüßte jeden Gast, dem sie sich höflich mit ihrem Namen vorstellte und regelmäßig hinzufügte: fünf Jahre und noch ledig. Oben, unterm Dach, hausten zwei jüngere Damen, denen nachgesagt wurde, sie hätten an der Front als Offiziersmatratzen gedient, die abends ausschwärmten, das für die Nürtinger ungewohnte, von den Neuangekommenen mit Inbrunst betriebene Nachtleben zu genießen, im »Deutschen Haus«, im »Adler«. Als Wortführer der Gestrandeten, Flüchtlinge aus verschiedensten Gründen und Nöten, führte sich ein hünenhafter Kerl mit Kastratenstimme auf, den der Hausherr noch in Uniform auf dem Rathaus zufällig eingefangen hatte, um ihn in das zivile Leben hinüberzuretten. Der Mann schleppte seine unerklärte Vergangenheit in Gesten und Andeutungen, in Sprache und Meinung mit sich, gab sich als Bildhauer aus, arbeitete mit Gefühl und Erfolg als Fotograf und widmete sich besonders intensiv jungen Mädchen. Seine Bewegungslust ergriff gelegentlich den ganzen Haushalt und alle, bis auf die Erwachsenen, trafen sich im Entree unterm Glasdach zum Turnen, zur Gymnastik, womit er seine perversen Phantasien stimulierte und den Mädchen in ihrer Grazie handgreiflich nachhalf.

Als ich zum ersten Mal an die große Mittagstafel gebeten wurde, die Maiersche Gastfreundlichkeit mich einfing, verschlug es mir buchstäblich die Sprache. Es wurde unter einer Kuppel von Geschrei gespeist. Vor allem die älteren Kinder versuchten lauthals ihre morgendlichen Erfahrungen in der Schule loszuwerden, wobei jeder dem andern ins Wort fiel, für einen Augenblick wenigstens darauf bedacht war, den andern brüllend zu übertrumpfen. Dabei achtete Mutter Maier, der zu vertrauen mir nicht schwer fiel, dass jeder genügend auf den Teller bekam. Da manche Patienten in den umliegenden Dörfern mit Naturalien zahlten, gab es immer etwas. Während der Kriegsjahre war es selbstverständlich, die Mahlzeiten für die vielköpfige Familie zu strecken. Das mit wachsender Virtuosität. Jetzt, immer wechselnde Gäste am Tisch, mal den Onkel aus Esslingen, mal den Assistenzarzt oder eben den Flüchtlingsjungen, der von den Kindern aus der Schule mitgebracht wurde, jetzt war die wundersame Vermehrung der Speisen schon eingeübt.

Gegen Ende der Mahlzeit nahm das Geschrei ab. Einzelne Stimmen setzten sich durch, nicht zuletzt die des Hausherrn, der, in einem Notizbuch blätternd, seiner Frau mitteilte, wo und wann er noch Besuche machen, wie lange er ausbleiben werde und was unten in der Ordination vorbereitet werden müsse. Lauter dem Chaos abgewonnene Rituale. Auch wenn Gerhart in rasender Geschwindigkeit den Inhalt eines eben gelesenen Buches wiedergab – er war, um sich gegen die vielstimmige Familie durchzusetzen, zum Schnellredner geworden.

In diesem Haus, immer in Aufruhr, immer in Unordnung, angewärmt von Leben, ging ich täglich ein und aus. Gehörte bald zur Familie, stritt mit dem Hausherrn über seine verqueren Ansichten, die er aus den Schriften Mathilde Ludendorffs bezog. Manchmal wuchsen sich die Auseinandersetzungen zu langwierigen Glaubensdisputen aus, wobei ich den völkischen Glaubenssätzen der verehrten Mathilde alles, was mit Hitler, Krieg, Flucht und der Verwandlungskunst der Vätergeneration zu tun hatte, entgegensetzte. Wotans himmlischer Zug rauschte an mir ohne Wirkung vorbei. Aus der Sicht meines späteren Schwiegervaters war mir »weltanschaulich« nicht zu trauen. Dennoch schätzten wir uns, kamen in Sympathie miteinander aus. Was ich trieb, was ich las, was ich vorhatte, blieb ihm aber unheimlich.

Gerhart sorgte dafür, dass ich Mechthild nicht allzu häufig sah. Wir gingen spazieren, badeten im Neckar oder in dem kleinen, unterm Hohenneuffen gelegenen Schwimmbad, weniger beschäftigt mit Schulaufgaben als mit Büchern. Wochenlang hielt uns ein Roman über Friedrich II., den Stauferkaiser, in Atem: ›Der Verwandler der Welt‹. Den Namen des Autors habe ich vergessen, seine Botschaft nicht. Diese großdeutsche Seele habe eine Welt in Erstaunen versetzt und verändert. Gerhart reagierte damals auf Deutschtümeleien bei weitem weniger empfindlich als ich.

Sprich, damit ich dich sehe, war einer der Programmsätze von Hörspieldramaturgen in den fünfziger Jahren. Heinz Schwitzke hatte ihn ausgegeben, führender Theoretiker dieser Kunst, der aber auch von Gegnern als Altnazi verdächtigt wurde, was mich misstrauisch machte gegen den Mann, nicht jedoch gegen seine Radioansichten. Manche Sprecher habe ich, nachdem ich sie gehört hatte, gesehen. Und die

Gestalt, die Person, die mir die Stimme eingeredet hat, entsprach dann meiner Vorstellung. Beckmann vor allem. Wolfgang Borcherts ›Draußen vor der Tür‹ hörte ich 1947. Zufällig; ohne darauf vorbereitet zu sein. Das Radio lief. Ich saß in der Küche in der Neuſſener Straße, in diesem engen Durchgangszimmer, am Eß-, Schreib- und Lerntisch und machte Schulaufgaben. Großmama saß an ihrem Stammplatz am Fenster. Ich wurde nicht gleich aufmerksam. Von einem Mann, der nach Deutschland kommt, war die Rede, von einem, der lange im Krieg gewesen war. Irgendein Heimkehrer. Ich lauschte nur mit halbem Ohr. Bis jemand rülpste, mehrfach hintereinander. Und sehr kunstvoll. Das konnte ich auch. Damit ärgerte ich manchmal Großmama und beeindruckte Schulkameraden. Der im Radio rülpste besser. Ich horchte hin. Der große Rülpser beobachtet, wie jemand ins Wasser springt, in die Elbe. Er unterhält sich sogar mit Gott, der ständig jammert: »Es sind doch alles meine Kinder.« Der Rülpser hat sich »überfressen«, er ist nämlich Beerdigungsunternehmer. Das Radio stand auf einer Anrichte. Ich wanderte mit dem Stuhl um den Tisch, um ganz ungestört hören zu können. Jetzt trat Beckmann auf. Die Elbe sprach ihn an. Mein Kopf wurde zur Bühne. Sie traten aus einem dunklen Hintergrund nach vorn und sprachen, damit ich sie sehe. Sie gehörten zu mir. Sie drückten sich in einer Sprache aus, die sich in meinem Gedächtnis absetzte in Wendungen und Formeln, auch in Bildern, die ich hören konnte. Wenn Beckmann, begleitet von einem stotternden Xylophon, von der »tapferen, kleinen Soldatenfrau« sang, kehrte ich zurück in die Neunteufelsche Wirtsstube, wo Mutter die Entlassungsscheine unterschrieb, eine Fälscherin, Vater am Klavier saß und diesen Schlager spielte; manchmal sangen Soldaten mit. An dieser Stelle schossen mir Tränen in die Augen. Ich weinte vor mich hin bis zur Absage. Großmama, daran erinnere ich mich, hinderte Tante Käthe mit einer abwehrenden Geste, mich ins Bett zu schicken. Hans Quest habe ich später im Stuttgarter Schauspielhaus gesehen. Er glich ganz und gar der Stimme Beckmanns.

Gleich nach der Sendung überfiel ich Margot Hauber, meine Buchhändlerin in der Neckarsteige, ungeduldig und voller Fragen. Ich war erpicht, eine gedruckte Bestätigung für die Existenz eines Dichters zu bekommen. Ich wollte seine Sätze lesen, nachsprechen. Sie konnte mir mit einem schmalen Bändchen helfen, ›Hundeblume‹. Als 1949 das Gesamtwerk erschien, hielt sie es für mich bereit. Ich kaufte es auf Raten.

Beckmann begleitete mich noch einmal. Obwohl andere Dichter, Rilke und Max Herrmann-Neisse, Trakl, Else Lasker-Schüler, Gottfried Keller und Stifter ihn schon verdrängt hatten. Vor allem Rilkes ›Duineser Elegien‹, die ich auf endlosen Nachmittagsspaziergängen Mechthild vorlas und auslegte.

Nachdem ich die Schule verlassen und Tante Lotte mir schon eine Anstellung als Büro-Bote in der Firma Greiner beschafft hatte, trat ich zur Prüfung an der Schauspielschule in Stuttgart an. In die Verzweiflung mischte sich der Übermut. Es genügte mir nicht, dass mein erstes Gedichtbändchen bald erscheinen sollte, wenn schon, wollte ich die Künste, mit denen und für die ich leben wollte, verbünden. Vermutlich hatte ich mich zur Prüfung selber angemeldet. An die Zugfahrt nach Stuttgart kann ich mich ebenso wenig erinnern wie an die Hochschule. An den Wartesaal, in dem sich die zukünftigen Tragöden und Komödianten trafen, umso deutlicher. Zwei Monologe und ein Dialog waren aufgegeben. Mit Mechthild lernte ich die vorletzte Szene aus ›Kabale und Liebe‹, das Stück, über das Gerhart und ich einen Sommer lang debattiert hatten und dessen Titel wir inzwischen korrekt aussprachen. In ihrem Zimmer brachte ich mich in Stimmung, atmete kürzer, ging in großen Schritten, steif, die Schultern hochgezogen, auf und ab, spürte den Zopf der Perücke im Nacken und die zweifelnde Liebe zu Luise zwischen Herz und Hals: »O ich bin sehr elend«, hörte ich Mechthild sagen, Luise, in einem Tonfall, der keineswegs stimulierte. Ich bat sie, den Satz zu wiederholen: wie einen Seufzer. Wer hat dann, in der Prüfung, ihren Part übernommen? Diese Luise, bestimmt routiniert und hilfreich betont, bleibt eine leere Stelle. Die beiden Monologe, Beckmann und Major Tellheim, steigerte ich von Tag zu Tag, bedrängt von der Angst, im entscheidenden Moment Wörter, Sätze zu vergessen. Die Reihenfolge, in der wir aufgerufen wurden, erfuhren wir von einer älteren Frau, die immer wieder ins Wartezimmer schaute, als rechne sie mit hysterischen Anfällen, stummen Zusammenbrüchen. Wir waren ungefähr zwanzig Mädchen und Jungen, Frauen und Männer, Luises und Ferdinands, Minnas und Tellheims, Hamlets und Ophelias. Ich war da schon fünf Jahre von dem Jungen entfernt, der am Radio saß und mit Beckmann zurückkehrte. Nun dachte ich mehr an Hans Quest, den ich vergessen musste, um Beckmann sprechen zu können.

Wir, die Aspiranten, stellten uns gegenseitig vor, lächelten einander an, sanken in uns zurück. Wir bemühten uns, nicht laut zu werden, bewegten die Lippen. Einer trank ein rohes Ei und empfahl dessen Wirkung auf die Stimmbänder. Ein Mädchen setzte sich neben mich, fasste nach meiner Hand. Sie schwitzte. Ich bemühte mich, nicht zu schwitzen, wagte es aber nicht, meine Hand wegzuziehen. In uns wuchsen die Figuren Schillers, Shakespeares, Goethes, Sartres, Camus', Borcherts, füllten uns aus und fielen wieder zusammen. Wir waren Fremdgänger, die mit der Fremde nicht zurechtkamen. Bitte, sagte die wachsame Dame, Herr Härtling, Sie sind dran. Das Mädchen ließ meine Hand los, spuckte mir über die Schulter, dreimal, unbedingt dreimal, sagte sie. Sie heiße Karin.

Ich trat tatsächlich auf eine Bühne, nicht in ein Schulzimmer oder in einen Turnsaal. Auf eine Bühne! Unten in der ersten Sitzreihe wartete die Jury. Fünf Rümpfe, fünf Köpfe, von denen ich drei erkannte, Edith Herdegen, Erich Ponto und Paul Hoffmann. Eigentlich müsste ich doch unten sitzen und Ponto den Nathan spielen. Zum Beispiel.

Sie lassen mir Zeit, verwirrt zu sein. Paul Hoffmann hört sich an wie der alte Piccolomini: Sie wollen den Beckmann sprechen? Ja? Und den Ferdinand? Ja, antworte ich. Bitte, sagt Hoffmann mit der Stimme, die eigentlich nicht von unten kommen darf.

Ich habe keine Krücken. Ich muss hinken. So wie Krücke auf dem Transport. Teck, tock. Und ohne Pause der schnelle Tellheim, das hundertfach geprobte, geschliffene, verschliffene Französisch. Frau Herdegen klatscht, doch applaudiert nicht, sie unterbricht mich. Stellen Sie sich vor, sagt sie mit ihrer unvergleichlichen Jungfernstimme, kichert, und Erich Ponto fährt fort: Sie warten auf Ihre Freundin in der Stadt, an einer Straßenecke, direkt vor dem Schaufenster eines Damenwäschegeschäftes. Na ja, Busenhalter, Schlüpfer, Korsetts, eben allerlei Dessous. Also los!

Wie? Wie baue ich mir eine Straße, ein Schaufenster? Auf wen warte ich? Auf Mechthild. Sie kommt tatsächlich meistens zu spät. Aber die Auslage bleibt leer. Sie füllt sich nicht mit Höschen, Hemdchen, Strumpfbändern, Büstenhaltern. Nichts. Ich gehe auf und ab, schaue auf die Uhr. Blicke ins Schaufenster, in dem ich vielleicht ein Schlüpferchen erspähe, wenn überhaupt. Soll ich den Verlegenen spielen? Den Abgebrühten? Ich kann mich nicht entscheiden. Muss es auch nicht, denn ich werde wieder abgeklatscht und ein Pontosches »Gut« fährt mir in die Glieder, die ich sammeln muss, denn eine der Damen, nicht die Herdegen, empfängt mich, empfängt Ferdinand: »Wollen Sie mich akkompagnieren, Herr von Walter, so mach ich einen Gang auf dem Fortepiano.« Sie hat noch ein paar Sätze, bis ich, wieder straff, die Schultern hoch, nicht ohne Ironie erwidern kann: »Das könnte wahr sein.« Ich kann folgen, ohne dass mir auch nur ein Wort zugeflüstert werden muss. Die Wörter bewegen mich, treiben mich über die Bühne. Ich antworte, von Schiller vorgeschrieben, Luise, die sich unten in der ersten Reihe zurücklehnt, die Sätze nur markiert, jede Betonung sausen lässt, nach einer Weile nickt. Ich frage mich, ob zustimmend, ob abschließend. Was ein lautes Danke klärt. Sie bitten mich, draußen zu warten, wo wiederum der Rest der Aspiranten wartete, neugierig, aber jede Frage unterdrückend, bloß Karin sprang auf, fasste wieder nach meiner Hand, was mich in diesem Augenblick nur peinlich berührte, wahrscheinlich, weil wir nun beide schwitzten. Bitte, sagte ich. Das hilft, sagte sie. Wir setzten uns nebeneinander. Sie ließen mich nicht lange warten. Die Dame bat mich. Ich nickte Karin zum Abschied zu, sagte Ade in die Runde. Die Dame mahnte, ich solle meine Jacke, meine Bücher nicht vergessen. Ich trat wieder auf die Bühne, wurde nach vorn an die Rampe gebeten. Mir könnte schwindelig werden, ich könnte hinunterfallen, direkt vor die Füße meiner Richter. Ich bitte Sie, uns zu verstehen, hörte ich die Vorsitzende und verstand das als eine bedrohliche Einleitung. Sie haben uns beeindruckt. Was mich überraschte. Nur – die Dame machte eine Pause –, nur möchten wir Sie bitten, in einem Jahr noch einmal anzutreten. Ich nickte. Wieso nickte ich? Wieso fragte ich nicht wenigstens, wie sie zu diesem Ratschlag komme? Da unterbrach sie der von mir bewunderte, große, kleine Ponto, bat mich von der Bühne: Kommen Se mal runter! Erwartete mich, fasste mich unterm Arm, führte mich zum Ausgang, erklärte mir, dass ihm zweierlei gefallen habe, einmal der Beckmann, den ich einfach geschluckt hätte wie eine Portion Leben, und dann, junger Mann, Ihre Pantomime, gerade weil Sie uns nüscht vorgemacht haben und sich lieber ein nacktes

Mädel im Schaufenster vorstellten. Nur blieben Sie auf Distanz. Und warum? Ihr Brustkorb ist zu eng, dröhnte er, Sie haben keinen Atem. Der reicht noch nicht. Bevor Sie hier wieder auftauchen, sollten Sie für ein halbes Jahr bei einem Gärtner arbeiten, körperliche Arbeit, mein Lieber, Atemschule, Kräfte sammeln, und dann sind Se uns willkommen.

Er gab mir einen Stoß, Nathan seinem Schüler. Ich schluckte, war den Tränen nah, hasste, ganz ungerecht, Luise in der ersten Reihe, hasste mich, den dünnen Kerl, und schämte mich: Einmal habe ich mich am Bahnübergang auf dem Weg zur Schule vor mir gesehen. Die furchtbar dünnen, langen Beine, die mir Tante Käthe vererbt hatte, der ausgemergelte Leib, die schmalen Schultern, der unverhältnismäßig kurze Hals und der große Kopf ohne Hinterkopf. Ich wollte weg aus mir. Und nun dieser demütigende Vorwurf, nicht genügend Puste zu haben.

Unterwegs zum Bahnhof hielt ich ein paar Mal an, überlegte, wie ich den Frauen zu Hause die halbe oder drei viertel Niederlage plausibel machen könnte. Was sollte ich Mechthild erzählen? Was Ruoff? Im Bahnhof passte mir die Unruhe, die Eile. Ich ließ mich treiben. Mein Zug fuhr noch nicht. Die Hand, die sich unversehens in meine schob, war darin schon geübt, und ich fürchtete sie ein wenig. Wohin musst du?, fragte sie. Wir fahren im selben Zug, stellte sie fest, du ein Stückchen weiter, ich bloß bis nach Esslingen. Wir standen uns gegenüber. Sie war so groß wie ich. Ihr Atem wärmte mein Gesicht. Über ihre sehr weiße Haut wanderten Sommersprossen. Sie fragte nicht, sie sagte: Es ging gut. Du kannst mir gratulieren. Und überraschte mich damit, dass sie ihre Wangen an meine legte. Bei mir ging's nicht, sagte ich. Ich weiß. Sie habe bloß die Johanna spielen müssen, erzählte sie, und danach eine Pantomime: Wie ich den Wohnungsschlüssel vergeblich in meiner Einkaufstasche suche und ihn am Ende doch finde.

Auf der Fahrt sprachen wir so gut wie nichts. Sie hielt wieder meine Hand. Ich fing an, mich daran zu gewöhnen. Als sie in Esslingen vorschlug, ich solle mit ihr aussteigen, gab ich sofort nach, dachte aber mit schlechtem Gewissen an Mechthild. Mit dem nächsten Zug müsse ich auf jeden Fall weiter. Sie erzählte von sich, von zu Hause, ihren acht Geschwistern und dem Pfarrhaus in der Nähe von Ulm. Johanna, sagte sie, hat mir beigestanden, obwohl ich evangelisch bin. Diesen Satz habe ich mir gemerkt. Alles andere erinnere ich nur in Bildern, Gesten. Sehen wir uns wieder?, fragte sie.

Wir haben uns ein halbes Jahr lang ab und zu getroffen, sind spazieren gegangen, haben uns in steinernen Nischen auf dem Schloss umarmt, bis sie – wir waren durch den Regen gelaufen und bis auf die Haut nass – feststellte, dass ich vergeben sei, ich in Gedanken immer bei der anderen wäre, immer bei der, und mich aus Liebe und Wut davonjagte. Hau bloß ab. Auf einer Bühne habe ich sie nie gesehen.

Ich lasse mich um fünf Jahre zurückfallen. Mein Buben-Ich wehrt sich gegen die Enge, die Umstände, die Weiberwirtschaft. Bleib hier, hör zu! Du bist gemeint! Wir streiten über alles, über mein Umherstreunen, meine Frechheit, meine Faulheit, meine Zukunftslosigkeit. Wir schreien uns an, und in der Wohnung nebenan brüllen sie ebenso selbstvergessen. Und immer wieder wird die Klage laut über die verlorene Heimat: Hätte man uns die Heimat nicht geraubt, wäre es nicht so weit gekommen. Lore, die kleine Schwester, sehe ich in eine Ecke gedrückt, den Mund vor Schrecken oder lautlosem Widerspruch aufgerissen. Nein, ich bin nicht still. Wenn sie Mutter beleidigen, ihr nachsagen, sie habe sich an den Kindern vergangen, schlage ich um mich. Sind uns die Flüche ausgegangen, versichern wir uns erschöpft die Sinnlosigkeit des Krakeelens, nehmen uns in die Arme, versprechen Besserung. Wir machen uns allmählich kaputt. Bis wir uns von neuem ineinander verbeißen, die Vorwürfe noch gemeiner, noch verletzender werden, bis Tante Käthe Mutter ein Flittchen nennt und ich zuschlage, sie ins Gesicht schlage, in ohnmächtiger Wut, und ihr das Blut aus der Nase schießt. Hier reißt die Folge von viel zu schnellen Bildern, es bleibt eine Lücke, weiß oder schwarz, eine Stille, die alles Geschrei schluckt. Die Tante wird, ich weiß es, mit dem Vormund drohen. Sie müsse ihm diese Ungeheuerlichkeit mitteilen, könne gar nicht anders. Denn sie alle, Großmama, Lore und sie, wüssten sich nicht mehr zu helfen, sähen sich außerstande, mich zu erziehen.

Der Vormund war mir zuwider, wofür er nichts konnte. Ich hatte ihn nur einmal gesehen, gesprochen, als er zum Vormund bestimmt wurde, nach Mutters Tod: Herr Bankdirektor Dietrich, ein adretter, rundlicher, selbstzufriedener Herr, dem Lore und ich vorgeführt wurden. Wir saßen vor seinem Schreibtisch, als müssten wir über unser Vermögen beraten werden. Da ihr armen Kinder als Vollwaisen eines Schutzes bedürft, bin ich zu eurem Vormund erklärt worden. Danach ließ er sich aus über seine Pflichten und Aufgaben, ohne viel Wert darauf zu legen, verständlich zu sein. Allerdings begriff ich, dass Großmama und die Tanten für uns eine Waisenrente bekamen, Geld, das wir uns eigentlich mit dem Verlust der Eltern verdient hatten. Außerdem werde er den Schmuck Mutters aufbewahren, ihr Erbe an uns, den er hernach sukzessive verkaufte, da sich Tante Käthe und Großmama, ehe Tante Lotte aus Brünn kam, für mittellos erklärten.

Ich werde, sagte Tante Käthe nach meiner Gewalttat, den Vormund unterrichten müssen. Er erlaubte ihr, mich als Schwererziehbaren für einige Zeit oder auf Dauer abzugeben, in ein Heim auf der Alb, in Erkenbrechtsweiler. Das verschlug mir die Sprache, zog mir den Boden unter den

Füßen weg. Sie erlaubte mir nicht, Mechthild und Gerhart zu verständigen; zur Schule müsse ich nicht mehr, dort wisse man bereits Bescheid.

Ich hatte mir vorgenommen zu schweigen. Von Großmama verabschiedete ich mich nicht. Lore bat ich, sich nichts draus zu machen. Ich trug meinen Koffer, wie auf der Flucht, wie auf der Reise von Zwettl nach Brünn und zurück, lief einen Schritt hinter ihr her, hielt den Abstand, den ich brauchte. Wir fuhren mit dem Bus die Neuffener Steige hoch, stiegen in Erkenbrechtsweiler aus, der Sommer zeichnete das Land übermäßig deutlich, die grau schimmernden Felsen, die Äcker und Wege sprangen aus dem Grün. Ich ging in ihrem Schatten. Sie mahnte mich, nicht zu trödeln, wir würden erwartet. Ich blieb weiter hinter ihr. Sie sollte den Abstand merken, unter ihm leiden. Was auf dem Schild am Gartentor stand, erinnere ich nicht mehr. Wir standen vor dem Gartenzaun, vor dem großen Haus, in dem es still war, aus dem kein Kinderlärm drang, Krach von Schwererziehbaren. Sie stand und ich wartete einen Schritt hinter ihr. Die Zeit verging, die Tante rührte sich nicht. Auf einmal wendete sie sich mir zu, riss mir den Koffer aus der Hand: Komm, sagte sie. Gehen wir nach Hause, und fügte hinzu: Ich tu's Eri, deiner Mutter, zuliebe. Das überraschte mich. Auf der Fahrt nach Nürtingen wechselten wir kein Wort. Lore weinte zur Begrüßung. Großmama kündigte an, zur Feier des Tages Kirschknödel aus Brandteig zu servieren, meine Lieblingsspeise.

Die Ausflüge mit Gusti Pöschl nach Kirchheim in die Leihbücherei gab ich auf, da in der Deutsch-Amerikanischen Bibliothek ein neuer Bibliothekar die Arbeit aufnahm, der mich, nach einem prüfenden Blick, zu den »Erwachsenen-Büchern« ließ, meine Wahl nicht spöttisch kommentierte. Er kam, was ihn mir verdächtig machte, aus dem Sudetenland, aber er hielt sich, im Gegensatz zu den meisten seiner Landsleute, zurück, litt wohl nicht übermäßig unter dem Heimatverlust, beschwor nicht ständig verlorenen Besitz und geschwundenes Ansehen und bestand nicht, wie nicht wenige Vertriebene aus Mährisch-Trübau, Krumau, Reichenberg, auf dem guten deutschen Recht, das sie erst mit Konrad Henlein und Adolf Hitler zurückgewonnen hätten.

Auf dem Weg zum Neckar entdeckte ich eine weitere Bücherquelle. Es kann sein, Margot Hauber hatte mich auf die Bücherei der Arbeiterwohlfahrt hingewiesen. Ein Ort für Eingeweihte, versteckt im vierten Stock eines Behördenhauses, eine Mansarde, in der an den senkrechten Wänden die Bücher in Regalen hochstiegen, und unter der schrägen Decke hatte die Bücherfrau ihren Platz, eine lebhafte Person im Alter meiner Mutter, die mir anfangs etwas Furcht einflößte, mich mit der Zeit aber auf ihre Seite zog, wohin ich sowieso gehöre, auf die Seite der Bücher und Bilder, die alte Nazis und neue Spießer ausschließe. Sie schenkte mir ein Vertrauen, das mir die meisten Erwachsenen bisher vorenthielten. Ich frage mich, ob ich Ende 1948 oder erst 1949 die Treppen hochstieg, und entscheide mich für das spätere Datum. Danach hätten mich zwei meiner Schutzengel beinahe gleichzeitig in ihre Hut genommen: Fritz Ruoff und Erich Rall, der Maler und der Lehrer.

Martin Lörcher hatte mich schon drei Jahre zuvor »aufgegriffen«, sich aber zurückgehalten, mich mitunter gemahnt, freundlich mit Großmama und Tante Käthe umzugehen, mich einige wenige Male in Glaubensgespräche verstrickt, unter denen ich mich wegduckte, die mir nicht geheuer waren. Bis er mir 1948 einen Rat gab, der uns auf Dauer verband, wunderbar spielerisch, ohne jeden Zwang. Ich hatte in einer Zeitschrift einen Aufsatz über einen französischen Schriftsteller gelesen, Albert Camus, Auszüge aus einem Buch, das in deutscher Übersetzung angekündigt wurde: ›Der Mythos des Sisyphos‹. Nur wenige Abschnitte. Sie explodierten in meinem Kopf. So weit hätte ich nie zu denken gewagt. Wenn es einen gab, der mich in einer Gegend, die mir elender und gewaltiger erschien als meine, vertrat, der übergroß meine suchenden Gedanken dachte, dann dieser Sisyphos, der auch noch als glücklicher Mensch bezeichnet wurde. Keiner, den Gott verließ, sondern einer, der Gott verlassen hatte, der Gottes Vorhandensein bestritt.

Lörcher führte mich zur Konfirmation. Wir wurden hartnäckig nach dem Katechismus abgefragt – »Was ist das?« – und jeden Sonntag wurde vor der Stadtkirche unsere Anwesenheitskarte abgestempelt. Martin Lörcher, dieser Sanfteste von allen, forderte mich gleichwohl heraus. In einer der Stunden meldete ich mich zu Wort, erklärte ohne jede Vorrede: Gott ist tot, Herr Pfarrer Lörcher. Er blieb stehen, schwarz, schwer und schief, und seine Augen, in denen sowieso sich Licht sammelte, begannen zu sprühen. Ohne Eile humpelte er auf mich zu, legte mir die Hand auf die Schulter, sagte mit einem Lächeln, dem es ernst war: Das musst du ihm schon selber sagen. Nicht dass ich Sisyphos verraten hätte. Mit Lörchers Satz jedoch kehrte Gott zurück, zögernd befragt und immer von neuem bezweifelt.

Martin Lörcher verließ mit seiner großen Familie Nürtingen, amtierte gemeinsam mit dem Pfarrer Ensslin als Dekan in Bad Cannstatt, richtete dort die Telefonseelsorge ein, politisch blieb er bis zu seinem Tod aufmerksam, aufsässig. Nach seiner Pensionierung wohnte er im alten Pfarrhaus von Oberboihingen, beunruhigte, gemeinsam mit seiner Frau, in Diskussionsabenden die Dorfbewohner, las den Kindern vor und leuchtete: Wenn es jemanden gab, den ich selbstverständlich für fromm hielt, dann Martin Lörcher.

In der dritten Klasse trat Erich Rall auf. Ein Lehrer, wie ich ihn bisher nicht kannte. Er trug nicht vor, fragte selten ab, unterhielt sich mit uns, erzählte von sich, seinen Erfahrungen als Lehrer in Spanien, von seiner Vernarrtheit in die iberische Westküste, dort wo der Atlantik sich austobe, er bat uns zu erzählen, und er las uns vor, aus seinen Lieblingsdichtern. Wobei er zugab, uns zu überfordern, nur überfordere die Natur uns nicht weniger, wir seien eine pubertierende Bande, wie er uns durchaus sympathisierend bezeichnete, seiner Ironie aussetzte, die wir fürchteten, doch auch gespannt erwarteten, so, wenn er jenen Knaben, denen ein paar Barthaare am Kinn und auf der Oberlippe sprossten, zu Beginn der Stunde eine Rasierklinge auf die Bank schnipste.

Wir lasen mit verteilten Rollen die ›Räuber‹. Leierte der Schüler Künkele den Part des Spiegelberg allzu tranig herunter, fiel ihm sein Lehrer ins Wort, übernahm mit Furor die Rolle, und nach drei oder vier Räuberstunden sprach er, ein paar Rollen ausgenommen, das Stück allein, mehrstimmig, fistelnd, polternd, im Sopran und im Bass, quengelnd und drohend. Erst Jahre später überwältigte mich Elias Canetti mit einer ähnlichen dämonischen Spaltung einer Person in viele.

Wenn Rall Gedichte vorlas, mit uns besprach, kam ich in Fahrt, war endlich der Klasse überlegen, wenn ich behauptete, Rilkes Verse drehten sich, gäben den Rundlauf des Karussells wieder, was allein durch den Refrain deutlich werde: Und dann und wann ein weißer Elefant. Ralls Lachen knirschte, als ob man Leder reibt. Mehr und mehr zog er mich in sein Vertrauen, sah aber dem, was ich anstellte, wie ich mich gegenüber anderen Lehrern verhielt, mich wehrte und in Auseinandersetzungen verwickelte, kommentarlos zu, als spielte ich vor ihm auf einer Bühne. Als mich der Hausmeister Schroth, nach einer Keilerei auf dem Schulhof, im Auftrag des Direktors mit dem Stock verprügelte, bat er mich in der nächsten Pause in sein kleines Bibliothekszimmer und bot mir eine Zigarette an. Ich weiß, dass du rauchst. Es folgte kein Wort über die Schmach, die ich eben erfahren hatte. Wir unterhielten uns über unsere »ersten Zigaretten«, über meine De Troupe und seine Attika.

Er lud mich zu sich nach Hause ein, in die Bismarckstraße. Zum Abendessen. Die Einladung kam mir übertrieben vor, sie machte mich zu groß, löste mich aus dem Verbund der Klasse. Außer Mechthild und Gerhart erfuhr niemand davon. Stundenlang grübelte ich über ein Gastgeschenk, bis ich zu dem Schluss kam, als Schüler müsste ich nichts mitbringen. Großmama hielt die Einladung für einen außerordentlichen Vertrauensbeweis und überredete mich, Frau Rall einen Blumenstrauß zu überreichen. Die Dame interessierte sie und Tante Käthe, denn in Nürtingen waren Gerüchte über die Extravaganzen der Spanierin im Umlauf. Wie die beschaffen waren, ließen die Gerüchteverbreiter allerdings offen. Bevor ich an der Villa in der Bismarckstraße klingelte, lief ich eine Stunde lang Probe, hinunter zum Neckar und wieder zurück. Ich führte als Rall Gespräche mit mir. Die »Spanierin«, die tatsächlich in Spanien zur Welt gekommen war, doch deutsch mit schwäbischer Einfärbung sprach, erwies sich als eine schöne Dame, der ich den Flamenco zutraute, durchaus temperamentvoll, doch auch einschüchternd. Die Kinder bekam ich nicht zu sehen.

Es kann sein, dass Rall schon am ersten Abend über Hölderlin sprach, über dessen Jahre in Nürtingen, über das Vaterhaus an der Neckarsteige, und Gedichte zitierte. Hölderlin habe ihn zum Schreiben gebracht, doch die Gedichte habe nicht einmal seine Frau zu sehen bekommen.

Kurz darauf kaufte ich bei dem Buchhändler Arlinck, dessen Laden ich nur betrat, wenn mir Hefte, Tinte, Bleistifte fehlten, ein gelbes Pappbändchen mit einer Hölderlin-Auswahl. Er, der Zizibäh gerufen wurde, aus welchem Grund auch immer, und uns Kinder mit einer abgründigen Wut verfolgte, steckte zwar hastig das eingenommene Geld in die Kasse, schmiss mich aber mit der Bemerkung hinaus, dass leider die Perlen nie ausgingen, die er den Säuen vorwerfen müsse. Zizibäh, zizibäh, schrien die bösen Buben vor seinem Laden, jedes Mal schoss er, mit den Armen fuchtelnd, hinaus auf die Straße und verfolgte sie ein paar Schritte.

Vermutlich besuchte ich Fritz Ruoff damals zum ersten Mal. Ich habe nie Tagebuch geführt, kann nicht nachschlagen. Mich auf diese Weise zu vergewissern, entspräche auch nicht meinem Erinnern. Das Gedächtnis hat eine ungefähre Chronologie, reagiert mitunter sogar unwillig und vorsätzlich wirr, wenn ich zu ordnen versuche. Ich denke lieber in Zusammenhängen, Vergleichbarkeiten, Parallelen. Das Ich, von dem ich gerade erzähle, ist in hohem Maße reizbar. Ein dürrer, aufgeschossener Junge, der den Erwachsenen misstraut, gegen ihre Wetterwendigkeit wütet, der seinen Hochmut damit begründet, ein Dichter zu sein, tiefer zu fühlen als die andern. Wenn ich von ihm als Ich erzähle, empfinde ich eine große Unruhe, spüre sie körperlich, versuche mich gegen diese Zappelei zu wehren, rufe mich zur Ordnung – und mir entgeht dabei nicht die Komik meines Verhaltens: Es liegen fünfzig Jahre zwischen uns, ein halbes Jahrhundert, und der, mit dem ich mich fragend auseinandersetze, weiß nichts von mir, während ich viel von ihm vergessen, verdrängt habe. Manchmal muss ich ihn erfinden, wenn ich nichts finde, manchmal erzähle ich ihn um. Da ich ihn aber zu mir führe, die Jahrzehnte, die uns trennen, gleichsam auf uns einredend, überbrücken möchte, wird er um Spuren deutlicher, fassbarer. Alte, vergessene Wunden beginnen wieder zu schmerzen.

Hildegard Ruoff, die Bibliothekarin der Arbeiterwohlfahrt, der ich mittlerweile mein Leservertrauen schenkte, stellte fest, dass ich den Bestand der Bücherei durch hätte, wusste aber Rat. Sie schickte mich zu ihrem Mann. Der sei Bildhauer, arbeite zu Hause. In unserer Bibliothek findest du noch eine Menge, was du nicht kennst. Ich ließ mir das nicht zweimal sagen, klingelte noch am selben Tag bei ihm. Er überragte mich um mehr als einen Kopf, redete langsam mit einer sonoren, aus der Brust kommenden Stimme, bewegte sich auch verzögert, als denke er bei allem, was er tat und sagte, auch mit dem Körper nach. Ich stellte mich vor; er wusste Bescheid. Ich vertraute ihm vom ersten Augenblick an. Zum Vertrauen kam Zuneigung. Obwohl er genauso alt wie mein Vater war, Jahrgang 1906, verstand ich ihn nie als Ersatzvater, sondern als Freund. Im Übrigen übernahmen auch Rall und Lörcher keine Vaterrollen. Lörcher sah ich als eine Art Wächter an, Rall als »meinen« Lehrer.

Ruoffs wohnten beengt, doch gemütlich. In einem der drei Zimmer stand ein großer Mal- und Zeichentisch, und im Keller knetete er aus Lehm, aus Ton seine Skulpturen. Allmählich erschloss er mir seine Schätze. Zuerst kamen die Bücher, vor allem über Maler, danach die von Malern, so die Schriften Willi Baumeisters. In Kartons bewahrte er Begleitstücke seiner Geschichte auf, ein paar Exemplare der ›Roten Fahne‹ und Grieshabers Zeitung, die er während der Nazizeit im Elsass druckte. In einem der Blätter stieß ich auf ein Gedicht Jakob Haringers, dessen zwei letzte Verse sonderbar brüderlich weiterredeten: »Aber des Herzens verbrannte Mühle/tröstet ein Vers«. Es steht als Motto in meinem ersten Gedichtband.

In den ersten Nachkriegsjahren gehörte Ruoff noch der Kommunistischen Partei an. Ihretwegen wurde er von den Nazis seiner Stadt verfolgt und gedemütigt. Er ließ mich erzählen, hörte mir zu, antwortete mit seinen Erinnerungen und mit seiner Gegenwart. Manchmal besuchten ihn Freunde, oder wir fuhren zu ihnen. Grieshaber kam, der aus seinen Einfällen, aus seiner Kunst eine Kraft bezog, die Ruoff, der Langsame und Geduldige, bewunderte und fürchtete. Wir besuchten Rudolf Raach in Reutlingen, dessen Steinskulpturen dämonischen Wasserspeiern verwandt waren, Eugen Maier in seinem Nürtinger Atelier, dessen Widerborstigkeit mich einschüchterte, und dem Grieshaber viel später eine leidenschaftlich bewundernde Grabrede hielt, dem Kameraden aus dem Widerstand gegen Hitler, der in einer Strafkompanie geschunden worden und der, obwohl er »heimgekehrt« war, Nürtingen und die Nürtinger aus einer ähnlich hochmütigen Distanz sah wie ich. Jedes Mal freute ich mich über die Begegnungen mit Werner Oberle, der nach der Rückkehr aus der englischen Gefangenschaft am Gymnasium in Geislingen eine Stelle als Zeichenlehrer gefunden hatte. Diesem zarten, menschenfreundlichen Mann verdanke ich ein handtellergroßes Stück Kunst, das mich bis zur Stunde begleitet, ein wahrer Talisman. Am 4. Juni 1945 zeichnete er im Happendon-Camp in Schottland Variationen zum Thema Kreis, angeregt von Vierzeilern des Angelus Silesius. Er brachte sie mit, und als »Die Freunde« um Grieshaber zum ersten und zum letzten Mal gemeinsam ausstellten, gab die Galerie Hermann in Stuttgart das Büchlein im November 1947 heraus. ›Der Kreis‹ vom Maler Oberle. Das Bändchen hat mehr als ein halbes Jahrhundert meiner Meditation standgehalten, nur der Rücken ist brüchig geworden, der Pappeinband zeigt, wie Antiquare sagen, Gebrauchsspuren. Dennoch bleibt es der leuchtende Kern meiner Bibliothek. Die Verse des Angelus Silesius höre ich mit der Stimme von Ruoff, obwohl er sie mir nie vorlas. Der Oberle, sagte er, das ist ein Besonderer.

Ruoff lehrte mich das Gehen. Bis dahin bin ich gelaufen, gerannt, gegangen mit Kinderschritten, mit Flüchtlingsschritten. Lief ich, schaute ich meist über die Schulter nach möglichen Verfolgern. Oder ich wusste neben mir jemanden, der das Tempo bestimmte. Pass auf, wo du gehst. Als ich zum ersten Mal mit Fritz zu einem längeren Gang über einen der Hügel um Nürtingen aufbrach, vermochte ich ihm kaum zu folgen. Er ging ruhig, nach einem festen Rhythmus, ausholend. War er allein unterwegs, redete es vermutlich in ihm, redete er mit sich. Begleitete ich ihn, dachte er laut, setzte ein Gespräch fort, das wir nicht selten schon ein paar Tage vorher abgebrochen hatten. Mitunter aber, wenn er sich ärgerte, überhaupt nicht meiner Meinung war, schwieg er, ging schweigend, und dann schien es mir, als könnte ich ihn dennoch in sich reden hören. Er hat es nie gemocht, wenn ich auf die Zwettler Zeit zu sprechen kam, auf den Einmarsch der Roten Armee, unser Nachtlager in der Körstube, Mutters Vergewaltigung und Großmamas Typhus. Vergewaltigung ist kein kommunistisches Verbrechen, erklärte er, und ich merkte, wie schwer ihm sein Widerspruch fiel, wie sehr ihn mein Antikommunismus aus Kindererfahrungen umtrieb. Einer seiner Parteifreunde, Bote der Stadt, ein herrischer und stolzer Mann, der einen nie veröffentlichten Bericht über seine Jahre im Konzentrationslager Dachau geschrieben hatte, erschreckte ihn damit, dass er schon wieder eine »Schwarze Liste« führte. Es endet nicht, sagte Ruoff. Diese drei Wörter spannte er zwischen seine Schritte: Es endet nicht.

Er lehrte mich gehen, meine Schritte zu messen nach Laune, Gelände, Steigung und Ebene, und gab mir damit, was er nicht ahnen konnte, eine Lehre im Hölderlin-Lesen. Als ich die Hymnen, die Oden Hölderlins nur mit Mühe verstand, rettete ich mich ins Gehen, deklamierte sie mit den Schritten, die mir Ruoff beigebracht hatte. Im Rhythmus erschloss sich mir ihr Sinn.

Ruoff begann Bilder zu malen, die, jetzt denke ich es, auf meine wirren Erzählungen von ausgebrannten Städten, Leichen am Wegrand oder den zertrümmerten Bahnhof von

Landshut antworteten, lauter Aschenbilder: In einen grauen Untergrund, der an manchen Stellen noch aufglüht, zog er schwarze Hieroglyphen, Erinnerungen an Fliehende, Schutzsuchende.

1949, im Frühjahr, küssten Mechthild und ich uns zum ersten Mal, quer übers Tischeck. Und es wird kein Ende mehr haben. Mit ihr zog es mich in andere Gegenden als mit Ruoff, in die Wälder hinterm Galgenberg, die Nähe des Winkels von Hardt, den ich schon kannte, doch nicht durch Hölderlins Gedicht, sondern durch Hauffs Lichtenstein und den treuen Pfeifer von Hardt.

Ich begann zu schreiben.

In der amerikanischen Bibliothek fand ich den Gedichtband eines Emigranten, eines verkrüppelten Dichters, der vor Hitler geflohen war, Max Herrmann-Neisse, und eines der Gedichte setzte sich im Kopf fest, ein Lied, das ein Echo bekam: »Keine Furcht der Erde/kann uns bange tun:/Sieh, wie sanft die Pferde/Wang' an Wange ruhn!«

Meine Liebste und ich lagen im Gras auf Lichtungen, unter Schatten werfenden Bäumen, wir küssten uns, schlüpften nah aneinander, und wenn wir Atem holten, machte ich sie gleich wieder atemlos mit Gedichten von Herrmann-Neisse, Trakl, Rilke und mit eigenen Versen, die ich in Schreibhefte eintrug.

Mechthilds Eltern beobachteten unsere Liebe misstrauisch. Sie sorgten dafür, dass ich abends nicht allzu lange bei ihr im Zimmer blieb, luden mich aber dennoch an die familiäre Tafel, fanden meinen politischen Ehrgeiz fragwürdig, obwohl ich in ihm von Rall und Ruoff bestärkt wurde, nahmen mich sogar mit in die Ferien in die Nähe von Murnau, hofften aber wohl insgeheim, dass die Kinder »zur Vernunft« kommen würden. Mit der hatten wir nichts im Sinn. Das erste Gedicht, das Ruoff und Rall ernst nahmen, fing an mit den Versen: »vielleicht ein narr wie ich/narren sind immer gleich/und wunderlich/und immer reich«. Ich schrieb klein, angeregt von den Gedichten Georges.

Die Nürtinger drängten mir eine Rolle auf: der verrückte Poet. Ein Schüler, ein Flüchtlingsbub, der sich anmaßte, anders zu sein, eine Bohnenstange, die auffiel und auch noch mit der Arzttochter poussierte. Selbstverständlich wusste ich mehr über Rilke, Trakl und Borchert als die Banausen, und Max Herrmann-Neisse kannten sie nicht einmal dem Namen nach.

Mindestens einmal in der Woche besuchten Mechthild und ich Veranstaltungen des Volksbildungswerks, das Sprechtheater eines Herrn Klocke, der uns unter anderem mit Thornton Wilders ›Unsere kleine Stadt‹ vertraut machte, Konzerte der Reutlinger Symphoniker, mit denen ich den fabelhaften Geiger Vasa Příhoda hörte, einen Böhmen! Dichterlesungen mit dem kleinen, kreglen Otto Rombach, dessen schwäbisch quengelndes Falsett mir im Ohr blieb. Er las aus seinem ›Adrian der Tulpendieb‹. Oder wir hörten Werner Bergengruen zu, dessen Strenge ich bewunderte und den ich in Gedanken die Stadt auf dem Pferd verlassen sah. Ruoff redete kritisch dazwischen, nahm mir Illusionen, führte mir die falschen, hochtrabenden Sätze vor, die mir besonders nach solchen »kulturellen Einflüssen« unterliefen. Des hascht du net nötig.

Dieses Ich hat eine Stimme, es sucht nach seiner Sprache. Die Sprache wiederum verbindet sich mit Szenen, in denen Sätze entstanden, verworfen oder festgehalten wurden, eine Sprache, die zu viel von sich verlangt, zu schnell reagiert, Aufsässigkeit durch Pathos kaschiert, durch Gegenwörter. Fast alle Erwachsenen, die mir begegneten, ausgenommen Ruoff und Lörcher und vielleicht auch Erich Rall, verließen sich auf die reinigende Wirkung der »Stunde Null«, seit der sie nicht mehr waren, was sie gewesen sind. Nach dem ärgerlichen Possenspiel der Spruchkammerverhandlungen war ihre Vergesslichkeit allgemein geworden. Selbst Fritz Ruoff wurde leiser und kam mit Eugen Maiers nachhaltigem Zorn über die verkappten Nazis, die Herren Mitläufer und den furchtbaren Globke nicht zurecht. Erst als im Bundestag über die Wiederbewaffnung debattiert wurde, widersprach er: Dafür, dass die Krupps wieder Kanonen bauen dürfen und ihr Buben eingezogen werdet, kann das alles nicht geschehen sein.

Wann Tante Lotte zu meinen Weibern stieß, Ende 1948, Anfang 1949, kann ich nirgendwo feststellen. Ihrer Ankunft gingen entsetzliche Streitigkeiten mit Tante Käthe voraus. Sie hatte sich einer Nürtinger Fabrikantin angeschlossen, verbrachte Tage mit und bei ihr. Sie saßen im Café Zimmermann und tratschten die Nürtinger Gesellschaft durch, was dazu führte, dass Tante Käthe wegen übler Nachrede angezeigt wurde, eine Angelegenheit, die das Gericht allerdings als Bagatelle abwies. Sie tat nichts, verbrauchte, nahm ich an, unsere Waisenrente, verkaufte mit Hilfe unseres Vormunds Mutters Schmuck. Manchmal schlug sie mich in blanker Wut.

Tante Lotte landete wie wir mit dem Transport in Wasseralfingen, von wo Tante Käthe und ich sie abholten. Sie saß auf einem Berg von Gepäck, begrüßte uns mit hochgeworfenen Armen und einem fünffachen Jeschuschmaria – die Stimmung in der Neuffener Straße würde sich mit ihr ändern. Ich mochte ihre Wärme, ihre konstante Aufregung, die sich in phänomenalen deutsch-böhmischen Redesalven entlud, skandiert von einem nie gedankenlos eingesetzten »No«. Sie richtete Grüße von Babitschka, Tante Manja und Tante Ženka aus, erzählte, noch auf der Heimfahrt, von Beppos Tod. Es schien mir, sie habe ihn kindlicher erlebt als ich den Tod Mutters. Von den Kommunisten hielt sie nichts, und sie konnte beschwören, dass Gottwald das Land ruinieren werde. Er sei blöd und bös. Sie zog mich in ihre Arme.

Ich schämte mich nicht, sie roch nach ihrem alten Parfüm, das sie offenbar über die Zeit gerettet und gespart hatte. Auch ihr buschiges Haar war untadelig hennarot gefärbt, auf den Wangen Rouge aufgetragen, und die Lippen etwas zu heftig geschminkt. Sie würde, wenn es wieder zu Schlachten käme, auf meiner Seite stehen. Da war ich sicher.

Nicht nur das. Sie brach mit Energie und Wut in den von Tante Käthe bestimmten phlegmatischen Alltag ein, animierte Großmama, ein bissl in Erinnerung an Brünn zu kochen, wobei sie ihr tatkräftig beistand, und überraschte und beschämte Tante Käthe mit der Mitteilung, bei der Firma Greiner eine Arbeit als Lageristin gefunden zu haben. Sie schaffte es allerdings nicht, ihre Schwester gleich aus dem schönen Schlendrian zwischen Freundinnen, Tratsch und Kaffeehausgeschwätz zu reißen. Darum nahmen die Auseinandersetzungen wieder zu, steigerten sich, im Wettstreit mit den sudetendeutschen Nachbarn, zu schrillen Kakophonien, sinnlos, auf jeden Fall verletzend. Bis Tante Käthe nachgab und als Zuschneiderin bei der Strickwarenfabrik Gottlob Fischer zu arbeiten begann.

Als »höhere Töchter« hatten die Tanten nie für längere Zeit arbeiten müssen, nie einen Beruf gelernt. Nun begannen sie ganz »unten« und entwickelten mit der Zeit einen widersetzlichen Stolz auf diese Existenz. Ich schaff beim Greiner. Ich schaff beim Fischer. Nach der Arbeit brachten sie kaum mehr Energie auf zu größeren Streitigkeiten. Sie hatten sich daran gewöhnt, am Abend ohne mich auszukommen. Entweder steckte ich bei Mechthild in der Marktstraße oder besuchte eine Veranstaltung in der Volkshochschule oder war noch mit Fritz Ruoff unterwegs. Er hat mich die Alb sehen gelehrt, dieses quer liegende, im Blau leicht werdende Riff, meine Gegend für immer. Wenn er mich auf Ausblicke aufmerksam machen wollte, geschah es so, als halte er vor einem Bild an. Guck, sagte er. Jetzt, sagte er. Des isch's, sagte er. Mir kam es vor, als holte er mit diesen knappen Rufen die Ferne in die Nähe, oder als gelänge es ihm, mit einem Wort zu vergrößern, was er liebte. Nie hätte ich es gewagt, ihm da dreinzureden.

Mit Erich Rall unternahm unsere Klasse eine mehrtägige Radtour über Schwäbisch Gmünd, über Lorch mit seinen Staufergräbern nach Schwäbisch Hall. Dort saßen wir an einem Abend vor der gewaltigen Treppe von St. Michael und sahen dem Spiel vom ›Jedermann‹ zu. Diese Radwanderung wiederholten Mechthild und ich ein Jahr danach. War es 1950? Wir erlebten ›Die Braut von Messina‹, hörten Don Manuel, wie er in »sichtbarer Zerstreuung« zu Don Cesar sagt: »Gehorche du dem Augenblick! Der Liebe/Gehört von heute an das ganze Leben«, worauf wir uns noch fester aneinander lehnten. Wenn es 1950 war, enttäuschte mich Erich Rall und bestärkte mich Fritz Ruoff, denn nichts wühlte mich in jenem Jahr so auf wie die Debatte über die Wiederbewaffnung, dieser Verrat einer ganzen Generation, die geschworen hatte, »Nie wieder Krieg« zu führen, und die plötzlich in ihrer Mehrheit bereit war, Soldaten zu rekrutieren, sich dem alten Drill auszusetzen. Ermuntert durch die Debatte meldeten sich Offiziere der Wehrmacht, die gewiss keinen Dreck am Stecken hatten, nur wieder die alten Sprüche klopften, die Durchhaltekrieger, und mein geliebter Lehrer schlug sich auf deren Seite, da er überzeugt war, dass die neue Freiheit geschützt und verteidigt werden müsse, gegen wen auch immer, sicher aber gegen die Roten. Mein Freund Fritz wütete mit mir, weil er die verwandelnde Kraft der Uniformen fürchtete, sie werden, sagte er, vergessen, was sie getan haben, was ihnen angetan wurde, sie werden die Leichenberge, die Trümmerwüsten endgültig der Geschichte überlassen. Zum ersten Mal unterschrieb ich einen Aufruf. Gegen die Wiederbewaffnung.

Denk doch nach, bat mich Rall. Ich versicherte ihm,

nichts anderes zu tun, doch ich könnte nicht begreifen, wie fünf Jahre nach Kriegsende alles von neuem beginnt.

Habe ich ihn umgestimmt? Habe ich wenigstens den Anstoß gegeben, dass er schon nach kurzer Zeit mir zwar nicht zustimmte, mich aber vor den Vorwürfen seiner Kollegen schützte?

Ich wurde eingeladen, im Volksbildungswerk über Wolfgang Borchert und sein Werk zu sprechen. Sein Leiter war einer der Englisch-Lehrer an der Schule, Doktor Brendle. Er sprach mich an. Ich hätte in meiner Klasse über Wolfgang Borchert referiert. Ob ich mir den Vortrag auch öffentlich zutraute? Endlich kam die Welt auf mich zu, nahm meine poetischen Anstrengungen ernst. Die Tanten glaubten mir erst nicht. Tante Käthe hielt mich für überspannt, Tante Lotte möglicherweise doch für begabt. Großmama zog sich vorsorglich aus der Affäre. Sie werde mir auf keinen Fall zuhören, es würde sie nämlich der Schlag treffen, wenn ich den Faden verlöre. Was ich ausschloss. Ich hatte nicht vor, den Vortrag aufzuschreiben, ich wollte extemporieren, den Einfällen des Augenblicks folgen.

Fritz Ruoff steuerte für das einladende Faltblatt eigens einen Holzschnitt bei und redete mir zudem ins Gewissen. Ich solle mich gründlich vorbereiten: Das ist ein Anfang, den darfst du nicht verschenken.

Ich las, suchte nach Sätzen, redete sie mir ein, lernte sie auswendig, scheute nicht davor zurück, mir Passagen aus dem biographischen Nachwort von Bernhard Meyer-Marwitz anzueignen. Der Vortrag sollte eine einzige atemlose Huldigung an Borchert werden, ein rigoroser Vorwurf an die stumpfsinnigen Verdränger und heimlichen Nazis. Mechthild ersetzte mir das Publikum. Ich probierte an ihr die Wirkungen von Borchert und mir aus, erschreckte sie oft mit allzu aggressiven Wendungen. Der Brendle könnte dir das übel nehmen. Auf alle Fälle würden sie und Gerhart unter meinen Zuhörern sein.

Die Sprache Borcherts, ihr Pathos, ihr Stakkato, drohte mich zu erobern. Großmama, die sich im Gegensatz zu den Tanten zurückhielt, warnte: Du kannst verrückt werden, wenn du ständig so redest wie der, über den du reden willst.

Ein paar Tage vor meinem Auftritt bat Erich Rall mich in sein Zimmerchen, bot mir eine Zigarette an, fragte nicht, ob ich mit meinem Vortrag vorangekommen sei, ließ mich schweigen und sagte, den Rauch seiner Zigarette ausatmend: Übertreib nicht. Es geht nicht um dein Leben. Aber du hast eine Chance, mein Junge. Das musste er mir nicht sagen, das wusste ich. Ich war sicher, das ganze Kaff wartete auf meinen Auftritt, wartete darauf, mich niederzumachen oder mir, vielleicht, zu applaudieren.

Mein Gedächtnis hat die Tage und Stunden vor dem Auftritt gelöscht. Wen habe ich noch getroffen, gesprochen? Bin ich mit Ruoff unterwegs gewesen? Mit Mechthild ganz bestimmt. Eine knappe Szene belebt sich wieder: Am Nachmittag, wenige Stunden vor dem Vortrag, der in meiner Schule in einem der mir vertrauten Klassenräume stattfinden sollte, schaute ich noch beim Volksbildungswerk vorbei, dem schmalen, mit Büchern und Ordnern aufgefüllten Büro Doktor Brendles, wo mich Hildegard Ruoff überraschte, mir Mut zuredete und mich forttrieb, hinaus an den Neckar und danach in die Neuffener Straße, denn Großmama wäre kreuzunglücklich gewesen, hätte ich mir nicht Gesicht und Hände gewaschen und ein frisches Hemd angezogen.

Diesen Raum maß ich mit Schritten aus, vier oder fünf in die Breite und in die Länge, einen Vorraum, den es nicht gab, den ich vor dem Klassenzimmer, in dem ich gleich sprechen würde, abschritt. Ich kannte jeden, der vorbeikam, manche grüßten, nickten, sprachen mich an. Fritz Ruoff legte seine

Hand kurz auf meine Schulter. Mechthild streifte an mir vorüber. Drinnen würde ich ein anderer sein.

Doktor Brendle leitete ein. Die Sätze stauten sich hinter meinen geschlossenen Lippen. Endlich konnte ich beginnen. Ich atmete mit den Wörtern. Wie von selbst fand ich einen Rhythmus, den von Beckmann und von jenem ›Manifest‹, auf das ich zulief: »Dann gibt es nur noch eins! Du. Mann an der Maschine und Mann in der Werkstatt. Wenn sie dir morgen befehlen, du sollst keine Wasserrohre und keine Kochtöpfe mehr machen – sondern Stahlhelme und Maschinengewehre, dann gibt es nur eins: Sag NEIN!«

Ohne Folgen blieb dieser Ausbruch, dieser Aufbruch nicht.

Habe ich danach Mechthild nach Hause begleitet?

Brendle und Rall gratulierten mir. Zu meiner Überraschung auch mein Biologie-Lehrer Kommerell.

Hörte mir meine Schwester zu? Die Tanten hatten sich erst im letzten Moment entschuldigt, sie würden sich mehr aufregen als ich.

Doch Frosch saß ungerührt in der ersten Reihe. Er klatschte nicht wie die andern. Frosch, der Lehrer P., der unserer Klasse bisher erspart geblieben war. Kein Schläger, ein Zyniker, der mit Noten drohte, lockte, in die Enge trieb, ein Deutsch-Lehrer, der das Deutschtum in der Dichtung pries, Kolbenheyer rühmte, Thomas Mann verachtete, ein kleiner Herr aus Sachsen, rundköpfig, die Augen hervor quellend. Zu seinem pädagogischen Konzept gehörte es, Furcht zu verbreiten. Rall hatte mir geraten, ihm aus dem Weg zu gehen. Nun hörte er mir zu, um mich zu studieren, meine Schwächen, meine Vorlieben, denn seiner Ansicht nach zählte ich zu jenen verdorbenen aufsässigen Burschen, die nicht zu bessern seien und auf keine höhere Schule gehörten.

Er wartete auf eine Gelegenheit, mir seine Überlegenheit

vorzuführen, mich zu strafen. Er bekam sie. Dafür sorgte, wenn auch unfreiwillig, mein Schutzgeist Rall. Er wurde schwer krank. Es war vorauszusehen, dass er unsere Klasse nicht ins Abitur führen konnte. Dass Frosch uns übernehmen würde, hörten wir schon ein paar Tage vor seinem Antritt. Weshalb gerade er? Ich nahm mir vor, was Mechthild und Gerhart mir rieten, nicht aufzufallen, »meine Dichter« nicht hervorzuheben und »seine« nicht lächerlich zu machen.

Dazu ließ er es erst gar nicht kommen, er überfiel mich, nahm mir die Fassung. Offenbar hatte er die Szene vorbereitet und doch mit meiner Reaktion nicht gerechnet. In einer Spannung, die auf uns alle übersprang, betrat er die Klasse, warf die Aktentasche aufs Pult, drehte sich erst zur Tafel, danach uns zu, wurde sehr ruhig, atmete tief, ein Frosch auf dem Brunnenrand, musterte die in der ersten Reihe, einen nach dem andern, bis ich ihm in den Blick kam, er sich reckte, ein Lächeln sich um seinen Mund breit machte und die großen Augen zu leuchten begannen. Ich duckte mich, bis er mich ansprach: Jetzt habe ich dich. Er trat zwischen die Bankreihen, näherte sich mir, kostete jeden Schritt aus, als rede er bereits. Härtling! Als ich ihn ansah, blieb er stehen. (Diese wenigen Minuten stecken in mir, in meinem Kopf, in meinem Körper. Ich schaue ihn an und fühle mich, fühle die Spannung der Mitschüler. Der erinnerte Raum hat eine genaue, unverrückbare Ordnung. Jedes Wort, das fällt, stört eher, denn ich weiß, wie die Konfrontation enden wird.) Sie mit Ihren besonderen Dichtern. Dieser Borchert, ein Deserteur, und Thomas Mann, der sich davonstahl und sein Vaterland im Stich ließ. Ich antwortete ihm nicht, hielt mich zurück. Erwarten Sie von mir nicht die Güte meines Kollegen Rall. Er sprach nicht von Verständnis, sondern entmachtete mich, indem er auf Ralls Güte hinwies. So raubte er mir meinen Anspruch auf eine eigene Leistung. Bei mir, sagte er eher beiläufig, können Sie nicht mit einer Eins rechnen, eher mit einer Fünf. Und mit der kommen Sie nicht durchs Abitur. Er sah mich an, ich ihn. Die Klasse rührte sich nicht. Ich hatte den Eindruck, sie mauerten mich ein. Sein Lächeln entfaltete sich zu einem Grinsen: Jetzt hatte er sein Froschgesicht.

Ich erhob mich. Die Blicke aller Klassenkameraden waren auf mich gerichtet. Die Frage, die ich ihm stellte, war nicht mir eingefallen; er hatte sie mir nahe gelegt. Wollen Sie, dass ich die Schule verlasse? Er ließ sich und mir keine Zeit. Ja, antwortete er. Ja.

Ohne Eile zog ich die Schultasche unter der Bank vor, packte Heft und Buch hinein, trat in den Gang, ging an Frosch vorbei, stand einen Augenblick vor der Klasse, schaute in erstaunte und erschrockene Gesichter – an der Tür hielt P. mich mit einer Aufforderung an, überraschte und demütigte mich noch einmal: Ehe Sie die Schule verlassen, sollten Sie sich bei den anderen Lehrern, die Sie unterrichtet haben, verabschieden.

Ich gehorchte seinem bösen Wunsch, klopfte, mitten im Unterricht, an die Klassentüren, setzte Lehrer und Schüler mit meiner kurzen Erklärung, ich würde die Schule auf Dauer verlassen, in Erstaunen, konnte prüfen, welchem Lehrer mein Vorsatz gleichgültig war, welchem nicht, wurde von Abschied zu Abschied übermütiger, taumelte am Ende zufrieden über den Schulhof, schaute nicht zurück und wusste nicht wohin. Mechthild war in der Klasse geblieben. Das Gezeter in der Neuffener Straße konnte ich mir denken. Ruoff wollte ich nicht beunruhigen. Ich schlenderte durch die Stadt, wunderte mich, dass keiner mich entsetzt anschaute, ansprach.

Mir war etwas Unmögliches gelungen. Ich hatte mich mit Hilfe des Froschkönigs aus der Schule entlassen.

Oben auf dem Galgenberg legte ich mich auf das Rasenstück neben dem Aussichtstempel. Ich schwebte und war gestürzt. Bis in den Abend hinein streunte ich über die Feldwege und durch den Wald.

Gegen Abend wagte ich mich zu Ruoff. Er hörte mir schweigend zu. Fast nach jedem Satz stockte ich. Erzähl weiter, bat er. Nachdem ich nichts mehr wusste, fragte er mich, was ich ihn fragen wollte: Und jetzt? Er riet mir, Rall um Hilfe zu bitten oder mich an Direktor Geiger zu wenden. Er wäre auch bereit, mich auf diesen Gängen zu begleiten. Aber, widersprach er sich selber, du möchtest ja nicht zurück. Du hast abgeschlossen. Also müssen wir versuchen, anders anzufangen.

Er drängte mich, heimzugehen. Vorher wollte ich noch Mechthild sehen, sprechen. Die Eltern seien entsetzt, sagte sie, hielt mich fest, sagte, dass niemand aus der Klasse, auch sie nicht, mir hätte beispringen können: So etwas hat es noch nie gegeben. Wirklich nicht. Wir lagen auf der Couch, angespannt wie immer, jemand könnte ins Zimmer treten. Sie erinnerte mich an die Hoffnungen, die der Handstreich des Froschkönigs mir aus dem Kopf geschlagen hatte: Bald erscheint dein Gedichtbuch. Dann bist du wer. Und der Frosch wird staunen.

Rall hatte mich überredet, einige meiner Gedichte an den Bechtle Verlag in Esslingen zu schicken, der kümmere sich um neue Lyrik. Beinahe postwendend antwortete Kurt Leonhard, der Lektor, und lud mich in den Verlag ein. Ich saß in seinem winzigen Büro, beeindruckt von den Bücherstapeln, mehr aber noch von dem zierlichen Mann mit dem Vogelgesicht, der offenbar alles wusste und alle kannte, nicht nur Dichter, auch Maler, der Dantes ›Göttliche Komödie‹ übersetzt und ein Buch über moderne Malerei, ›Die heilige Fläche‹, veröffentlicht hatte. Ich war stolz, von ihm eingeladen worden zu sein. Er habe vor, eine Auswahl meiner Gedichte zu veröffentlichen. Mit einem Satz versprach er mir

Zukunft. Welche auch immer. Auf alle Fälle war ich nicht mehr nur Schüler, sondern bald ein Dichter.

Die Frauen, alle vier, auch Lore, fielen über mich her.

Wo ich mich herumgetrieben hätte und ob es zuträfe, was Lore in der Schule gehört habe.

Was, fragte ich, was denn?

Dass man dich hinausgeworfen hat.

Nein, antwortete ich und schrie gegen ihr Geschrei an: Ich bin nicht hinausgeworfen worden. Ich bin gegangen. Ich habe die Schule ganz einfach verlassen.

Ich schaffte es nicht, ihnen zu erzählen, was vorgefallen war. Sie wollten es nicht hören, wollten nur mein und ihr Unglück beklagen.

Was soll aus dir werden? Ich habe es schon immer gesagt, er taugt nichts.

Rede nicht so.

Er wird es zu nichts bringen, ohne Abitur.

Ich könnte ihm bei Greiner eine Arbeit besorgen.

Tante Lotte sprang ein. Es war nicht der richtige Anfang, zu dem sie mir verhalf, aber es war einer. Ich wurde Bürobote bei der Korkenfabrik Greiner. Für Großmama ein soziales Debakel: Gut, dass dein Vater das nicht erleben muss.

4

Freunde und Freiheiten

Schnell lernte ich, was einen Büroboten ausmacht: In freundlichem Gleichmaß die Verbindung zwischen Vorgesetzten – und alle sind Vorgesetzte – aufrechtzuerhalten, Versandadressen stets ernst zu nehmen und auf keinen Fall sie verschlampen, Karteien in ihrem strengen Alphabet lieber in Ruhe zu lassen, den Rhythmus der Pausen auf die Wege im Betrieb abzustimmen und es zu unterlassen, mehr wissen oder sein zu wollen als jeder andere im Büro, im Lager oder in der Expedition. Das fiel mir nicht schwer, da mir Gerüchte – der ist im hohen Bogen vom Gymnasium geflogen, der bringt bald ein Buch heraus, der schreibt für die Zeitung – ohnehin eine bestimmte Aura verliehen.

Noch während der Schulzeit plagten mich Kopfschmerzen, die auch Quadronal, jene Tabletten, die meine Mutter bevorzugt hatte, nicht zu lindern vermochten. Mechthilds Vater schickte mich schließlich nach Göppingen in die Klinik. Ich nahm mir vor, dort den exzentrischen Patienten zu spielen, wozu ich keine Gelegenheit fand, denn ich wurde mit Nachdruck stillgelegt, lag in einem Saal mit fünf älteren Männern, die mich nach einem kurzen, bösartigen Palaver als Simulanten einstuften, wenn ich las, das Radio laut stellten oder lärmend Skat spielten, mir mit dem berühmten Professor Zuckschwerdt drohten, der mich unters Messer nehmen werde. Aber mir widmete sich ein sanfter, früh ergrauter Doktor aus Baden, der mir erst ein Bad verordnete, in dem ich beinahe, die Hitze nicht ertragend, umkam, und dem, als er mich punktieren wollte, die Nadel abbrach, die er mit einer Arztzange wieder herauszog und mit der Feststellung der Schwester überließ, er habe es satt, er werde die Klinik bald verlassen. Ich kam ihm zuvor. Ich entließ mich schnell selber, schluckte noch eine Zeitlang Tabletten, bis mir auffiel, dass ich sie nicht mehr brauchte, und die Schmerzen nach dem Anschlag des Badensers auf meine Wirbelsäule verschwunden waren.

Auf keinen Fall wollte ich zurück ins Greinersche Büro. Die Gespräche mit Kurt Leonhard bestärkten mich, mit dem Schreiben leben zu müssen, vielleicht auch einmal von ihm. Zuvor allerdings hätte ich, wenn ich dem Rat Erich Pontos folgen wollte, bei der nächsten Gärtnerei vorsprechen müssen. Welchen Anfang ich auch suchte, ich beunruhigte von neuem die Frauen zu Hause, und Tante Lotte klagte, sie wisse gar nicht, wie sie Herrn Greiner meine Kündigung erklären solle, was ich mit einem patzigen »Gar nicht« beantwortete und wie so oft vor ihrer klagenden Wut floh, zu Ruoff oder zu Mechthild, die mir keineswegs zuredeten, sondern meine Selbstsicherheit in Zweifel zogen. Vor allem Ruoff machte mir klar, dass mein Hochmut der Dummheit nahe komme, denn auf diese Weise bliebe ich von den Tanten abhängig. Ich müsste begreifen, worauf ich mich einlasse, dass ich nicht immer Hilfe finden würde, sondern Einsamkeiten aushalten und Depressionen erwarten müsse. Er saß mir gegenüber auf der Bank im Erker, nach vorn gebeugt, und schien, was er sagte, aus den offenen Händen abzulesen. Er war es, der mir weiterhalf. Morgen, versprach er, fahren wir nach Reutlingen und holen die Klischees. Für die Bilder in meinem Buch, diese Bildhauerzeichnungen, Figuren in einem Raum, der sie wie einen Abdruck aufnimmt, sehr zart und sehr widersetzlich.

Nach einem Besuch Grieshabers sah er eine Chance für mich: die Bernsteinschule, in der miteinander gearbeitet und gelebt werde, Bildhauer, Maler, Musiker, Dichter, Handwerker – eine reale Utopie. Warte, bis sie dich einladen, aber dann warte keinen Augenblick länger.

Nicht Grieshaber schrieb mir, sondern ein Ludwig Greve, der mir den Ankunftstag vorschlug, die Reiseroute angab: mit der Bahn bis Sulz am Neckar, danach mit dem Bus die Alb hoch nach Heiligenzimmern. Max und Margot Fürst würden von Sulz an mit mir reisen. Ich habe das anders in Erinnerung. Die beiden saßen nicht im Bus. An der Haltestelle in Heiligenzimmern, die von einem riesigen blühenden Apfelbaum überdacht wurde, erwartete mich ein jüngerer Mann mit einem schönen, scharf geschnittenen Gesicht. Ludwig Greve, der Dichter, von allen Luz gerufen, der mich schon auf dem Weg durch die in Wellen ausschwingenden Wiesen zum Kloster damit beeindruckte, dass er wie ein Franzose die Zigarette so lange im Mundwinkel behielt, bis der kurze Rest zu glühen aufhörte. Er wird mich nach Ruoff gefragt haben. Wir sprachen nicht viel miteinander. Noch immer aber spüre ich seine übermäßig konzentrierte Ruhe. Sie beunruhigte mich und schuf eine Distanz zwischen uns beiden.

Das ehemalige Kloster, ein lang gestreckter einstöckiger Bau, diente keineswegs nur als Zuflucht und Besinnungsort für Künstler. Es war auch ein Bauernhof mit Ställen, Misthaufen und der großen Familie, die den »Künstlern« allerdings aus dem Weg ging.

Greve teilte mir mein Zimmer, meine Zelle zu, schloss leise die Tür, nachdem er mir gezeigt hatte, wo er wohne. Ich räumte den Koffer aus, legte meine »Ausweispapiere«, das Wertvollste, was ich besaß, auf den Tisch unterm Fenster: die Korrekturfahnen von ›poeme und songs‹, die mir Leonhard kurz vorher geschickt hatte. Es klopfte. Schon stand Luz im Zimmer, er wolle mir das Kloster zeigen, mich den andern vorstellen. Es frage sich aber, ob ich während meines Aufenthaltes Grieshaber noch zu sehen bekomme; er habe den Bernstein schon hinter sich gelassen. (Entdeckt hatte er das im 14. Jahrhundert gegründete Kloster der Waldbrüder, das 1806 in weltlichen Besitz überging, im Juni 1951. Er wurde von der alten Leitung der Schule, in der weniger Kunst und umso mehr Hoffnung gelehrt wurde, als »Gastdozent« gerufen und überrumpelte die wenigen noch vorhandenen »Studenten« mit seinen Visionen und einem wunderbar pathetischen Programm. Dessen dritter Paragraph sprach mich an, wie wohl jeden auf dem Bernstein: »Lasst keinen von Euch zurück! Nehmt ihn, unter welchen Mühen auch immer, geistig mit.« Dass dieser hochgemute Ton auf die Dauer nicht halten könnte, war allerdings jedem klar.) Luz führte mir eine Bühne vor, von der sich das Spiel schon zurückzuziehen begann, deren Reichtum an Räumen und Bildern mir noch immer das Gefühl von einem möglichen Zuhause gab. Mit einer ausladenden Geste rollte er den Korridor aus, breit und überraschend hell, obwohl es nur ein Fenster an dem einen Ende gab. In einer die Symmetrie haltenden Reihe befanden sich an beiden Seiten die Türen zu den Zellen. Mein Wunsch, mich hier anzusiedeln, steigerte sich, als wir am unteren Ende des Ganges in die große Küche kamen, er mir zeigte, wo ich, wenn ich Hunger hätte, Brot fände und vor allem das in ein riesiges unerschöpfliches Tongefäß gefüllte Griebenschmalz. Und Salz. Und Pfeffer. Und Wasser im Krug. Am liebsten hätte ich mir gleich eine Scheibe vom Brot abgeschnitten, doch mein Cicerone, die selbst gedrehte Zigarette im Mundwinkel, drängte. Das Zentrum fehle noch. Eine große Pforte öffnete sich in die Kapelle, die wir über die Empore erreichten, eine mit hohen romanischen Fenstern prunkende Lichtburg, weiß, weiß, dennoch nicht schmucklos, denn an den Wänden hingen Bildfahnen von Gries, der ›Ulmer Totentanz‹, meine ich mich zu erinnern; in Ludwig Greves erzählendem Aufsatz über die Freunde hängt dort jedoch allein das ›Schmerzensbild‹. Vielleicht markierte es schon den Abschied. Ehe ich mich wieder in meine Zelle zurückzog (nur für einen Augenblick, inzwischen hatte mich unbezwingbarer Hunger nach einem Schmalzbrot gepackt, und ich schlich mich gleich danach über den Gang in die Küche), zeigte er noch auf drei Türen: Da finden Sie mich, das wissen Sie schon, gleich daneben Margot und Max Fürst und rechts am Ende des Korridors, neben dem Fenster, Erich Kruse, den Bildhauer.

Luz verstand es, kunstvoll die Gespräche über den Tag zu verteilen, dazu kam das gemeinsame Abendessen und Gänge nach Heiligenzimmern zum Einkaufen. Manchmal ging ich allein spazieren. Die Sätze der andern hallten nach, und ich genoss es, auf dieser Hochfläche einem faserigen Sommerhimmel näher zu sein.

Ich hatte Luz die Korrekturfahnen meiner Gedichte gegeben. Er werde sie lesen, und er würde bei Gelegenheit sein Urteil sagen. Das tat er nie. Merkwürdigerweise erwartete ich es auch nicht.

Schon am ersten Abend, nach dem Essen, versammelten wir uns in der Zelle von Max und Margot Fürst. Jeder besetzte den Stuhl oder Sessel, der ihm angemessen schien. Max schien mir auf dem strengen Stuhl, auf dem er gedrungen, den Kopf etwas eingezogen, saß, der selbstverständliche Mittelpunkt; er konnte unangestrengt zuhören. Margot Fürst hingegen zog sich oft in ihrem Sessel zurück, verschwand förmlich. Luz bevorzugte, solange sein Interesse nicht nachließ, eine Stuhllehne, saß auf der Kippe. Fast alles, was sie von mir wissen wollten, wussten sie schon, von Ruoff, von Gries. Alles was ich von ihnen erfuhr, erschreckte und entzückte mich gleichermaßen, und wir begannen, die Fremde zu teilen. Ihre Sätze, satt von Überlebenskunst und knapp von einem lakonischen Schmerz, umgarnten und schützten mich. Sie versetzten mich zurück in die Wiener Wohnung von Bronka. Wieder diese Unmittelbarkeit von Bildern, in die ich mich schon damals verkrochen hatte, wie in lauter kleine Höhlen.

Lucca war ein solches Zufluchtswort. Es spielte nach dem Abendessen oder, wenn auch selten, schon nachmittags eine Rolle. Denn der Nachmittag war eigentlich Kruse vorbehalten, seinem nie peinlichen Schweigen und den Dachpfannen, Ziegelscherben, in die er Hieroglyphen ritzte, offenkundig eine endlose Geschichte, die jeder auf seine Weise buchstabieren konnte.

Dieses Quartett hielt sich noch gar nicht so lange auf dem Bernstein auf. Die »alten« Schüler, Emil Kies, Lothar Quinte und andere, hatten das Kloster verlassen. Mit einem Gedicht hatte Luz Grieshaber auf sich aufmerksam gemacht; der las es als Ruf eines entfernten Bruders. »Poet 51«, so nannte sich Greve im Stil jener Jahre: »O Korea blüht/auf wie eine rote Blume,/vogelrein der Schrei/der Fraun/und Fontänen sprudeln«. Das Gedicht wurde von den Schülern gedruckt, ein Blatt, eine »prise de position«.

»Poet 51« hatte auch mich willkommen geheißen. Ich las die Verse auf dem farbigen Siebdruck und dachte, etwas eifersüchtig, meine ›poeme und songs‹ dagegen. Luz und seine Freunde, die Fürsts, hatten gemeinsam auf dem Bernstein eine Bleibe gefunden, drei deutsche Juden, Emigranten, Flüchtlinge, die aus dem jungen Israel zurückgekehrt waren nach Europa, auf der Suche und mit einem verwundeten Gedächtnis.

Und dann Lucca! Für mich eine Stadt aus Sätzen, aus Heineschen Sätzen. Für Luz Greve wurde sie zu einer gefährdeten Zuflucht nach einer langen atemlosen Flucht aus Berlin, die Hitlerschen Bluthunde immer auf den Fersen, nach Frankreich, nach Italien, ins Piemont, wo Vater und Mutter durch Granatsplitter schwer verwundet wurden, er die Mutter trug. Da wurde ihr Versteck von Carabinieri entdeckt. Sie mussten deren Freundlichkeit vertrauen. Der Dorfpfarrer riet dem Vater und der jüngeren Schwester, voraus in die nahe liegende Provinzhauptstadt zu gehen. Luz sah sie nie wieder. Von dort aus wurden sie deportiert. Seiner Schwester habe er zugerufen: Bis heute Abend. So erzählte er es viel später in einer Rede vor Freiburger Studenten. »Ich rief sie nicht zurück«, sagte er. Dieser eine Ruf wird sich sein Leben lang wiederholt haben: Bis heute Abend!

Manchmal, sobald er sich erregte, rutschte er von der Lehne in den Sessel und fing an, mit ihm zu kippeln. Die Fürsts, obwohl sie seine Geschichte kannten, blieben aufmerksam, als hörten sie sie zum ersten Mal. Alle meine Ängste nahmen sich klein aus neben seiner Todesangst.

Lucca. Gleich am ersten Abend hatte er die Stadt angesprochen, eine Lebensart. Aber er ließ sie unerklärt. Einmal kam auch eine Zelle vor, dort wie hier. Einer, der auf seiner Flucht nur die Zellen wechselt. Lucca hatte ihn und die Mutter gerettet. Zum ersten Mal seit seiner Kindheit hatte er wieder ein Zimmer für sich, eine Zelle des ehemaligen Priesterseminars. Die Fremde und die wachsame Freundlichkeit seiner Umgebung lösten sein Schweigen. Er begann zu schreiben, auf Deutsch, in der »Stiefmuttersprache«. Sein mächtiger Beschützer, der Erzbischof von Lucca, erkannte ihn: »Ecce poeta«, rief er, als er die Gedichte zu lesen bekam.

Die Zigarette wurde kurz in seinem Mundwinkel. Ich beneidete Luz um die Welt, aus der er kam. Max Fürst stattete sie ihm im Nachhinein aus, machte sie bewohnbar mit Tischen, Schränken, Stühlen – sie sprachen von ihm und für ihn, den Schreinermeister, der mit Paul Geheeb befreundet, nach dem Krieg auf die Odenwaldschule zurückgekehrt war, Werkunterricht gab. Auf dem Bernstein hörte er zu oder stieß mit ein paar Fragen ein Gespräch an oder beschrieb, als hätte er sie gebaut, eine Kapelle auf der Alb. Er kam aus Königsberg. Mir war bis dahin nie ein Mensch begegnet, der so selbstverständlich aus seiner Mitte lebte. Alles, was er erfahren, was ihn gepeinigt und in Furcht versetzt hatte, hielt er in seinem Gedächtnis verschlossen, bis er es nach Jahren ausbreitete, erzählte. Als ich ›Gefilte Fisch‹ las – ich hatte Fürst nie wieder gesehen –, kamen mir mitunter die Tränen. Ich spürte wieder seine rabbinische Aufmerksamkeit, seine Güte. Er sang gerne. In den Arien, Liedern einer Oper, die er auswendig konnte, lernte ich die schönste Geschichte des Bernsteins kennen. Ein Märchen. Wenn schon der Gries nicht mehr erschien und, wie erhofft, wirbelte, so bekam meine Phantasie wenigstens durch Gesang Futter.

Orff habe den Bernstein besucht. Der große Komponist. Oder er habe dem Bernstein wenigstens geschrieben. Nein, er ist doch da gewesen. »Du bist die Kluge«, summte Max in der Küche, die sich durch eine besonders gute Akustik auszeichnete. »Du bist die Kluge …« Nachdem Orff sich von seiner Frau getrennt hatte, habe es ihn nicht mehr auf dem Mutterboden der Vernunft gehalten, erzählten sie mehrstimmig. Er zog um. Zog auf zwei große, zusammengeschobene Schränke, arbeitete und schlief auf dieser Höhe, zog in einem Körbchen die Mahlzeiten zu sich hinauf. Komponierte er, klopfte er den Rhythmus auf den Schrank, der als Resonanzboden diente. Wann er den Zimmerhochstand wieder verlassen hatte, ließen sie offen. Immer, wenn darauf die Sprache kam, wir an den abgehobenen Meister dachten, schmetterten sie: »Als die Treue ward geboren, tralalalalala, schlupft sie in ein Jägerhorn, tralalalalala, blus der Jäger in sein Horn, tralalalalala, ging die Treue ihm verlorn …«

Die Geschichte wurde, fällt mir ein, auch auf einer »prise de position« festgehalten. Das Blatt gehörte sicher zu denen, die ich zum Abschied geschenkt erhielt, neben den »Bernsteinaugen«, den Wandzeitungen ›Unterwegs‹. Ich pinnte sie an die Wände meiner Zimmer in Nürtingen und Heidenheim. Sie gingen mir verloren

Max Fürst bat mich, die erste Woche war herum, ich stellte mich auf eine längere Bernsteinzeit ein, in seine Zelle, erklärte mir, dass ich den Bernstein verlassen müsse, wie sie alle bald auch, und bot mir einen Ersatz an, eine Schule, in der nicht gepaukt würde, die École d'Humanité Paul Geheebs in Genf. Er würde mich empfehlen, wenn ich es nur wünschte. Dort könnte ich auch die Matura nachholen. Er schob die Fahnen meines Gedichtbands über den Tisch. Warum wurde ich schon wieder ausgestoßen? Ich fragte ihn das nicht. Ich hätte ihm auch gestehen können, wie sehr ich ihn verehrte. Das brachte ich nicht über mich. Auf keinen Fall wollte ich wieder eine Schule besuchen.

Kruse schenkte mir zum Abschied einen Ziegel mit einer Hieroglyphe für meine Zukunft. Die beiden Fürsts begleiteten mich noch über den Hof, und Luz brachte mich nach Heiligenzimmern zur Busstation. Zufällig traf ich ihn nach Jahren wieder, im Reisebüro Rominger im Stuttgarter Hauptbahnhof, als Berater, und Jahre darauf empfing er mich in Marbach, als Direktor der Bibliothek. Er rauchte nicht mehr Zigaretten, sondern Pfeife. Mein Bubenneid auf seine Weltläufigkeit wich der Bewunderung für seine helle, kolloquiale Prosa und für eine Handvoll Gedichte, in denen der Asylant von Lucca eine unvergleichbare Sprache findet: »Genügt die Trauer? Atem, Begeisterung,/die Liebesnächte danke ich deinem Grab/und auch die Kinder: unerschöpflich/höre sie lachen ... Ich komme, Vater.« Im Juli 1991 ertrank er beim Schwimmen vor Amrum, 66 Jahre alt. Denke ich an ihn, erwartet er mich unter dem blühenden Apfelbaum an der Busstation in Heiligenzimmern.

Vorzeitig tauchte ich wieder in Nürtingen auf. Fritz Ruoff wollte alles genau wissen. Ich erfand den Bernstein, der mir, meinte ich, eine Niederlage zugefügt hatte. Ich machte Luz zu meinem Rivalen.

Ich. Ich. Das Ich, das der Bernstein entlassen hatte, das

groß ankommen wollte, knickte ein, denn selbst die »Ausweispapiere«, die Handvoll Gedichte auf Korrekturfahnen, genügten nicht für die Welt, die das aufbrechende Ich hätte erwarten und selbstverständlich aufnehmen sollen; dieses Ich traute sich nichts mehr zu, und die Wörter und Sätze, die es sonst begleiteten, bekamen Löcher, stumme Silben, auf denen Depression sich ablagerte, ein Ich, das Freunde mied und suchte, das sich stotternd hinterherlief, sich kindisch Einsamkeit einredete, bis es, befragt von den Freunden, den Bernstein umerzählte, sich abstemmte, sich in jeder Hinsicht schwindelnd erklärte, aber nicht wusste, wie es weiterginge, wohin.

So ist es nicht gewesen, widerspricht Ruoff.

Luz schickte einen Brief, der dem verdrehten Ich widersprach und es zurechtrückte.

Es brauchte Zeit, bis ich zurückfand, Max wieder von der Treue singen hörte und Lucca den Raum bekam, den es in den Erzählungen von Luz einnahm. Irgendwann las ich seine Gedichte wieder:

»Abschied vom Bernstein:

...

Nachtschatten flocht den Stirnen Kränze.
Hob die Blume des Weins ihr Haupt!
Juden, kamen wir ausgeraubt
mit zehn Worten über die Grenze.

Diese zehn genügten zur Fabel;
Mimen, wir schlüpften in ihr Fell.
So verblieben Pantagruel
als Genossen Messer und Gabel.

Schreiend maßen die Truthahnschwärme
alle Stimme. Die Stille im Ohr
prüften Tote. Wer hier nicht verlor
Hitze noch Kälte, ließ die Wärme.«

Da klang sie von neuem, die Bernstein Weise. Längst kann
ich, wenn auch beklommen, einstimmen.

Ich verordnete mir eine Pause, wusste allerdings nicht wovon, vielleicht von der Suche nach einem Ort, den ich nach
Ruoffs Ansicht brauchte. Nur konnte auch er ihn mir nicht
nennen. Den Weggang vom Bernstein nahm er mir nicht
übel, half mir eher, mich zu verstehen, indem er die Sprung-
haftigkeit seines Freundes Grieshaber beklagte. Der fange
viel an und setze zugleich viel aufs Spiel. Ob man das auch
mit einer Schule machen könne, frage er sich. Tante Lotte
schlug mir vor, ich solle es noch einmal mit Greiner versuchen. Als ich ihr Angebot strikt ablehnte und zudem noch
die Tanten aufforderte, mir für die Woche zehn Mark von
der Waisenrente abzuzweigen, gab es bloß Tränen und Vorwürfe: Ich hätte nur Spinnereien im Kopf, glaubte ein Dichter zu sein und würde doch von den Künstlern, wie jetzt auf
dem Bernstein, nicht ernst genommen. Ich solle mich lieber
um Arbeit kümmern, mich nicht herumtreiben. Wenn dein
Vater noch lebte, fügte Großmama in regelmäßigen Abständen hinzu, und jedes Mal dachte ich an den Mann, der
zwischen anderen Kriegsgefangenen sich in Zwettl an der
Pestsäule an mir vorüberschleppte, gebeugt und sonderbar
nachgiebig, auf seinem dunklen Gesicht schien ein Lächeln
auf, als mich sah, ich die Hand hob, um ihm die Pillen-
schachteln zu zeigen; doch er schüttelte den Kopf. Wenn
dein Vater noch lebte, hörte ich Großmama sagen. Es gab
Augenblicke, da ich die Ratlosigkeit und den Schmerz dieser
mich umkreisenden Mänaden begriff. Sie gaben ja auch

nach, ließen mir die angemaßten Freiheiten, fragten nicht, wenn ich spät nach Hause kam, wo ich mich herumgetrieben hätte, und da alle drei mir ab und zu ein paar Mark zusteckten, kam ich auf ein Taschengeld, mit dem ich mir eine Ova am Tag (eine Zigarettenmarke, die bald vom Markt verschwand und die ich, bevor ich mich endgültig zu schwarzem Tabak entschied, durch Eckstein ersetzte), hin und wieder einen Besuch im Café Zimmermann und einen Buchkauf auf Raten bei Margot Hauber leistete. Außerdem hatte ich begonnen, für die ›Nürtinger Zeitung‹ zu schreiben, und karge Zeilenhonorare halfen mir, eine Spur großzügiger zu sein, sie schenkten mir einen Anschein von Unabhängigkeit. Auf einer Veranstaltung des Volksbildungswerkes hatte mich der Kulturredakteur der »Nürtinger Zeitung«, Eugen Schmid, der seine Artikel mit Peter Simpel zeichnete, gefragt, ob ich für ihn einspringen wolle. Von da an sprang ich öfter ein. Mechthild begleitete mich zu vielen Veranstaltungen. Danach drückten wir uns in eine Nische der Stadtkirche, geschützt von der steilen Umfassungsmauer, behütet von alten Kastanien, und ließen erst wieder voneinander, wenn Mechthilds Eltern die Länge des Vortrages oder Konzertes verdächtig werden musste.

Seit der Woche auf dem Bernstein hatte ich kein Gedicht mehr geschrieben. Der Faden schien gerissen. Versuchte ich es, blieben einzelne misslungene Sätze. Fritz und Hildegard Ruoff nahmen mich mit in die Sammlung Borst nach Stuttgart. Diese wunderbare Privatsammlung ist seit langem in die bei weitem reichere der Stuttgarter Staatsgalerie aufgegangen. Die handgroßen Bilder Reinhold Nägeles luden mich ein, spazieren zu gehen in beflaggten Liliputstädten, unter einem Himmel, der tatsächlich immer einem Zelt glich, über dem sich vielleicht ein staubkorngroßer Lieber Gott verbarg, und die Haut von regenwurmlangen Flüssen glitzerte im Licht einer Sonne, die auf den Bildern stets zu hoch stand, über dem Rahmen. Die Nazis haben ihn vertrieben, sagte Ruoff, er widersprach ihnen mit seinen Bildern. Dann führte er mich zu seinem Beckmann, der ›Loge‹; ich wusste mit dem ersten Blick, dass mich dieses Gemälde nie mehr loslassen würde. Welchen Titel das Bild von Paul Klee hatte, das er mir zum Schluss vorführte, habe ich vergessen. Er nannte es eine Tafel. Ich buchstabierte das Bild. Nach Wörtern suchend, redete ich es an. Ein paar Zeilen ordneten sich in meinem Kopf – zum ersten Mal seit Wochen wieder ein Gedicht:

hinter den fensterscheiben weint PAUL KLEE
er sieht die leute vorübergehn
und sie werden lauter striche

er sieht lauter striche vorübergehn

und die striche gehen vor den scheiben

Am späten Nachmittag trafen wir Ruoffs ehemaligen Lehrer, den Bildhauer Alfred Lörcher, dessen kleine, von Figuren und Geschichten bewegte Plastiken, dessen wunderbare, auf ein winziges Erinnerungsmaß gebrachte, nackte Frauen ich, wann immer es möglich ist, in der Stuttgarter Staatsgalerie besuche. Lörcher, ein alter schwäbischer Faun, saß eingezwängt zwischen jungen Weibern auf der Wirtshausbank, ein stolzes Köpfchen, die Haare schlohweiß, der Spitzbart auch, und dozierte über den Raum, den leeren Raum, der auf eine Form nicht nur warte, sondern sie unsichtbar bereithalte. Man müsse das nur sehen lernen. Die meisten lernten es allerdings nie.

Ich gewöhnte mich an die Ungewissheit, streunte. Ab und zu schrieb ich für die ›Nürtinger Zeitung‹. Das Honorar holte ich, sobald der Artikel erschienen war, in der Buchhaltung ab. Heute wäre das unvorstellbar.

Kurt Leonhard sorgte für eine weitere sich lohnende Verbindung zur ›Esslinger Zeitung‹. Er hatte deren Feuilletonredakteur, dem deutsch-böhmischen Schriftsteller Josef Mühlberger, die Fahnen meines Bändchens zur Ansicht gegeben. Ich hatte seine Novelle ›Der Galgen im Weinberg‹ gelesen, eine jener Erzählungen, die kurz nach dem Krieg an das eben begangene und schon verdrängte Unrecht erinnerten. Er fragte mich nach Olmütz aus. Ich überraschte ihn mit meinen tschechischen Verwandten. Bald stellte sich eine Vertraulichkeit ein, die bei den wenigen späteren Begegnungen in Esslingen und Göppingen hielt. Er war mit meiner Vergangenheit verwandt. Seine Gedichte, die 1948 bei der Insel erschienen waren und die er mir schenkte, schienen mir altmodisch, auf ärgerliche Weise zeitabweisend, aber eine Strophe habe ich mit Bleistift markiert, sie hat nichts von ihrer wehmütigen Aufmerksamkeit verloren: »Das Rosenblatt, das ich vom Wege aufgelesen,/liegt wie der kleine Salbennapf in meiner Hand,/den einst ein römischer Bauer pflügend fand –/.../ein leiser Duft klebt' noch an dem zerscherbten Rand.« Dieses Gedicht und andere hatte er Hermann Hesse gewidmet, mit dem er seit Jahren in Verbindung stand. Das erwähnte er nebenbei und gewann mir noch mehr Respekt ab. Ich hatte eben ›Unterm Rad‹ gelesen, und wenn ich mir auf dem Nürtinger Gymnasium einen Kameraden gewünscht hatte, dann den Hans Giebenrath.

Die drei Brüder Bechtle teilten sich die Arbeit im Verlag und in der Zeitung. Mich scherte es wenig, wer wofür verantwortlich war. Den Verlag leitete Otto Wolfgang, der mir gefiel, ein aus dem Bilderbuch gesprungener schwäbischer Bonhomme, immer ein wenig zu laut und zu besitzergreifend. Politisch stand er den Liberalen um Reinhold Maier nah. Er liebte die Literatur ungekünstelt, redete Leonhard so gut wie nie herein (nur wenn seine Pläne zu viel Geld kosteten). Leonhard übersetzte Gedichte und Prosa von Henri Michaux zum ersten Mal ins Deutsche. Der Band wurde zum ausstrahlenden Zentrum des lyrischen Programms. Lauter vielversprechende Debütanten: Bächler, Piontek, Heißenbüttel, Poethen. Irgendwann, in den Sechzigern, verging Otto Wolfgang die Lust an der jungen Literatur, er überließ den Verlag seinem jüngeren Bruder Richard, der nach München zog, noch einige Titel herausbrachte und den Rest des Unternehmens schließlich verkaufte.

Leonhard versorgte mich vor allem mit französischer Literatur. Ich atmete Meer ein, ließ mich von Albatrossen tragen, grub mich ins Fleisch von schwarzen Huren, las Rimbaud, Baudelaire, las den ›grand Meaulnes‹, aber auch Faulkners ›Licht im August‹, und fraß mich durch das Werk zweier Dichter, die ich, obwohl sie als Faschisten, als Gefolgsleute der Nazis verdammt waren, bewunderte: Knut Hamsun und Jean Giono.

KuLe, wie ich Leonhard bald in Briefen anredete, meinen Weisen, vertröstete mich, sobald ich nach dem Erscheinen des Bändchens fragte. Die Fahnen, schon ziemlich angerissen, genügten mir nicht mehr. Häufiger als im Verlag am Marktplatz besuchte ich KuLe nun in seiner Wohnung über den Weinbergen, in Rüdern. Manchmal setzte ich mich auf die steinernen Stufen zwischen den Reben, schaute hinunter auf die Stadt, phantasierte mir einen Freiflug in die Zukunft, die ich je nach Laune ausstattete, einmal mit Ruhm, ein andermal mit strenger, von den Lesern verehrter Einsamkeit, wie sie der alte Hesse pflegte, einmal mit turbulenter Arbeit in einer großen Redaktion, ein andermal als Reisender. KuLe schien meine Spinnereien zu ahnen. Er riet mir wiederholt, mich nach einer festen Anstellung umzusehen. Von den Gedichten könnte ich nicht leben. Wie auch? Mein Buch gab es nur in seiner ausgefransten Vorform. KuLe duckte sich hinter seinem Schreibtisch, eingemauert von Büchern, von Stimmen, die, wann immer es ihm beliebte, laut wurden oder flüsterten. Mit seinem Vogelköpfchen hackte er den Sätzen nach, ein Allwissender, der Hoffnungen einsammelte und hortete, beispielsweise in Gestalt von noch nicht gedruckten Gedichtbüchern, von gutgeheißenen Manuskripten, von Fahnenbündeln, die er verheißungsvoll schwenkte. Ich zählte, wenn auch mit Anfällen von Zweifeln, zu seinen Auserwählten. Und ich traute ihm alles zu. Er verfügte über magische Kräfte, es gelang ihm, Verbindungen herzustellen, von denen ich nichts ahnte. Für die Heimfahrt nach Nürtingen gab er mir ein Manuskript mit. Der Band werde im nächsten Jahr, 1954, erscheinen, eine phänomenale Entdeckung, und Hermann Kasack wolle ein Nachwort schreiben. Womit er mich scharf machte. Kasacks Roman ›Die Stadt hinter dem Strom‹ hatte mich tagelang umgetrieben, bis ich mich mit einer Dichtung gegen seine »surrealistische Glätte« wehrte, mit Hans Erich Nossacks ›Nekyia. Bericht eines Überlebenden‹. In der Bahn beschäftigte ich mich sofort mit dem »Reiseproviant«, schlug die Mappe auf. Das war einer jener Augenblicke, die ich erwartete, doch nicht herbeirufen konnte, die mich plötzlich aus der Zeit hoben und meine Laufrichtung veränderten. Noch nach fünfzig Jahren wiederholt sich dieser Schock, in vier oder fünf Versen sich selber zu entdecken, aber in einer anderen, neuen Sprache. Die Räder unter mir klopften das Metrum. Ich lernte, was ich noch nicht konnte. Ich lernte

Einfache Sätze:

Während ich stehe fällt der Schatten hin
Morgensonne entwirft die erste Zeichnung
Blühn ist ein tödliches Geschäft
Ich habe mich einverstanden erklärt
Ich lebe

Noch am Abend suchte ich Mechthild heim, las ihr die Gedichte Heißenbüttels vor, die KuLe anscheinend nur für mich entdeckt hatte. »Was ich denke/ist Widerhall«. Auf einem beiliegenden Zettel stand seine Adresse – Hamburg, Heinrich-Hertz-Straße –, und ich nahm mir vor, ihm zu schreiben. Auch Ruoff bekam, am andern Tag, die Gedichte zu hören. Er drängte mich, mit Heißenbüttel Verbindung aufzunehmen: So öffnet sich deine Welt. So kommst du raus.

Ich schrieb nach Hamburg, fragte, ob ich zu Besuch kommen dürfe, es sei mir gleich, wann, ich arbeitete als freier Journalist. Was kurz darauf nicht mehr zutraf. Ich hatte ein Manuskript in der Redaktion der ›Nürtinger Zeitung‹ abgeliefert, mich mit den Redakteuren unterhalten, als der Chef mich in sein Zimmer bat, mich mit der Einladung überraschte, zum nächsten Monatsersten mit einem Volontariat zu beginnen. Damit hatte ich nicht gerechnet.

Bruno Nies war ein Hüne, bewegte sich wie ein Schwimmer, ruderte mit den Armen im Raum, atmete heftiger als andere und schluckte, um seine Magenbeschwerden zu lindern, löffelweise Bullrichsalz. Er war einer der Gründer der CDU, der mir bei jeder Gelegenheit klarmachte, dass er mit den Ansichten eines Schulabbrechers nicht zurechtkam, vor allem dann, wenn es um die deutsche Vergangenheit ging. Er verfocht einen Anfang – oder einen Übergang – ohne unnötige Vorwürfe. Dennoch stellte er mich ein. Am nächsten Ersten bestätigte er noch einmal, mit Nachdruck: 120 Mark monatlich. Das übliche Volontärsgehalt. Und dies – er schob mich zur Tür –, weil Sie ganz ordentlich schreiben.

Drei Wochen noch, und ich hatte eine Stelle. Großmama und Tante Käthe wollten es erst einmal nicht glauben. Tante Lotte behauptete dagegen, sie habe den Glauben an mich nie verloren. Lore gratulierte mir. Und mit Mechthild konnte ich anfangen zu planen.

Fast postwendend kam Heißenbüttels Antwort, eine Postkarte. Sie gibt mir ein Geleit, bremst mich nicht mit ungenauen Vorbehalten; wir sind schon miteinander bekannt: »Lieber Peter Härtling! Bitte. Kommen Sie vorbei. Aber seien Sie nicht enttäuscht. Zu Haus bin ich bis mittags 12, nachmittags meist ab 4, abends selten. Bitte dreimal klingeln. Mit Quartier ist es schlecht, da ich als billiges nur mein eigenes kenne, und das sind 6 qm. Aber ich werde mich noch mal umsehn. Hamburg ist teuer (und spießig).« Datiert am 19. September 1953.

Ich reise mit dem Nachtzug von Stuttgart. Das Geld habe ich von Großmama als Kredit auf mein erstes Gehalt bekommen. Es war die erste längere Reise nach der elend langen von Wien nach Nürtingen. In Gedanken bin ich jedoch immer unterwegs gewesen. Das »spießig« für Hamburg relativierte ich im Vergleich zu Nürtingen.

Um sechs Uhr stieg ich in Hamburg aus dem Zug. Es muss noch sehr früh gewesen sein, als ich in der Heinrich-Hertz-Straße an einer der Türen im zweiten Stock dreimal klingelte, wie vorgeschrieben. Ein älterer Mann öffnete, nachdem ich lange gewartet und es nicht gewagt hatte, noch einmal zu läuten. Ich möchte zu Herrn Heißenbüttel, sagte ich, und wortlos wies er auf eine der Türen im Vorsaal. Sie ist zum Bild geworden, einem Stillleben, das nicht verblasste, vielmehr in lächerlicher Genauigkeit im Gedächtnis blieb: eine weißlackierte Tür, vor der im rechten unteren Eck eine Milchflasche stand. Ich klopfte. Wieder musste ich warten, mir ausreden, dass ich zu früh dran sei, noch etwas an der Alster hätte spazieren gehen sollen, bis die Tür aufging, ich vor einem Bett stand, auf dem ein Mann im Schlafanzug kniete. Er hatte mich nicht erwartet. Ich hatte mich nicht angemeldet, nicht geschrieben, wann mein Zug einträfe, zu welcher Stunde. Ich hatte angenommen, seine Einladung – Bitte. Kommen Sie vorbei – gelte für alle Tage, für jede Stunde. Er wusste gleich Bescheid. Ich freue mich, sagte er. Verzeihen Sie, sagte er. Es ist ziemlich früh, sagte er. Kommen Sie herein. Er beugte sich nach vorn, griff nach der Milchflasche, wies mir den Weg am Bett entlang, einen schmalen Gang zum Fenster hin, an dem ein Tisch und ein Stuhl standen, eine Stellage, auf der Bücher sich türmten. Ich setzte mich auf den Bettrand. Er sprach leise. Nie würde ich ihn laut hören. Er entschuldigte sich, er werde nur kurz im Bad verschwinden, und danach könnten wir in die Mensa zum Frühstück. Als er in der Tür stand, sah ich, wie groß er war, mager, der linke Ärmel der Schlafanzugjacke baumelte leer. Er lächelte, als ich es bemerkte, nickte mir zu. Ich wusste, er war zwölf Jahre älter als ich, war Soldat gewesen, aber sein Kopf verjüngte ihn, ein sehr schmaler Schädel, unter der eher beiläufig hohen Stirn Augen, deren Aufmerksamkeit immer von einem kaum sichtbaren, Fältchen werfenden Lächeln begleitet wurde.

Mit dem Boot fuhren wir über die Alster zur Station Rabenstraße. Es sei seine tägliche Tram. Von da an redeten wir, als müssten wir Jahre nachholen. Nicht gleich über Gedichte. Er erklärte mir den Weg in die Stadt. Seine Sätze, leise, ohne Punkt und Komma gesprochen, bereiteten mich auf die nächsten Ansichten vor, bauten die Stadt Schritt für Schritt im Voraus, die Alster mit den einander gegenüberliegenden Hotelburgen, die Brücke, und dahinter der ins Wasser drängende Pavillon, der bei klarem Wetter hochgespannte Himmel, der wenn es diesig sei, wie ein flaches Zeltdach über allem hing, dann die von grünen Inseln überwucherte Wüstenei vor dem Dammtorbahnhof, Rotenbaum und eine Buchhandlung, in der seine Selbstgespräche, schien es, von der Buchhändlerin protokolliert wurden, und schließlich die Universität, das Tageshaus, aus dem er sich auch während der Pausen nicht fortbewegte, das Germanische Institut, die Bibliothek, in der er für das von Professor

Pyritz herausgegebene Goethe-Wörterbuch exzerpierte, seine Spaziergänge in Gedanken fortsetzte, Suchaktionen nach Wörtern, und zum Frühstück wie zum Mittagessen die Diskussion am Invalidentisch, dem Tisch, der grundsätzlich für Kriegsversehrte reserviert war, für die gefürchteten Alten, lauter Rentenempfänger für verlorene Arme, Beine, Augen. An dieser Tafel durfte ich Gast sein und wurde unverzüglich Gegenstand einer Debatte, nachdem Heißenbüttel erklärt hatte, er wüsste nicht, wo er mich unterbringen könnte. Ich hatte ihm gesagt, über wie viel Geld ich verfügte, und er rechnete noch unterwegs zwischen Hinweisen und Beschreibungen aus, dass es für zwei Nächte in einer schon sehr heruntergekommenen Pension ausreiche. Privat wisse er nichts. In seiner Bude könnten wir allenfalls abwechselnd auf dem Stuhl oder im Bett schlafen. Ich saß neben ihm am Invalidentisch, auf einem herangezogenen Stuhl, nur ausnahmsweise, und er war schon mein Idol. Er lebt nicht mehr. Erzähle ich mich aber in diese ersten Tage unserer Bekanntschaft zurück, in die Hamburger Nachkriegsszene, höre ich deutlich seine Stimme, und mir geht durch den Kopf, was ich bereits auf dem ersten Gang zur Kenntnis nehmen musste, mich auf seiner rechten Seite zu halten, dort, wo der Arm ganz ist. Also hatte ich auch am Invalidentisch meinen Platz zu seiner Rechten.

Die Männer fragten sich gegenseitig ab, ob sie mich jeweils für eine Nacht aufnehmen sollten, hielten aber ihre Buden für zu klein, zu unaufgeräumt, zu verboten, höchstens, dass man mal ein Mädchen mit zu sich nehme. In einem lachenden Unisono stellten sie fest, dass sie mit dieser Bemerkung mir die Röte ins Gesicht getrieben hätten. Junge, riefen sie mich. Herr Härtling, sagte Heißenbüttel. Ihren Tisch umgab ein abweisender Wall von Erfahrung, Zynismus, Trauer. Sie alle waren zwischen fünfunddreißig und vierzig. Der eine führte schon irgendwo Regie, der andere war Assistent. Sie vergaßen meine Anwesenheit, redeten über Professoren, die anstehende Doktorarbeit, über das Goethe-Wörterbuch, an dem mehrere ein Zubrot verdienten, sie stritten sich über die Finisten, eine Gruppe von Dichtern um Werner Riegel, Kindsköpfe für die einen, Zeitgeister für die andern. Sie verabredeten sich mit und bei ihren Freundinnen. Sie lebten deutlich auf dem Sprung. Auf ihre Vergangenheit kamen sie kaum zu sprechen. Sie hatten ihr Fett abgekriegt, hatten als junge Offiziere vermutlich eine Zeitlang an Hitler geglaubt, womöglich ähnlich argumentiert wie jener Wallone auf dem Prager Bahnhof. Ihre Gliedmaßen verschwanden unter dem Abfall eines Feldlazaretts, und vielleicht auch die ihnen diktierte Weltanschauung. Jetzt studierten sie, und es reichte, wenn einer mal russisch fluchte. Ein Mitbringsel aus der Kriegsgefangenschaft. Heißenbüttel sagte: Die meisten von uns träumen schlecht. Das hörte sich an wie ein Satz von Borchert. Mit solchen Sätzen konnte ich umgehen. Umgekehrt gab er mir Antworten auf Borchert. Ich wünschte mir, einmal nach Billbrook zu fahren. Er riet davon ab: Dahin müssen wir nicht, da sehen Sie bloß Ruinen.

Dem Invalidentisch gelang es eher en passant, das Problem meiner Unterkunft zu klären. Auf einmal wurde von Ida gesprochen, einer Kommilitonin. Helmuts Freundin. Die müssten doch in ihrem Haus eine freie Ecke haben. Obwohl Heißenbüttel dieser Vorschlag nicht sonderlich begeisterte, machten wir uns am späten Nachmittag auf den Weg zu Ida. Es hatte in diesen anderthalb Wochen beinahe immer geregnet, was Heißenbüttel nicht störte, er halte sich für wasserfest, doch am Tag meiner Ankunft prunkte die Stadt mit einem die Konturen und Farben stärkenden Licht. Wir gingen von der Universität zur Alster, dann durch den Alsterpark in seiner ganzen Länge. Ich frage mich, was ich nach Hamburg mitnahm. Einen Koffer kann ich nicht die ganze Zeit geschleppt haben. Vermutlich hatte ich meine alte Aktentasche voll gestopft, Platz für etwas Wäsche und Waschzeug und die Korrekturfahnen. Wir verließen den Park, Heißenbüttel erklärte, Ida und er würden wohl heiraten, wir überquerten auf der Krugkoppelbrücke die Alster und bogen in die Agnesstraße ein, in der sich Villa an Villa reihte. Das Haus gehöre Idas Familie, der Familie Warnholtz. Ida, die uns öffnete, war klein, zierlich, rasch in ihren Gesten. Ihr Lachen nahm mich für sie ein. Sie überwand lachend ihre Verlegenheit. Wir blieben unter dem Portal stehen. Heißenbüttel und sie redeten aufeinander ein. Ich hörte nicht hin. Ich hielt es noch immer für möglich, dass mir auch diese Bleibe ausgeschlagen würde. Welche Hindernisse zu überwinden waren, erfuhr ich nie. Ich wurde gleichsam heimlich einquartiert, bekam nur zufällig, in dem großen Vorsaal, Mitglieder der Familie zu sehen, die mich wiederum übersahen. Rechts neben dem pompösen Eingang fand sich eine schmale Tür, hinter der eine aufklappbare Liege auf mich wartete, bezogen wie ein Hotelbett. Am letzten Tag gestand mir Ida mit einem überrumpelnden Lachen, dass ich in der ehemaligen Garderobe geschlafen hätte. Morgens wusch ich mich auf dem Gästeklo gegenüber. Ich bekam einen Hausschlüssel. Nicht nur Heißenbüttel und Ida sorgten dafür, dass ich meistens erst spät in der Garderobe verschwand. Mit Ruoff und Mechthild war ich zum Spaziergänger geworden, über Hügel, durch Wälder. Heißenbüttel war ein leidenschaftlicher Stadtgänger. Er hielt sich an feste, benennbare Routen. Deshalb konnte ich durch eines seiner Gedichte spazieren. Wenn ich es jetzt memoriere, säumen hohe Häuser, Geschäfte und Kneipen mein Gedächtnis: »Immer derselbe Weg/STEPHANSPLATZ JUNGFERNSTIEG BALLINDAMM./Mantelvertraut/SO EINS MIT MIR ALS WIE MEIN EIGNES HAAR«. Mantelvertraut – dieser Wortfund wärmt bis auf den Tag meine Erinnerung an den großen Freund. Es ist ein Wort, das nur in den Fünfzigern, in der Nachkriegszeit, in einem Gedicht Platz finden konnte.

Ich lernte Dichter und Philosophen kennen, Gertrude Stein, Lohenstein, Rudolf Kassner, T. S. Eliot. Vor dem Schaufenster der Buchhandlung Felix Jud, in dem wir Jüngers ›Strahlungen‹ entdeckten, gerieten wir aneinander. Jünger habe ihn durch den Krieg begleitet, seine Distanz ihm geholfen. Ich wagte ihm zu widersprechen. Kurz vor der Reise hatte ich die ›Strahlungen‹ gelesen und vorher das Oberförsterbuch, die ›Marmorklippen‹. Ich legte die Distanz anders aus, als Zynismus, als vorsätzliche Entfernung aus dem Schlamassel, als vorgetäuschte Noblesse in Uniform. So könne einer ganz schnell aus dem Förderer des Nationalsozialismus zum Widerständler werden. Triefendnass standen wir unter den Kolonnaden. Auf einmal jeder in »seinem Mantel«. Jünger habe ihn tatsächlich begleitet, erklärte er mir. Es sei eine bestimmte Haltung, diese »stereoskopische Wahrnehmung«. Gegen die aber wehrte ich mich. Ich erzählte ihm, im Bücherschrank von Mechthilds Vater einen opulent aufgemachten Bildband gefunden zu haben, lauter tolle Köpfe, Soldaten, Helden des Ersten Weltkriegs. Jünger habe das Buch herausgegeben. Auch die heroischen Gedichte ausgewählt. Ich hätte mich, als ich darin blätterte, gegen mich selber wehren müssen, gegen den Pimpf in mir, der gleich wieder bereit war, Legenden zu fressen. Er ließ sich nicht überreden. Als Jahre danach Alfred Andersch sich als Verehrer Jüngers bekannte, sagte er mir – und die Fältchen in seinen Augenwinkeln zogen sich zu einem Lächeln zusammen –: *Er* hätte nie mit dir diskutiert.

Mein Wegenetz verfestigte sich auch: Agnesstraße, Alsterpark, Uni, dann natürlich auch Stephansplatz und so fort. Irgendwann begannen wir über meine Gedichte zu reden, auch die neuen, die ich mitgebracht hatte. Er kritisierte so gut wie nie. Entweder ließ er ein Gedicht einfach aus oder er setzte zustimmend ein paar Zeilen von Michaux dagegen. Bücher zitierend, gute und miserable, kamen wir auch auf Will Vespers ›Das harte Geschlecht‹, aus dem ich 1944 in der Schule Passagen vorgelesen bekam. Womit ich ein Fenster in seine Vergangenheit öffnete: Er habe, als er in Dresden Architektur studierte, Vespers Tochter kennen gelernt und Gefallen an ihr gefunden. Einmal hat sie auf dem Tisch getanzt, sagte er. Noch aus Nürtingen hatte ich Wolfgang Weyrauch, dem Lektor bei Rowohlt, meine Fahnen geschickt, als Ankündigung für Kommendes. Weyrauch lud mich in das Verlagshaus in der Rabenstraße ein. Die Portiersfrau wies mich auf eine Bank unter der Treppe, ich möchte einen Augenblick warten, und nach einer Zeit, in der ich den aufgeregten Schriftsteller Heinrich Eduard Jacob kennen lernte, tänzelte Weyrauch die Treppe herunter, ganz in schwarzer Seide, bat mich in sein Zimmer, hielt sich und mich nicht lange auf, fand, meine Gedichte seien recht zarte Gebilde. Nach seiner Ansicht müssten Gedichte knallen, damit sie überhaupt Leser fänden. Als ich ihn einmal daran erinnerte, gab er lachend zu, damals einen zeitbedingten Knall gehabt zu haben.

Selbstverständlich regnete es, als Helmut und Ida mich zum Bahnhof brachten. Hat es tatsächlich geregnet? Es konnte gar nicht anders sein. Hier wird die Fiktion zu meiner Wirklichkeit. Ich hatte einen Freund gewonnen, mehr noch, den ersten Lehrer nach der Schulzeit. Wir begannen Briefe zu wechseln über Jahre, auch noch, als er mit seiner Familie nach Stuttgart zog, um dort am Süddeutschen Rundfunk die Redaktion Radio-Essay zu übernehmen. Briefe, die selbst im Nachlesen »mantelvertraut« bleiben: »Hier war es uns«, schrieb er am 30. 9. 1953, »als Sie abgefahren waren, richtig etwas einsam zuerst. Ich denke doch, dass wir uns verstanden haben. (...) Hamburg hat Herbst. Manchmal sogar mit

Sonne. Ich bin durch die Spaziergänge mit Ihnen erst wieder deutlich darauf gekommen, dass es doch eine schöne Stadt ist. Auch wenn ich südlich möchte. Fräulein Warnholtz lässt auch recht herzlich grüßen, und es war ihr auch zuerst richtig sonderbar, als Sie weg waren.«

Herr Nies und die Zeitung warteten. Da die ›Nürtinger Zeitung‹, ungewöhnlich, jedoch nützlich, gegen Mittag erst erschien, begann der Dienst zwischen sechs und sieben Uhr früh und ging, nach einer längeren Mittagspause, bis fünf oder sechs. Danach mussten die diversen Abendveranstaltungen »wahrgenommen« werden. Großmama prophezeite entsetzt, ich würde dies mit meiner schwachen Konstitution nicht lange durchhalten.

Bruno Nies, der allerdings wenig und nur über die »wesentlichen« Dinge, Gemeinderatssitzungen, schrieb und die Kommunalpolitik auf andere Weise beeinflusste, standen zwei Redakteure, Fritz Maier und Eugen Schmid, sowie eine Sekretärin, Fräulein Anni, zur Verfügung. Dazu kam nun ich. Mir wurde ein Schreibtisch im Gang zwischen Redaktion und Chefredaktion zugewiesen, gleichsam im Niemandsland. Verbindungsmann zwischen dem Verlag im Vorderhaus an der Steinachstraße und uns im Hinterhaus spielte, virtuos und zugleich verwirrend, der Anzeigenwerber Kurry, eine Person, die im Lauf der Jahre und Jahrzehnte sich mythisch auswuchs, ein Flüchtling, ein Böhme, ein Sudetendeutscher, alles übertreibend und seine Geschichte stets neu und anders erzählend. Ein kleiner, phänomenal wendiger Mann, dessen auffallendes Gesicht aus lauter Knöllchen gemacht schien, mit Augen, die in Melancholie geradezu schwammen. Wir liebten ihn. Wir fürchteten sein Geschwätz. Ständig mussten wir erleben, wie er, »aus dem letzten Loch pfeifend«, unbedingt noch die vorletzten Gerüchte ausbreitete. Eine mögliche Version seines Lebens habe ich in ›Herzwand‹ erzählt. Er lebt seit Jahren nicht mehr.

Sicher bin ich pünktlich zur Arbeit gekommen. Ich wüsste jedoch nicht mehr, was ich am ersten Tag tat, hätte es nicht gebrannt, bei Greiner, bei Tante Lotte, in »unserer Fabrik«. Sie sollten schon dort sein, meinte Nies. Ich berichtete so anschaulich wie möglich. Zuerst redigierte Nies, dann Eugen Schmid. Sie mussten es mir zeigen. Danach schrieb ich den »Zweispalter« ins Reine, brachte das Manuskript hinüber in die Setzerei, fischte später das frische Blatt aus der Rotation, schlug es sofort auf, mit einer sich immer erneuernden Spannung. Dieses Ritual genoss ich, solang ich in Redaktionen arbeitete. Es sei ein gelungener Einstand, fanden meine Kollegen.

Dieses Ich, dieses noch nicht zwanzigjährige Ich ist mir fürs Erzählen zu schnell. Es spürt die Zeit nicht mehr. Es wird in sie hineingerissen, als wäre sie ein Raum, den es nicht mehr zu verlassen braucht, weil alles, was erfahren und erlebt wird, hineinströmt. Die Redaktionsräume werden zum Zentrum bei Tag und meist auch bei Nacht. Die Stadt wird zu ihrer Dependance. Ich verlasse die Redaktion, um in der Stadt Neuigkeiten zu erfahren, Vorträge und Konzerte zu hören, Interviews zu führen und alles zurückzubringen in die Zimmer an der Steinach wie eine Beute, die auch noch vorgeführt werden muss: ob sie dem Rudel genügt oder nicht. Nach Hause kam ich nur für fünf oder sechs Stunden. Die Frauen schliefen schon. Meinen hastigen, flachen Schlaf beherrschten Angstträume. Regelmäßig erschienen monströse Männer mit Nies' Stimme und gaben mir Aufträge, die ich nicht erfüllen konnte. Manchmal wachte ich auf, weil ich an der Angst zu ersticken drohte. Tagsüber schrumpften die Ängste. Ich redete sie mir aus. Ich vertraute mich Ruoff an. Er nahm mich nicht nur ernst, er wusste auch, weshalb ich mich ängstigte. Die Setzer, lachte er, kenne er ein halbes Leben, zu einigen habe er auch unter Hitler die Verbindung nie verloren, die Setzer legten meine Schüchternheit als Arroganz aus, wollten sie mir mit Spott austreiben. Das müsse ich aushalten. Wenn ich mich jedoch vor Leuten fürchtete, die ich interviewen sollte, sei mir nicht zu helfen. Dann fehle es mir an Selbstvertrauen. Ich könne doch was, sei doch wer. Der war ich schon nicht mehr, hatte ich am Sonntagabend Dienst und musste die handgeschriebenen Sportberichte – FV 09 Nürtingen gegen FC Eislingen – in Form bringen. Ich wurde zum stotternden Angsthasen, der den Auftritt des Verfassers erwartete, eines betrunkenen Vereinsmitglieds, das mir versprach, mich grün und blau und platt zu hauen, falls ich etwas an seiner Sicht verdrehte. Kerle, da kommsch nemme hoch.

Der geschlossene Raum, die sich unaufhörlich wiederholenden Sätze, die mir vertrauter werdenden Kollegen, die rasende, mich einschließende Zeit halfen mir und veränderten mich. Ich existierte in zwei Sphären, drinnen und draußen. Zu drinnen gehörte die Stadt als Arbeitsfeld, draußen erwarteten mich Mechthild und Ruoff, draußen ging ich, wenn auch selten, spazieren, draußen spürte ich die Zeit anders oder gar nicht. Immer dieses Ich, das ich sein möchte, das sich mir heftig entzieht. Ich. Ich. Ich kann das »Schiff«, auf dem die »eingebundene« Seite im Bleisatz liegt, nicht gerade halten und sehe zu, wie sie langsam wegrutscht, auf den Steinboden der Setzerei, sich auflöst in einzelne Zeilen und Buchstaben. Ich. Ich spüre Wut und Angst heiß in mir hochsteigen. Wie soll die Zeitung ohne diese Seite erscheinen? Wie schaffe ich es, sie noch einmal zu umbrechen? Wer hilft mir? Sie helfen mir alle. Sie machen sich lustig, putzen mich herunter, zwingen mich, mehr als eine Flasche Bier zu trinken, schieben mich hin und her, und ich fange an, die Niederlage zu genießen. Ich. Ich komme noch früher in die Redaktion, um allein für mich lesen zu können, Morgen für

Morgen – von einer ruhigen, knappen Sprache mitgenommen in eine Geschichte, von der ich mir wünschte, dass sie kein Ende findet. Die ›Neue Zeitung‹, die ich sonst erst in die Hände bekam, nachdem sie Bruno Nies keineswegs bloß gelesen, sondern »ausgewertet« hatte, brachte in Fortsetzungen ›Der alte Mann und das Meer‹ von Ernest Hemingway. »Alles an ihm war alt, bis auf die Augen, und die hatten die gleiche Farbe wie das Meer und waren heiter und unbesiegt.« Acht oder neun Tage fuhr ich mit dem Alten aufs Meer, so viele Fortsetzungen gab es, und kämpfte mit dem großen Fisch, bis zur letzten Folge, zum letzten Hemingway-Morgen. Wort für Wort las ich den Schluss. Ich wollte noch eine Weile bei ihm bleiben: »Er schlief noch immer mit dem Gesicht nach unten, und der Junge saß neben ihm und gab auf ihn acht. Der alte Mann schlief und träumte von den Löwen.« Es blieb mir noch Zeit, den alten Mann zu beweinen und mich, der ich diese unvergleichliche Geschichte hinter mir hatte.

Belehrt und aufgewiegelt von Bruno Nies, bin ich auf dem Weg zur Redaktion, geplagt von ungenauen Ängsten, denn mich erwartete der erste Druckerstreik nach dem Krieg. Unberechtigt nach Meinung meines Chefs, absolut unwürdig. Aber die Arbeiter, die vor dem Hof wachen und warten, kommen mir keineswegs unwürdig vor. Sie erklären mir, weshalb sie streiken. Es gehe ihnen besonders um eine Verkürzung der Arbeitszeit, eine faire Einteilung der Schichten. Das leuchtet mir ein. Ich bleibe bei ihnen. Nies packt mich am Arm, zerrt mich hinauf ins Verlegerbüro, zum alten Herrn Senner. Ich verletzte ein Gesetz, ich gehörte auf die andere Seite und stellte mir die Frage nach der Haltbarkeit von Seitenwechseln. Ich. Zum ersten Mal ruft jemand, wahrscheinlich Fräulein Anni, dieses Ich bei seinem Namen: Benjamin. Der Jüngste. Der hält sich nicht lang. Der passt noch nicht ganz. Wieder ist es Fräulein Anni, die den Namen findet und ausspricht: Jamin. Ich nehme ihn an, schreibe ihn um. Kurz nach dieser Taufe durch Fräulein Anni, die keine Ahnung hat, was sie anrichtete, beginnt YAMIN seine eigene Laufbahn, gewichtslos und fähig, der Zeit, meiner Zeit, zu entkommen:

> YAMINS einmaleins der hände
> niemand begreifts.

Endlich werden die Fahnen, die verschlissenen Vorzeigeblätter meiner ›poeme und songs‹ zum Bändchen. Vierhundert Stück werden gedruckt. Auf dem moosgrünen Umschlag, wie eingeritzt, eine der Figuren Ruoffs. Leonhard bittet mich, meine Belegstücke abzuholen, auch die für Ruoff.

Haben wir das verspätete Erscheinen gefeiert? Hochgestimmt war ich für ein paar Tage auf jeden Fall. Ein paar Exemplare wurden gewidmet. Helmut und Ida bekamen eines geschickt. Ruoff und natürlich Mechthild, der die Gedichte ohnehin gehörten. Nach längerer Zeit erschien eine kurze Kritik, von Heinz Piontek, in der vergessenen Zeitschrift ›Welt und Wort‹. Das Bändchen, das für mich gewaltig viel wog, kostete fünfzig Pfennig.

Ich hatte mich mit YAMIN vom ›trümmerclown‹ entfernt, schrieb den täglichen Bericht vom Wochenmarkt, notierte mir die Preise von Gemüse, Käse und Brot, vertrat mitunter auch die Kollegin von der ›NWZ‹, dem Konkurrenzblatt, Elisabeth Schittenhelm, eine stets in strengem Kostüm steckende, kräftige Person, die es vorzog, Frauen zu lieben, an mir jedoch einen Narren gefressen hatte, wahrscheinlich, weil ich wie sie die Spießer als Exoten provozierte. »sag was dich aufhält YAMIN.« Die Stunde nach Mittag verbrachte die Redaktion im Café Zimmermann, das mir einmal verboten wurde, vom Eigentümer selbst, der meine

Haare zu lang und zu unordentlich fand und mir befahl, sie sofort kürzen zu lassen, ordentlich zu kämmen, dem ich mich nicht widersetzte, ich wollte von niemandem je wieder vertrieben werden, wollte in der Runde bleiben, also krümmte und kämmte ich mich und kehrte zu Zimmermanns Zufriedenheit zurück, gefiel nur Fräulein Anni weniger, die den Langhaarigen, Verwilderten mochte. Dafür konnte Kurry, der unvermeidliche Kommentator, eine Rede über die Übel des allgemeinen Geschmacks halten, die das ganze Café einige Minuten lang in Atem hielt und danach weiter beschäftigte. »mon ami YAMIN/die legende des caféhauses am abend erzählt.« Wem? Auch Mechthild nicht. Ich behielt sie für mich, eine Geschichte, die ich ab und zu mitteilen, aber nicht teilen wollte. An den seltenen freien Abenden besuchte ich Mechthild, sie bereitete sich auf das Abitur vor, ich fragte sie ab, ungeduldig, weil es mir wichtiger war vorzulesen, oder ich holte sie am frühen Abend von der Klavierstunde ab, in einer Seitenstraße der Kirchheimer Straße, wo ich, da ihre Klavierlehrerin sie häufig länger aufhielt, auf und ab tigerte, aus Fenstern beobachtet, und die erwartete Rolle spielte, mit mir selber sprach, mir an den Kopf griff, mich um mich selber drehte, mal hüpfte, mal schlich:

> YAMIN ist ein schatten
> der sich dauernd dreht
> die lichter der kerzen bleiben fern
> die gesichter der mädchen sind
> kleine intermezzi falsch gespielt

Die ersten Echos kamen, YAMIN fand Anhänger, nicht nur von Ruoff, der mir bestätigte, einen Schritt weitergekommen zu sein, auch von Leonhard, der die Gedichte in einem Band sammeln wollte, und von Heißenbüttel, der auf jedes Gedicht postwendend antwortete, strenger als zur Zeit der poeme. Er hatte sich auf YAMIN eingehört und monierte falsche Töne: »Dies ist alles sehr gut, es ist ganz eigen und richtig. Es ist auch das Neue, die andere Stufe. Und wenn ich zurückblicke in dem, was ich hier habe, so sehe ich, dass es angefangen hat nach dem ›Brief an Pierette‹. Übrigens mag ich von den langen diesen ›Brief an Pierette‹ am liebsten, ich finde nur, es würde sich besser lesen, wenn ein paar Stellen herausgeschnitten würden, auf denen Seitengleise gelaufen werden.« Der »Brief« schmolz im Hin und Her zwischen Nürtingen und Hamburg zu einer Einsicht: »geh YAMIN/in den schritten/die du vergessen hast.«

YAMIN begleitete mich durch den Arbeitstag. Ich sammelte in Gedanken Zeilen, memorierte sie, ärgerte mich nicht, wenn dieser oder jener Vers verloren ging, dann konnte er nicht genügend haltbar gewesen sein. Fräulein Anni, die mich zum ersten Mal Yamin gerufen und mir den YAMIN geschenkt hatte, ein Vehikel, mit dem ich ausbrechen konnte, Fräulein Anni begann mit mir zu flirten oder ich mit ihr. Manchmal trauten wir uns rasche, etwas herausfordernde Wortwechsel zu. Mehr nicht. Nach meiner Vorstellung war Yamin ohnehin ein Unberührbarer, Flüchtiger. Schrieb ich morgens zwischen sechs und sieben meine Berichte über Kleingärtner, Vorträge oder Konzerte im Volksbildungswerk oder formulierte noch von der Polizei hereingegebene Mitteilungen zu Nachrichten um, vertrieb ich YAMIN notgedrungen aus meinem Kopf. Selbst zu Fritz Ruoff in sein Wohnatelier nahm ich ihn nicht mit. Obwohl er die ersten Gedichte begrüßt hatte. Da könnte ich fliegen lernen. Später, für den Umschlag des Bändchens, fand er eine Figur, die an einen Buchstaben erinnert, eine Hieroglyphe, die YAMIN unvergleichlich sichtbar macht. Doch jetzt, im Herbst 53, zog sich mein Freund Fritz zurück, verwirrte mich mit einem ausdauernden Schweigen. Jemand, sagte ich mir, musste den Empfindlichen gekränkt haben. Ich verdächtigte seine Freunde, vor allem Gries, der ihn bei seinen sporadischen Durchreisen mit Reden und Plänen aus der Fassung bringen konnte. Die anderen Gefährten, die Kommunisten, die Oberensinger, die im ersten Gemeinderat nach dem Krieg ein paar Plätze besetzten und den Nürtingern mit ihrer unerbittlichen Erinnerung auf die Nerven gingen, hatten sich von ihm entfernt. Ob er sich noch einmal mit ihnen auseinandergesetzt hat? Dass er mit seiner Partei gebrochen habe, erfuhr ich erst später. Er konnte mich Ahnungslosen nicht in einen Prozess hineinziehen, dessen Qualen und Widersprüche ich ohnehin nicht verstehen würde. Er hat die Nähe dieser Kameraden während der Hitler-Zeit gebraucht, ihren Idealismus, ihre Hilfsbereitschaft und parteiische Zuversicht. Sie hatten sich gegenseitig geschützt und ihre Gemeinsamkeit verschweigen müssen. Ein solches Leben lässt sich einfach zusammenfassen: Unter Hitler die Straßen seiner Stadt, die er nie für länger verließ, gekehrt und am Ende mit einem Ehrengrab bedacht. Ich besitze eine bleierne Figur auf einer alten Holzbohle befestigt. Er machte sie während des Korea-Krieges. Ein Ecce homo. So steht es auf der Rückseite des Bretts. Ich sehe den Torso auch als den Buchstaben seiner Hoffnung. Die reichte ungleich weiter als die meine und reichte doch nicht aus.

Jetzt, im Herbst 1953, schaffen es Bruno Nies und die Landespolitik, dass ich zum ersten Mal Stellung beziehe. Reinhold Maier, der erste Ministerpräsident Baden-Württembergs, muss zurücktreten. Mein Chef, der Christdemokrat der ersten Stunde, quittiert das mit donnernden Jubelrufen, und seine Redakteure senken die Köpfe. Fräulein Anni tippt um eine Spur intensiver. Ich widerspreche ihm. Vor allem seiner Voraussage, Parteifreund Gebhard Müller werde dieses Amt zu unserem Glück übernehmen. Die DVP halte er für einen Verein skurriler Lokalmatadoren, nicht aber für eine Partei. Der Maier habe Mut, finde ich, er gäbe es sogar dem Adenauer. Er habe einen Sinn für Freiheit, kenne sein Land, und einen alten Nazi könne man ihn auch nicht schimpfen. Sichtbar wächst Nies über sich hinaus. Das wirkt bedrohlich. Er putzt mich herunter. Ich Würstchen hätte keine Ahnung. Nicht vom Zentrum, nicht von den Christdemokraten. Der Heuss reiche nicht. Der habe auch für das Ermächtigungsgesetz gestimmt, werfe ich hastig ein. Worauf mir Nies jede weitere Widerrede untersagt und mich mit einem Leitartikel belehrt: Wer behauptet, die DVP profitiere von einem gewissen nationalen Ungenügen, weil die Besatzung ein Nationalempfinden unterdrücke, der ist von vorgestern. Lauter Käse! Sagen Sie mir bloß nicht, der Heuss, der Maier, der Pfleiderer hätten die Freiheit gepachtet. Lesen Sie lieber Naumann – aber ein Belletrist wie Sie meidet solche Lektüre –, dann erfahren Sie etwas über den Kleinhändlersinn dieser Freiheit. Im Übrigen hätte ich Sie nicht im Windschatten dieses Haufens erwartet. Sie frequentieren doch eher die Sprechstunden von Wilhelm Keil, dem alten Sozi. Damit sollten Sie fortfahren und sich den Maier aus dem Kopf schlagen, den alten Freimaurer.

Nicht der, sondern Gebhard Müller wurde zum Ministerpräsidenten gewählt. Mein Chef musste allzu große politische Unordnung nicht mehr befürchten.

Zweimal suchte ich in meinem ersten Jahr um Ferien an. Zwiefach erst bei Bruno Nies, danach drüben im Verlag bei dem alten Herrn Senner, der in seinem Ohrensessel uns alle repräsentierte, die Entscheidungen aber seiner Tochter überließ. Die eine Reise führte mich auf die Insel Norderney, die andere nach Hirschau bei Tübingen. Mechthild quälte sich schon länger mit einer Krankheit, die ihrem Vater, wie auch anderen Ärzten, Rätsel aufgab. Sie litt unter Kopfschmerzen, es wurde ihr immer wieder schwindlig, im rechten Ohr gab es ein Geräusch, einen sirrenden Ton, der durch nichts zu lindern war. Ihr Vater brachte sie nach Freiburg in die Universitätsklinik. Wir wechselten täglich Briefe. Die Diagnose der Ärzte war eindeutig. Nach einer Meningitis sei das eine Ohr zerstört. Sie wurde einer Fieberkur unterzogen, einer Tortur, die heute vermutlich nicht mehr angewendet wird. Die Ärzte schlugen einen Aufenthalt auf einer Nordseeinsel vor, für wenigstens ein halbes Jahr müsste sie sich von der Schule beurlauben. Es fand sich auch eine Möglichkeit, sie konnte in einem Erholungsheim für Diakonissen unterkommen und musste dort etwas aushelfen. Ich versprach ihr, sie so bald wie möglich zu besuchen. Ihr Vater gestattete mir das erst fürs Ende ihres Aufenthaltes. Da schwang die Hoffnung mit, die Distanz könnte uns auseinanderbringen. »Keine Furcht der Erde/kann uns bange tun./Sieh wie sanft die Pferde/Wang' an Wange ruhn!« Max Herrmann-Neisses Lied half beim Abschied.

Die kurze Reise nach Hirschau trat ich also früher an, und ich konnte Mechthild in meinen Briefen Neuigkeiten erzählen. KuLe, unser poetischer Verbindungsmann, der Zauberer, brachte im Büro am Esslinger Marktplatz zwei seiner Poeten zusammen: Johannes Poethen, einen Tübinger Studenten, der bereits in der ›Neuen Rundschau‹ Gedichte veröffentlicht hatte und dessen erster Band bei Bechtle für 1956 geplant war, und mich mit meinem grünen Heft und dem sich ankündigenden YAMIN. KuLes Magie wirkte nicht gleich. Poethen benahm sich, schien mir, wie einer, der sich auf einen Stapel eigener Bücher stützen kann, nicht großspurig, aber eigentümlich wendig. Das dunkle Haar hatte er glatt und glänzend nach hinten gekämmt, wie mein Vater. Er redete. Ich hatte schon nach dem ersten Satz den Verdacht, er versuche mich zu überreden. Er studiere bei Beißner, hörte ich Leonhard sagen, und Walter F. Otto, ergänzte Poethen. Das mussten Tübinger Berühmtheiten sein. Ich kannte sie beide nicht. Er sei Kölner, sagte Leonhard. Das musste es sein, was mir verdächtig vorkam. Diese pathetische Ironie! Ehe sich Poethen verabschiedete – er werde von Esslinger Freunden erwartet –, schaffte es Leonhard, dass wir uns verabredeten. Bald. Poethens Hirschauer Adresse hatte ich. KuLe drückte mir, wie immer, ein Buch für die Fahrt nach Nürtingen in die Hand, eine Anspielung, ein Hinweis. Eine Anthologie mit dem bemerkenswerten Titel: ›Mein Gedicht ist mein Messer‹. Von einem Hans Bender herausgegeben. Der Titel traf in meinem Gedächtnis auf einen Satz, der mich geärgert hatte: Heute müssen Gedichte knallen. Weyrauchs Satz. Und verblüfft sah ich, dass Weyrauch, der wie andere Autoren, auch Poethen, eines seiner Gedichte interpretierte, seinen Beitrag so überschrieben und dem Buch seinen Titel geliehen hatte: Mein Gedicht ist mein Messer. Poethen schrieb anders, kühl und kühn und, wie ich empfand, »rheinisch«. Er stellte sich in ein »Labor der Träume«: »In einem Labor wird bewußte und möglichst korrekte Arbeit getan; Träume verlaufen unbewußt und nicht korrigierbar. Das Gedicht nimmt an beiden Sphären teil. Es kommt ungerufen, seine Gestalt ist vorher bestimmt mit der kaum konstruierbaren ersten Zeile; und doch gelingt es selten ohne Bewußtheit und Korrektur.«

Ehe mir Nies für eine Woche frei gab – ich hatte aufgeschnitten, behauptet, Vorlesungen von Beißner und Otto besuchen zu wollen –, kam er überraschend noch einmal zurück auf meine Parteinahme für Reinhold Maier. Ich saß vor seinem Schreibtisch. Er schaufelte mit einem großen Löffel Bullrichsalz aus dem ehemaligen Marmeladenglas, schluckte es, ohne die Miene zu verziehen, und sagte mit vollem Mund: Maier. Ich erwartete, dass er zu schäumen beginne. Er schluckte und fuhr fort: Solche bizarren Figuren wie der können sich mit Adenauer nicht messen. Sie haben kein Programm. Sie kläffen. Mir wäre es lieber gewesen, der Altbadener Wohleb hätte seine Stelle eingenommen, ein Politiker mit Phantasie und Haltung. Er erwartete, das war mir klar, von mir eine scharfe Antwort. Aber über die Wiederholung des Namens Wohleb kam ich nicht. Er brachte es fertig, ein fragmentarisches Gespräch dennoch abzurunden: Ich warne Sie. Eine journalistische Regel verbietet es uns, mit Namen zu spielen, sagte er und wünschte mir eine anregende Woche.

Poethen holte mich am Bahnhof in Tübingen ab. Er erschien mir kleiner als bei unserer ersten Begegnung, doch ebenso wendig, rheinisch. Ein Poet mit der Gestik eines Oberkellners. Ich beschloss, noch bevor wir uns auf den Weg nach Hirschau machten, ihn nicht mit Heißenbüttel zu vergleichen. Es brauchte nicht länger als einen Nachmittag und einen langen Abend, dass ich ihn mochte, liebte. Ich musste seine Umgebung kennenlernen. Die armselige Wohnung in dem Haus am Dorfrand, Toni, seine wortkarge, in ihrer Strenge für jeden Anflug von Wärme anfällige Frau, Magdalena, die kleine Tochter, ein Dorfkind mit dünnen schwarzen Zöpfen und aufmerksamen, fragenden Augen. Dazu die allgegenwärtigen Katzen, Schuscha und Minka, die mitredeten.

Wir alle waren arm, anspruchslos, nur gab es deutliche Unterschiede. Heißenbüttel lebte bescheiden, dennoch wäre ich nicht darauf gekommen, ihn als arm anzusehen, vielleicht weil es einen opulenten Hintergrund gab, der durch Fräulein Warnholtz vertreten wurde. Mechthilds große Familie und ihr wechselnder Tross bewegten sich mitunter am Rande der Bedürftigkeit, doch der Doktor hatte sein Einkommen und wurde auf den Dörfern mit Naturalien beschenkt. Wir besaßen so gut wie nichts, beide Tanten arbeiteten jetzt, und ich konnte mich mit meinem Volontärsgehalt über Wasser halten. Ruoffs Kargheit erschien mir selbstverständlich. Die drei in Hirschau hingegen bestanden auf ihrer Armut, der Existenz am Rande (nicht nur des

Dorfes), auf ein beinahe spielerisch durchgehaltenes Elend. Der Gast musste sich nicht bedürftig fühlen, beschämt, im Gegenteil, er wurde in das Spiel einbezogen, mit nichts oder so gut wie nichts einen Haushalt zu führen, in dem der Salat aus dem Garten häufig als Spinat auftrat, in dem Wurzeln, Sauerampfer, Löwenzahn delikat zubereitet wurden, Knödelchen sich mit unbekannten Gewürzen brüsteten und es eine Grundnahrung gab, die nie ausging: Brot und Rotwein. Übereck standen im Wohnzimmer um einen niedrigen großflächigen Tisch zwei Liegen. Toni räumte dem Gast ihren Schlafplatz und zog zu Magdalena. Sie ließ sich ohnehin wenig sehen. Das Zimmer wurde zur platonischen Höhle, allerdings mit einem korrigierenden Blick aus dem Fenster, auf den grünen, schwungvollen Hang hinauf zur Wurmlinger Kapelle. Johannes nahm mich auf und breitete sich aus. Sein Wissen, seine Freundschaften, seine Poesie. Dies alles in einem den Tag und die Nacht füllenden endlosen Satz, den er anfangs allein bestritt und in den ich mich allmählich einmischen durfte. Die Ottosche Götterlehre beherrschte die Rede ebenso wie Beißners manische Strenge im Umgang mit den Versen Hölderlins. Es ereigneten sich lauter kleine Epiphanien. Ob sich der Fürst des Fests offenbarte oder die »tanzfrohen Nymphen, die von dem hohen Felsengipfel schreiten, den Pan anrufen, den Weingott in wallendem Haar«. Wir tanzten nicht, wir lagen. Brachen wir zu einem längeren Gang auf, dann mit einem Ziel: dem Laden in der Nähe des Schimpfecks, in dem es billigen Rotwein und schwarzen griechischen Tabak gab, dessen Teerablage ich noch heute auf dem Gaumen schmecke. Es gelang mir, dem Poethenschen Pathos zu widerstehen, ohne dass der endlose Satz riss. Deklamierte er Stefan Georges ›Herr der Insel‹ – »die fischer überliefern dass im süden/auf einer insel reich an zimmt und öl« –, sprang er aus dem Bett, las er eines meiner Gedichte, blieb er ostentativ liegen. Er besaß ein gutes

Ohr für zu laute Adjektive. Drei Tage und Nächte, angeregt von Götternähe, Zitaten, artistisch gespieltem Streit über gelungene und misslungene Zeilen, genügten mir, eine brüderliche Nähe zu empfinden, eine Zärtlichkeit, die auf Distanz hielt. Erst heute kann ich die emotionelle Spannung definieren, erst nach dem Tod des Freundes. Es ist ein inzestuöser Eros gewesen, dem wir uns, der eine mehr, der andere weniger wissend, ergaben. Johannes war mir überlegen. Die frühe Veröffentlichung einiger seiner Gedichte in der damals noch in Stockholm erscheinenden ›Neuen Rundschau‹ hatte ihn unter Literaten und Redakteuren bekannt gemacht. Ein Junge aus Köln, der von dem legendären Redakteur der ›NR‹, Rudolf Hirsch, gefördert wird. Natürlich gelang es ihm auch in Tübingen, die feinen Fäden seines Ruhms kreuz und quer zu ziehen, Verbindungen zu Dichtern zu schaffen, zu einer Zeitschrift, ›Lyrische Blätter‹, die von einem dichtenden Jungsozialisten, Reimar Lenz, herausgegeben wurde. Seine Pamphlete wechselte er regelmäßig in einem Schaukasten an der Wilhelmstraße. Wer auf dem Weg zur Neuen Aula war, musste sie lesen. Regelmäßig wurde die Glasscheibe zerschmettert, das aufsässige Blatt aus dem Kasten gerissen. Attacken, die Lenz und seine Freunde stolz stimmten. Poethens Widerstand gegen die Politik Adenauers, in der Vergesslichkeit und Gewinnstreben ein erfolgreiches Bündnis eingingen, kam eher aus einem konservativen Grund. Das »Unreine« widerte ihn an. Lenz rang mir nicht nur Achtung ab, weil er die rechten studentischen Verbindungen angriff, mehr noch durch eine sensuelle Art von Wagemut: Er wohnte eine Zeitlang im Anthropologischen Institut auf dem Schloss, unter lauter Schädeln, Knochen und Gerippen.

Ich besuchte Johannes sooft ich frei hatte. Schuscha und Minka stellten sich auf mich ein. Johannes und ich fanden unsere Sprache, in der die Diminutive das Pathos unterhöhlten, wir uns George und Hölderlin ohne Höhenrausch nä-

herten, und nahmen unsere Gedichte auseinander wie Steck-
spielzeug.

Magdalena und Toni wurden mehr und mehr einbezogen
und wunderten sich über nichts. Beißner und Otto beherrschten noch immer den »unteren Himmel«. Johannes
nahm mich einige Male mit in deren Vorlesungen. Ich fühlte
mich falsch unter den Studenten, beneidete sie etwas um ihr
Privileg, legte Wert auf unsere Spielregeln, die nichts mit der
Universität zu tun hatten, die allem Studieren überlegen
waren. Wir verkehrten mit den Göttern ohne gelehrte Anleitung und brauchten den Sozialistischen Studentenbund
nicht, um zu den gleichen Ansichten zu kommen wie Reimar Lenz. Wir waren als Dichter ausgewiesen. Mit Johannes
mischte ich mich unter die tobende Meute des Künstlerballs
im Museum, probierte aus, ob Yamins Tarnkappe funktio-
nierte. Wir ließen uns zu einem Viertel Wein oder einem
Schnaps einladen, es gelang mir, Johannes eine seiner Damen
auszuspannen, wie der Lump am Stecken zu tanzen, mich
als Bruder von ihm auszugeben, was der wiederum legiti-
mierte, indem er mich konsequent »Brüderchen« rief (und
ich ihn »mein Alter«, was er Jahre später, redete er mich an,
übernahm), bis ich in bübischem Stolz feststellte, betrunken
zu sein, ohne mir verloren zu gehen von einer Schauspielerin
auf den Gang geschleppt wurde, was Johannes sorgenvoll
beobachtete, sie einen Walzer mit mir versuchte, mich um-
schlang, küsste, den Rock lüpfte, eine lange wollene blaue
Unterhose bloßlegte, die nur das Wahnbild eines Besoffenen
sein konnte, eine handgestrickte Blaue, die Johannes und
mich von da an eine Weile beschäftigte, mit deren Hilfe wir
unseren monomanen Dialog bestreiten konnten, ohne dass
die Dame mich zur Rede stellte, im Gegenteil, sie verfolgte
mich, das Brüderchen, aber auch meinen Alten, weiter, anscheinend genügte ich ihr nicht alleine, sie trachtete uns
beiden, wie Johannes sagte, nach den Peniden, und wir ent-

schlossen uns zu gemeinsamer Keuschheit, die wiederum
nicht nur der Dame unkeusch vorgeführt wurde, wir umarmten uns, demonstrierten, dass wir, gehe es um die Liebe,
mit Frauen nichts im Sinn hätten, und Johannes ging so weit,
mir ins Ohr zu beißen, krümmte sich vor Lachen, und der
verquere Augenblick schenkte uns eine Gemeinsamkeit, die
wir uns unter anderen Umständen wahrscheinlich nicht gestanden hätten, ein Glück, die Welt in Erstaunen zu verset-
zen und herauszufordern, Liebende einer anderen Art, Brüder aus einer Haut. Bis in den Morgen, bestimmte Johannes,
bis in den Morgen, versprach ich ihm. Er entließ mich von
neuem, pass auf dich auf, Brüderchen, rief er mir nach, trink
mir nicht zu viel, und zog mich aus dem Saal, wir taumelten
die Treppe hinunter, wo habe ich mein Fahrrad, fragte er
sich, fragte er mich, das Rad lassen wir stehen, wie soll ich
dich Trunkenbold ausbalancieren, fragte er mich, fragte er
sich, und wir liefen nach Hirschau. Das ist kein langer Weg.
Wir hakten uns untereinander ein, tauschten Wärme aus,
warfen uns gegenseitig unsere Scheißgedichte vor, verspra-
chen uns, von nun an bessere zu schreiben. Kein Wort über
YAMIN, bat ich ihn, und er schwor, in diesen Seelenbalg
nicht zu stechen. Wir brauchten die ganze Breite der Straße,
Autos waren damals so gut wie nicht unterwegs. Wir umarmten uns alle hundert Meter, legten die Gesichter aneinander und wünschten uns, dass der Morgen auf sich warten
lasse. Nur sprang uns das frische Licht schon an, und als
Minka und Schuscha die Betten räumten, wusste ich, ich
weiß es jetzt, dass Aufbrüche sich auf Dauer nicht fortsetzen
lassen. Wir schliefen, redeten uns aus dem Schlaf, wiederholten, was wir erlebt hatten, verhöhnten die Parteispießer, die
Patentchristen, die anmaßenden Dichter und intellektuellen
Arschklemmer, die Kommunistenfresser und die scharfen
Weiber, mit den dunkelblauen Unaussprechlichen, ach Brüderchen.

KuLe gelang es, meine beiden »großen Freunde« zusammenzuführen in einem Treffen der Bechtle-Lyriker. Wolfgang Bächler kam noch dazu und der Sachse Dieter Hoffmann. Die winzige Lektoratsstube hätten wir gesprengt. So trafen wir uns unterm Marktplatz in dem Keller der Sektfirma Kessler, in einer Art Probiernische, und feierten, ich weiß nicht mehr was. Vielleicht schon den Anfang vom Ende des Verlags. Auf alle Fälle unseren zarten Hexenmeister, den Dompteur zukünftiger Verse, KuLe, der uns mit Michaux und seinem Monsieur Plum bekannt gemacht hatte, das erste Buch von Peter Weiss bei Bechtle veröffentlichen wollte und an Suhrkamp verlor, der mit einem jungen Dichter eben wieder, für S. Fischer, Michaux übersetzte, mit Paul Celan, sagte er. Den lernte ich ein paar Wochen später kennen.

Gespannt verfolgte ich, wie meine beiden Dichter, Johannes und Helmut, miteinander auskamen. Ohne Sekt und mit Sekt. KuLe überredete uns alle, sprach von seinem lebenslangen Umgang mit den Bildern Cézannes, und am Ende schien es mir, als lägen die Äpfel, die Cézanneschen Äpfel, vor uns auf dem Tisch. Jeder legte nach seinem Geschmack und Kunstverständnis sein Äpfelchen dazu, und keiner von uns musste sich mehr auf seine Verse stützen, sich mit dem andern messen.

Ich unterbreche mich. Ich brauche jetzt drei Bücher, drei Erinnerungstafeln. Ich lege sie nebeneinander. Die Jahre haben Spuren auf den Einbänden hinterlassen, das Papier ist etwas mürbe geworden.

Helmut Heißenbüttel: Kombinationen, erschienen 1954.

Peter Härtling: YAMINS STATIONEN, erschienen 1955.

Johannes Poethen: risse des himmels, erschienen 1956.

Helmut schrieb mir in sein Buch: »Für Peter Härtling (und für Yamin) – la tristesse rembourse (Michaux) – Depression zahlt sich aus. 21. 10. 54. H. H.«.

Johannes schrieb mir in sein Buch: »Literatur ist ... bis

auf die knochen abmagern machende inbrunst für ein intellektuell emotionales Ziel. Robert Musil. – Dir, Peter Härtling, dem bruder im labor der träume, dir mit der hoffnung auf viel gemeinsamkeit während der strassenflucht. Dein Johannes Poethen. im februar 56«.

Was schrieb ich in mein Buch für Helmut, für Johannes?

Wir sahen uns über die Jahre und entfernten uns voneinander. Ich fing an, Romane zu schreiben; den ersten, ›Im Schein des Kometen‹, wollte mir Helmut ausreden, er sei nicht mehr als eine Etüde, den zweiten, ›Niembsch oder der Stillstand‹, besprach er voller Zustimmung. Johannes schwieg. Die Kraft des Aufbruchs verbrauchte sich allmählich. Helmut starb 1996 in Glückstadt. Ein Jahr zuvor hatten wir uns auf Juist getroffen, zu viert, Ida, Mechthild, er und ich. Nach zwei Schlaganfällen saß der große schwere Mann im Rollstuhl, wortlos und reglos, doch einmal in vierzehn Tagen brachte ich ihn zum Lachen. Ich habe vergessen, womit. Er lachte, und mir schien es, wir hätten zwei Wochen pausenlos miteinander gesprochen. Zu seiner Beerdigung konnte (und wollte) ich nicht fahren. Ehe Johannes sich verabschiedete, trafen wir uns im Stuttgarter Schriftstellerhaus, um von uns zu erzählen. Noch einmal erhitzte uns der Anfang, und sein Schwung übertrug sich auf die Zuhörer. Brüderle, sagte Johannes, als wir uns verbeugten. Er drückte seine Schulter gegen meine. Vorsichtig. Nicht wenige Jahre hatten wir ohne einander verbracht. Ein paar Karten, selten Briefe. Und Telefongespräche, von Berufs wegen, wenn der Redakteur beim Südfunk sich meldete. Mein Alter, antwortete ich ihm, leise. Am 18. Mai 2001 wurde er in Stuttgart beerdigt. Ich rief ihm, neben anderen, nach. Vorher hatte ich in den Hirschauer Briefen gelesen. Es fiel mir nicht schwer, den spielerischen und dabei kinderernsten Ton anzuschlagen, den wir gefunden hatten, um in einer Haut zu stecken. Mit seinen Versen verließ ich ihn (und nahm ihn mit):

wir wollen uns jetzt erinnern
jetzt erinnern wir uns
hier und jetzt und hier

setzen wir uns doch zusammen.

Die Freunde fehlen mir. Noch sind sie mir so nah, dass ich ihre Stimmen im Ohr habe. Ich kann sie, wenn ich ihre Gedichte lese, hören. Es bleibt jedoch ein dauerhafter Schmerz, da dieser Anfang, dieser Aufbruch, in dem ich atmen, leben, lieben, schreiben lernte, ein Ende hat. Ich kann nicht mehr fragen: War es so, mein Alter? Oder: Kannst du mir auf die Sprünge helfen, Helmut?

Das Ich, das sich mit YAMIN aufmachte, davonstahl, findet sich plötzlich wieder, nicht älter geworden, noch immer um die zwanzig, diesseits der Grenze, indem das alt gewordene Ich die Manifestation des Anfangs einsammelt.

Den Tanten gelang es, endlich eine »richtige« Wohnung zu ergattern, nachdem sie monatelang, abwechselnd, das Büro einer Wohnungsbaugenossenschaft belagert hatten. Wir zogen um in die Achalmstraße 34, in ein Mietshaus, das zu einem umfangreicheren Wohnblock gehörte. Drei Zimmer, Bad, Küche und ein tischgroßer Balkon. Vermutlich habe ich mich vor dem Umzug gedrückt. Meinen Schlafplatz bekam ich zugewiesen, wie Lore auch. Wir hatten uns daran gewöhnt, unsere Höhlen erst zu bauen, wenn wir den Ort kannten.

Ich bereitete, ohne mich den Frauen anzuvertrauen, ohnehin meinen Absprung vor. Inzwischen wohnte ich mehr oder weniger in der Redaktion, von der aus das Arzthaus in der Marktstraße rasch zu erreichen war. Bis Mechthild, um die Folgen der Meningitis zu lindern, an die Nordsee, nach Norderney aufbrach. Wir schrieben uns beinahe täglich, erzählten wenig, beteuerten uns viel.

Aus Tegernsee erfuhren wir, die Dresdener Großmama sei gestorben. Ich sah sie, eine gebrechlich gewordene Papagena, Vogelfuttertütchen füllen. Als Dresden brannte, lief sie allein und ohne Hilfe durchs Feuer. Tante Käthe wunderte sich über die Heftigkeit meiner Trauer. Ich konnte ihr nicht erklären, dass mit der alten Frau, die ich seit Jahren nicht mehr gesehen hatte, der letzte Rest von Mutters Leben dahingeschwunden war.

Yamins Buch nahm allmählich Gestalt an. KuLe nahm sich vor, das Nachwort zu schreiben. Ich war nun sicher, dass er mich ernst nahm.

Fräulein Anni, die Yamin mit einem Zuruf geweckt hatte, meldete ihre Ansprüche an. Sie veränderte sich, brüstete sich nicht mehr mit nie gesehenen Freunden, die sie sonntags zu einer Fahrt im Cabriolet mitgenommen hatten, wies meinen Wunsch, rasch einen Zweispalter diktieren zu dürfen, nicht mehr zurück, verwickelte mich in Gespräche, fragte mich aus, da redeten zwei Flüchtlingskinder aufeinander ein, sie aus der Batschka, aus Ungarn, ich aus Olmütz, aus Mähren. Sie wohnte nur einen Steinwurf von unserem Haus in der Achalmstraße entfernt. Einmal lud sie mich ein. Wir vermieden es, uns zu berühren, aber unser Atem wurde kürzer. Dieser Besuch blieb der einzige. Yamin gehörte in die Redaktion. Als sie zum ersten Mal ihre Hand auf meine legte, genoss ich meine Erregung und dachte zugleich, Mechthild müsse die Berührung in der Ferne spüren. Fritz Maier, Peter Simpel, vor allem Kurry entging unser Flirt nicht, sie nahmen spöttisch und aufmunternd teil, trauten uns bei weitem mehr zu, als wir uns trauten. »nichts was du greifst YAMIN«. Fräulein Anni ließ mich mit jeder Geste, jeder Anspielung und jeder Berührung wissen, dass sie Yamin liebe und nicht den knochendürren Volontär. Sie hatte nicht die Absicht, ihre Liebe mit dem Leben zu vergleichen. Dennoch kam sie mir nah – als Flüchtlingsmädchen. Sie roch, fand ich, sehr vertraut. Brach ihr der Schweiß aus, entwickelte sich ein Duftfilm, den ich kannte, und den ich geradezu heimwehkrank einsog, herb, beinahe bitter, Knoblauch und Paprika, Tomaten, die Bitterstoffe der Nachtschattengewächse. Tagelang blieben wir unzertrennlich, hielten Hof im Café Zimmermann, und keiner verstand es, hintersinniger und lärmender den Hofnarren zu spielen, als Kurry, wir gingen abends tanzen, aber am liebsten zogen wir uns in die Redaktion zurück, gerade weil wir dort nicht für uns waren, sondern umgeben von Fritz Maier, Peter Simpel, den aus seinen Tiefen aufstoßenden Bruno Nies und Kurry. Dass ich mich über Fräulein Anni beugte, um ein begonnenes Manuskript zu lesen, dass sie mir bei einem Gang durchs Büro Blicke zuwarf, dass sie mir unaufgefordert eine Tasse Kaffee brachte, genügte den anderen, uns eine Liebe zuzutrauen, die wir uns nicht zugestanden.

Ich bin mir nicht sicher, wann ich nach Norderney reiste. Mechthild hatte das halbe Jahr am Meer fast aufgebraucht. Sie habe, schrieb sie mir, für mich bereits eine Unterkunft gefunden, nahe bei ihrem Schwesternhaus. Ich müsse nicht viel dafür ausgeben. Zum ersten Mal stand ich auf dem Deck eines Schiffes, an der Reling. Ich fror. Sie erwartete mich am Abend, hatte sich für mich freigenommen, und ich redete mir für einen Augenblick ein, die Insel habe sie mit ihrer Sonne, ihrem dauerhaften Wind verändert, bis wir uns umarmten.

Ich – dieses Ich aus dem Yamin kann ich nicht nach dem Alter fassen. Es hinterlässt kaum einen Widerstand in meinem Gedächtnis. Auf der Insel kommt es voller falsch eingeredeter Erwartungen an. Voller uneingestandener Eifersüchte.

Ich bestand darauf, gleich baden zu gehen. Mechthild versuchte mir diesen Wunsch auszureden, ich müsse mich an das Klima gewöhnen, die lange Reise habe mich bestimmt nicht gestärkt. Wir hielten uns aneinander fest, liefen gegen den Wind, in die Dünen, zogen uns aus, beschwerten die Kleiderhäufchen mit Sandbergen, eine Gewohnheit, die ich über Jahre nicht aufgab, ein Kinderritual, und rannten Hand in Hand ins Meer. Ich stürzte in die Wellen, Haut und Knochen zogen sich zusammen. Als Mechthild aus dem Wasser ging, blieb ich, spielte den Standhaften, gefror bis ins Mark, zählte die Sekunden meines albernen Übermuts, stakste schließlich aus dem Wasser, schaffte es kaum bis in die Düne. Ein Schüttelkrampf warf mich in den Sand. Mechthild lachte, das Lachen verging ihr. Ich fiel bebend auseinander. Jeder Knochen rüttelte für sich. Die Haut drohte zu reißen. Meine Zähne schlugen aufeinander. Mechthild wickelte mich in ihren Bademantel, umarmte mich, legte sich auf mich, schickte ihre Wärme aus. Es half nicht.

Die Woche, die wir miteinander verbrachten, konnte meinen Verdacht, einer habe mich in dem halben Jahr vertreten, mir nicht nehmen. Eine Fotografie verstärkte ihn. Sie saß im Sand in einem weiten Kleid und einen Hut auf dem Kopf. Sonst trug sie nie Hüte. Jemand hatte sie aus dem Stand fotografiert. Dieser Blick tat mir weh, er hielt eine unerlaubte Besitznahme fest. Aber ich sprach nicht darüber. Wir lasen miteinander die Briefe Mörikes an Luise Rau, die Briefe eines Bräutigams, der keiner sein wollte. Ich liebte sie. Der Abschied schloss ihre Heimkehr schon ein.

5

Abschiede und Aufbrüche

Meine Volontärszeit näherte sich ihrem Ende. Bruno Nies erläuterte mir umständlich, die Zeitung brauche keinen weiteren Redakteur. Ich würde meine Gaben hier vergeuden. Er habe sich mit meinem Verleger Bechtle in Verbindung gesetzt. In der ›Esslinger Zeitung‹ könnte ich weiterkommen, besonders im Feuilleton.

Fräulein Anni versuchte wehmütig, Yamin zurückzurufen. Wir verbrachten Silvester 1954 trinkend und tanzend, unter der sprunghaften Anleitung Kurrys, der uns die Liebe einredete und auch wieder aus, ein alt gewordener, unerhört frivoler Cupido.

Aus Esslingen wurde zu meiner Verblüffung Heidenheim an der Brenz. Bechtle vermittelte mich. Die ›Heidenheimer Zeitung‹ verfüge, wie auch die ›Esslinger Zeitung‹, noch über eine Vollredaktion, und ich könne in allen Sparten lernen. Ich nahm an, fuhr zur Vorstellung mit dem Zug bis Göppingen, von dort mit dem Bus über Weißenstein auf die Ostalb, das Härtsfeld, eine unten im Neckartal verschriene Gegend, in der Spracharme dahinvegetierten und Gäste aus dem Unterland ständig frören.

Ein Professor Kliefoth fragte mich nachlässig ab. Er habe von seinem Kollegen Bechtle erfahren, dass ich bald mit einem Gedichtband herauskomme. Dass er Kollege durch Zufall und die Entscheidung der amerikanischen Besatzungsmacht geworden war, erfuhr ich erst später. Er, Physiker aus dem Norden, empfahl sich als Lizenzträger und wurde es. In seinem bescheidenen Zimmer stank es wie in einer Käserei. Er liebte Camembert über alles, ließ die Stücke, eingeklemmt ins Doppelfenster, laufen. Später schaute noch ein Herr Rees herein, ebenfalls Verleger, und erkundigte sich nach Bruno Nies. Der Redaktion wurde ich nicht vorgestellt. Der Arbeitsbeginn wurde festgelegt. Fünf Wochen blieben mir, mit neuen Gedichten und Mechthild. Auf der Rückfahrt hoffte ich, die beiden Herren würden widerrufen. Denn unversehens überkam mich Heimweh nach Nürtingen, dieses Kaff, das mich nie angenommen, oft genug abgestraft hatte, dem ich arrogant meine Fremde vorführte, ein ausdauernder Flüchtling. Plötzlich verspürte ich einen Wärmeschwall, einen Überfall naher Erinnerung, nie wieder würden drei Väter in einem nicht einberufenen Konzilium über meine Möglichkeiten und Zukunft beraten, nie wieder könnte ich meine Vergangenheit so entschieden verabschieden, wie mit dem Austritt aus der Schule, nie wieder würde Weibergeschrei so unvergleichbar über meinem geduckten Kopf zusammenschlagen, wie in der Neuffener Straße, nie wieder würde ich mir so viele Anfänge erlauben, die keine Fortsetzung brauchten.

Ich hatte also noch fünf Wochen.

Tante Käthe sortierte die Schlafplätze in der Wohnung an der Achalmstraße neu. Großmama sprach zum ersten Mal am Fenster stehend davon, in den neuen Waldfriedhof oben auf dem Berg umzuziehen. Fritz Ruoff ermunterte mich, sah sich in seiner Forderung bestätigt, dass ich raus aus dieser verdammten Enge müsse, die er ein Leben lang erlitten und gebraucht habe. Ralls luden mich zum letzten Mal zum Abendessen ein. Erich Rall und ich werden über die Jahre Briefe wechseln. Bei seinem Begräbnis werde ich zwischen Gräbern stehen, abseits von der Familie und den Lehrern. Mechthild diktierte ich Tag für Tag ein Buch, das der Verleger Neske aus Pfullingen bei einer zufälligen Begegnung anregte. Ich sollte Gedichte erklären, die ich liebte, ›in zeilen zuhaus‹. Mit Mechthild erlebte ich in Stuttgart ein Konzert, das in meinem Gedächtnis aufbewahrt bleibt, Clara

Haskil spielte, begleitet von Ferdinand Leitner und den Stuttgarter Symphonikern, Robert Schumanns Klavierkonzert. Auf dem alten Friedhof am Neckar gab es noch Mutters Grab, und der Fliederstrauch, der es schirmte, hatte sich zu einem Baum ausgewachsen. Bald wurde der Friedhof aufgelassen. Jahrzehnte später, als Tante Lotte in dem nahen Altersheim zu sterben begann, ging ich durch den von der brüchig gewordenen Mauer eingesäumten Park und fand nichts wieder, nicht das Grab und nicht den Fliederbaum. Besonders schwer fiel mir der Abschied von meiner Schwester. Wir hatten nie viel miteinander geredet. Sie hielt sich lange im Schutz der Frauen. Jetzt spürte ich, wie die vergangenen Jahre uns untrennbar verbanden, ich ihr Schweigen wenigstens in Bruchstücken nachsprechen konnte und dabei eine Nähe erfuhr, die mich aufwühlte. Aus ihrer leidenschaftlichen Trauer aber schloss sie mich aus.

Fräulein Anni überraschte mich mit einer neuen Liebe, ganz aus YAMINS Geist, einem Tigerdompteur, den ich mir auf Plakaten anschauen könne, ein göttlicher Mann. Ich plante, an jedem Wochenende nach Nürtingen zu kommen, versprach es Mechthild, bat die Frauen in der Achalmstraße, mir eine Bettstelle freizuhalten.

Dieses Ich verlässt zum ersten Mal und vielleicht auf Dauer den Ort, der es auffing und abstieß, in dem es »Helfer« fand – diesen Begriff lernte ich in seiner schützenden Macht später in einem Brief des vierzehnjährigen Hölderlin an seinen Lehrer Köstlin kennen, seinen Helffer – und nehme ihn nun in Anspruch für meine drei Ersatzväter; in dem die Tanten, Lore und Großmama Fuß gefasst hatten, in dem Mutter begraben lag und meine Liebste wartete. Es ist ein selbstbewusstes Ich, mit Einbrüchen von Melancholie und Angst, aber schlau und geprüft genug, um auf der Spur zu bleiben, nicht nachzugeben. Ich hatte vor, mir als guter Journalist den Freiraum für die Poesie zu erobern.

Wieder brannte es, als ich anfing. Kaum hatte ich meinen Platz zugewiesen bekommen, einen halben Schreibtisch hinter einem weiteren halben Schreibtisch, der dem zweiten Jungredakteur, Uli Renz, gehörte. Kaum hatte ich alle in dem großen Redaktionsraum hinter den Glasfenstern zur Druckerei eingeschüchtert begrüßt, schickte mich unser Chef, Dankwart Reissenberger, hinaus, zum Bahnhof, dort brenne ein Gebäude lichterloh, und gab den Auftrag ganz auf seine Weise: Also mindestens einen Sechsspalter, Härtling, möchte ich sehen. Womit er mich verwirrte. Die Seite hatte nur fünf Spalten. Mit dem Brand schaffte ich immerhin einen Zweispalter und ein verstecktes Lob Reissenbergers: Möglicherweise hätte ich in Nürtingen doch etwas gelernt. Die Anzeigenabteilung hatte mir bei der Familie Bahmann in der Martinstraße eine Bude beschafft, die mir in jeder Hinsicht günstig erschien, parterre, sodass ich mir notfalls auch über das Fenster Zugang verschaffen konnte. Im Winter blieb das Zimmer unbeheizt. Das Wasser in der Schüssel und im Krug bedeckte eine Eisdecke, die ich allmorgendlich mit der Zahnbürste aufhacken musste. Bahmanns zählten zu den kulturmächtigen Familien der Stadt, die an den jährlichen Festspielen auf dem Hellenstein mitwirkten. Damals wurden, soviel ich mich erinnere, noch keine großen Opern aufgeführt, sondern höchst melodramatische Heimatstücke.

Die Redaktion schien mir überragend und originell besetzt. Jeder hatte seine Qualitäten, schleppte schon eine Geschichte hinter sich her und hatte, wie es sich herausstellen würde, eine glänzende Zukunft vor sich. Dankwart Reissenberger – als ich antrat, Leiter der Lokalredaktion – kam unüberhörbar aus Siebenbürgen, konnte, wenn er Lust hatte, missratene Texte ungemein schnell und genau in Form bringen, brach danach allerdings in eine Klagearie aus über die Blödheit und Sprachunfähigkeit unserer Mitarbeiter, über ihren unnötigen Ehrgeiz und ihre ganz und gar unnötige Eitelkeit. So weit ging er bei Uli Renz und mir nie. Allerdings nötigte er uns, seine Ausbildung als Plage zu akzeptieren. Sonst blieben wir faulen Brüder auf halbem Weg hängen. Auch dies gelang mit seiner unverwechselbaren Didaktik: Uli und mich von Anfang an zu einem unschlagbaren Doppel zu verbünden, zu Freunden, die er in ihrem Eifer und ihrer Abwehr zu benutzen verstand. Seine Frau, Ingeburg, über die er sich mitunter aufregte, damit sie sich umso heftiger aufrege, war zu Beginn noch für das Feuilleton zuständig, beeinflusst und bedrängt von ihrem allmächtigen Vorgänger, Rudolf Kleemann, einem Königsberger, schwer von Eitelkeit, der auf seine Bildung hielt und seine Vergangenheit beredt verwischte, seinen Ruhestand nicht ertrug. Kleemann entdeckte mich bereits in den ersten Tagen, versuchte mich in seine Lehre zu nehmen, wäre Dankwart nicht aufmerksam gewesen und hätte seinen Plan durchkreuzt. Jede Woche trafen der Alte und ich uns einmal in einem Café, das einem vergrößerten Eisenbahnabteil glich, unterhielten und stritten uns über deine Dichter, meine Dichter und förderten die Unterhaltung durch einen beträchtlichen Konsum von Wodka. Einmal gelang es ihm mit seinem Alterskumpan Grüber, der beim Konkurrenzblatt tätig war, mich mit einem Gemisch von Rum und Wodka außer Gefecht zu setzen. Sein Triumph bestand darin, dass er noch reden konnte, was auch immer, ich nicht einmal mehr lallen. Die Redaktion, in die ich mich an den Häusern entlangschleppte, brachte mich innerhalb eines Nachmittags wieder auf die Beine, denn ich musste am Abend im Umbruch stehen. Dort hielt mein Lieblingsmetteur, Arthur Mailänder, ein Glas eingelegte Gurken auf dem Bleitisch bereit.

Reissenberger spielte mit Vorliebe den Zerstreuten, verbarg seine flinke, zupackende Intelligenz. Nimm dieses Foto und fahr auf dem Lineal in die Klischeeanstalt. Er ärgerte sich nicht lange über meine Brille, bei der es nur für das linke Auge ein Glas gab. Er brachte mich zum Optiker, ließ ein zweites Glas einfügen, hielt mir einen Vortrag über Manieren und Aussehen, die beide nichts mit meinem miserablen Gehalt zu tun hätten. Er half mir keineswegs aus, als er den Ratenvertrag mit dem Optiker besprach, stellte sich allerdings als Zeuge, möglicherweise auch als Bürge zur Verfügung. Meine Geldnot – ich musste die Hälfte meines Gehalts von 250 Mark nach Hause bringen, da Tante Käthe behauptete, Lore könne ohne diesen Zuschuss nicht studieren –, meine Geldnot brachte mich in gefährliche Situationen. Als ich zum zweiten oder dritten Male beim Metzger fünfundzwanzig Gramm Fleischsalat und ebenso viel Gelbwurst verlangte, drohte der, mir mit dem Beil den Kopf zu spalten. Notgedrungen ließ ich mich in größeren Abständen auf fünfzig Gramm ein.

Die politische Redaktion wurde von Wilhelm Greiner bestritten, dessen Redaktionszimmer sich am anderen Ende des Gebäudes befand, hinter der Maschinensetzerei und dem Fernschreiberraum. Er hielt auf Distanz, pendelte, langnasig und bleich mit durchgedrückten Knien und Hohlkreuz zwischen Schreibtisch, Fernschreiber, Setzerei und Mettage. Anfangs hielt ich ihn für blasiert. Er war eher scheu und fürchtete Auseinandersetzungen mit Redaktion und Verlegern. Seine Leitartikel schrieb er con sordino. Er hing, wie Dankwart, den Christdemokraten an, respektierte jedoch andere Meinungen, sogar auf beiden Seiten. Debatten gab es immer wieder, ausgelöst durch eine Meldung, einen Kommentar, heftige, meist nur kurze Wortwechsel zum Beispiel über den französischen Ministerpräsidenten Mendès France, der seinen Landsleuten die Milch schmackhaft machen wollte und den Indochinakrieg beendete, oder über den noch amtierenden Oberbürgermeister Heidenheims, der nicht ganz nach dem Geschmack der Konservativen regierte.

Meistens schlug ich mich auf die Seite der »Linken«, zu denen, neben meinem Freund Uli Renz, Johnny Klein und Erwin Roth zählten. Klein verstand sich als unser Verbindungsmann zu den Älteren, ein Tausendsassa aus dem Sudetenland, der Charme geradezu ausdünstete, in den besseren und besten Kreisen der Stadt verkehrte, uns auf Touren nach Nördlingen mitnahm, die stets in einer Bar endeten, in der ich Martini, White Lady und Prairie Oyster zu bestellen und zu trinken lernte, was mein Budget immer so schwächte, dass ich auf die Portokasse der Anzeigenabteilung zurückgreifen musste. Höchstens für drei Tage, dann musste ich die Schulden bezahlen. Johnny hielt sich für den führenden Reporter Heidenheims. Er begann alle seine Berichte stereotyp mit einem Landschaftsbild, selbst wenn er von einem Gefängnis oder einem Filmvorführer erzählte. »Blau strahlte der Himmel, die fernen Hügel konnten wir nur ahnen ...«

Erwin Roth nahm nach Reissenbergers Weggang dessen Position ein. Anfänglich hatte er noch für den Sport gearbeitet, unten im Parterre. Darum hatte ich unmittelbar nichts mit ihm zu tun. Dennoch fiel er mir gleich auf. Rundköpfig, klein, kräftig, mit einem leuchtenden Auge (das andere verlor er im Krieg) stellte er die kompakte Herzlichkeit dar. Altphilologe und katholisch, unprätentiös gebildet. Seine Sekretärin, seine spätere Frau, Marianne – Nane gerufen –, ging resolut mit uns beiden Buben um, half und regelte und maßregelte, wenn es drauf ankam. Von Erwin lernte ich, was ich glaubte schon gelernt zu haben: das Redigieren. Er fand in jedem Manuskript einen Kern von »mitgebrachter Sprache«. Den baute er gleichsam musikalisch aus. Jeder, der ihm seine armselige Arbeit überlassen hatte, war ihm dankbar. Johnnys landschaftliche Anfänge sparte er aus. Da benötige er einen Pinsel und keinen Bleistift.

Dass ich ein Dichter sei, nahmen die Kollegen ohne Spott

zur Kenntnis, legten aber keinen Wert darauf, meine Gedichte zu lesen. YAMIN würde mir in Gestalt des fertigen Bändchens folgen, bald, hoffte ich. Aber er wehte noch einmal anders vorbei. Fräulein Anni tauchte überraschend auf. Nicht meinetwegen. Sie rief in der Redaktion an, wohnte im feinsten Heidenheimer Hotel, im »Ochsen«, wo die Redaktion sich nur zu festlichen Anlässen traf. Die Wirtin, Frau Gleichauf, staunte über meine extravagante Bekanntschaft, eine Dame vom Zirkus, die sich aber, wie sie mir unmissverständlich klar machte, nicht mit jenen Gästen messen könne, die ich inzwischen in ihrem Hause interviewt hätte, den großen Schauspieler Albert Florath und den großen Clown Grock. Die Dame befände sich bloß in der Begleitung eines berühmten Tiger-Dompteurs. Wir aßen miteinander Mittag. Ich mochte sie, mochte ihren verrückten Traum. Sie sei, fand sie, meine Yamina. Das redete ich ihr aus. Sie habe mich als erste Yamin gerufen. Ich sei nicht mehr Yamin, der habe mich verlassen. Ich unterließ es, sie mit meiner neuesten, keineswegs poetischen Verwandlung bekannt zu machen. Der Weg zur Redaktion führte durch die Rotation, vorbei an der gewaltigen Druckmaschine, und jedes Mal wurde ich von den rauhen Rotationern mit frechen Zurufen begleitet. Von Anfang an machten sie sich über meine Brille und meine allzu langen Haare lustig. Der Langhaarige. Aus dem wurde im Haarvergleich mit dem französischen Tiefseeforscher Piccard, der »Pickart«. So bald von fast allen gerufen, sogar von Professor Kliefoth, entfernte ich mich mit einem Sprung von dem unfassbaren Yamin.

Mit Uli Renz unternahm ich eine lange, ergiebige Lesereise durch die amerikanische Literatur. Er brachte mir eine Broschüre von Alfred Kazin, in der ich die wichtigsten Hinweise fand. Ich lernte eine andere, ungewöhnliche Sicht auf Land und Menschen, Ausdrucksweisen, die »journalistisch« brauchbar schienen, und der amerikanische Film sorgte zusätzlich für Anschauung, Bilder, die wieder in die Sätze zurückkehrten.

Die Bücher, die ich mir kaufte, und die mir für mehrere Monate Raten aufluden, waren ›Gedichte und Prosa‹ von Oskar Loerke in zwei Bänden, ein wahrer Widerspruch zu dem amerikanischen Spleen. Der zweite wichtige Kauf, wiederum in Raten, bescherte mir eine flache, kleine Reiseschreibmaschine, die mich erst vor zwei Jahren mit einem Defekt erschreckte, die Hermes Baby. Von ihr und mir gibt es das treffendste Foto aus der Heidenheimer Redaktion, aufgenommen von dem Ungarn Joschi Frech, unserem Redaktionsfotografen: Ich sitze spätabends im Erker der politischen Redaktion am Schreibtisch Wilhelm Greiners und schreibe. Es könnte ein Gedicht sein. Ich könnte aber eben auch eine politische Nachricht neu formulieren. Noch immer bin ich sehr mager. Die Brille hat bereits zwei Gläser. Ich trage den Cordanzug, den ich mir noch in Nürtingen von einem böhmischen Schneider nähen ließ.

Nach dem Fortgang Dankwarts rückte die Redaktion zusammen, als könne sie ohne weiteres über seine Zynismen, seine Strenge, seine sonderbaren Verwirrungen hinwegkommen. Wir arbeiteten nun tatsächlich miteinander. Johnny begann sich allmählich von der Gewerkschaftsjugend zu entfernen; an die CSU verschenkte er noch keinen seiner politischen Gedanken. Oft setzten wir unsere Gespräche fort, zogen aus der Redaktion in die Wohnung von Erwin und Nane, rieben uns aneinander wie junge Tiere, stritten und rückten zurecht, soffen uns die Köpfe schwer, schliefen auf dem Boden, frühstückten und zogen wieder zusammen in die Redaktion, aufgehoben in einer Gemeinsamkeit, die ich danach nie mehr so intensiv und so unbeschwert erfuhr. Von Ingeburg Reissenberger übernahm ich die Feuilleton-Redaktion, durfte jedoch, so entschied Professor Kliefoth, nicht für sie verantwortlich zeichnen, da dies Redakteuren unter einundzwanzig von Gesetzes wegen nicht gestattet sei. Nachmittags verschwand ich meistens im Kino. Rudolf Prack, O. W. Fischer, Sonja Ziemann, Romy Schneider dominierten in Heimat- und Kaiserfilmen. In meinen Kritiken äffte ich den lieblichen Ton nach, plättete das Platte, was zur Folge hatte, dass der Kinobesitzer unserer Zeitung die Anzeigen entzog, Professor Kliefoth mich in sein Zimmer bat, um mich mit spätsommerlichen Camembert-Gasen zu betäuben und mir zu verbieten, mich kritisch zu äußern. Meine Aufgabe sei es, das Publikum durch Nacherzählung der Filme zu unterrichten. Ich erlaubte mir, diese Einschränkung als Zensur zu bezeichnen. Professor Kliefoth wiegelte mit einem sarkastischen Lächeln ab. Ich hätte keine Ahnung von Zensur.

Jedes Wochenend, womit ein Zeitungswochenend gemeint ist, Freitagabend und Samstag, da am Sonntag die ganze Redaktion die Montag-Ausgabe besorgte, drängte es mich nach Nürtingen. Anfangs mit dem Bus. Später fuhr ich auf der Redaktions-Vespa, die mich bei Regen und auf Pflastersteinstraßen regelmäßig abwarf. Solange ich auf den Bus angewiesen war, sorgte Dankwart für meine Wochenendangst. Er tat es mit einem verspielten Sadismus, dem ich nicht gewachsen sein konnte. Der Bus fuhr um sechs Uhr abends. Kurz nach fünf versuchte ich, mich aus dem Einflussbereich Reissenbergers zurückzuziehen. Es gelang mir so gut wie nie. Zumindest in Gedanken setzte er mir nach. Er vollbrachte außerordentliche telepathische Leistungen, befand ich mich bereits auf der Treppe zur Rotation, holte mich seine Stimme ein: Pickart! Ihn nicht zu hören, hätte ich nie gewagt. Lieber ließ ich mich auf den folgenden Zweikampf ein. Ich wendete auf dem Absatz, rannte in die Redaktion und erwartete den fast immer unsinnigen Auftrag meines Chefs: Also Pickart, diese Meldung ist zwar schon gesetzt, aber elegant formuliert könnte man sie nicht nennen. Wenn Sie die Güte hätten, sie in Form zu bringen. Das war noch zu schaffen. Ich könnte den Omnibus noch erreichen, das heißt, ihn vor dem Verlagsgebäude winkend abfangen. Aber wenn er von mir verlangte, unbedingt noch einmal in der Klischeeanstalt nach einem seit gestern verschwundenen Bild zu fahnden, musste ich das Spiel verloren geben, den Samstag in Heidenheim verbringen, Mechthild einen Brief schreiben.

In Heidenheim bin ich fast nie spazieren gegangen, obwohl mich die Umgebung anzog, die olivgrünen Hügel, aus denen der Wacholder wie schwarze Warzen wuchs. Ich fuhr hindurch, schaute sie an, fürchtete mich vor ihrer Einsamkeit. Ein einziges Mal kam ich der Gegend näher. In einem Steinbruch bei Giengen an der Brenz wurde die Leiche einer Frau gefunden. Sie war offenbar bei einer Verabredung umgebracht worden. Das Rad, mit dem sie gekommen war, lag nicht weit entfernt. Dankwart ordnete mich ab, es würde mir schon etwas einfallen zur Person, zum Milieu und möglichen Mörder. Nicht ohne Genuss nannte er noch den Namen des Polizeioffiziers, der die Untersuchung führte. Wir gingen ihm aus dem Weg. Seine Arroganz biss. Es gab Gerüchte, er sei schon im Krieg ein Ass gewesen, wahrscheinlich bei der Feldgendarmerie. Auf jeden Fall benützte er seine Verdrängungsenergie zu einer neuen einschlägigen Karriere. Den Tatort habe ich nicht vergessen. Joschi, der Fotograf, fuhr mich hin. Der Steinbruch riss die Grasdecke auf, ich sah vom Rand hinunter. Die Polizisten umkreisten, manchmal durcheinander geratend, einen leeren Fleck, eine bloße Stelle, den Ort, an dem die Tote gelegen hatte. Joschi fotografierte, bis ihn ein Polizist den schmalen Weg hochtrieb, schreiend und fluchend. Ein paar Mal bestellte mich der Polizeichef, wollte wissen, was ich wusste. Ich hätte ihm sagen können, dass ich mich wie in einem Traum bewege, in dem die Auskünfte ständig wechselten, und ich doch das

Gefühl hatte, mich einem Ziel zu nähern, einer Art Wahrheit. Er hätte mich nicht verstanden. Während ich die Geschichte in meinem Gedächtnis zu ordnen versuche – ich könnte Uli Renz bitten, mir die Zeitung von damals zu besorgen –, schäme ich mich eher über den dumpfen Eifer, mit dem ich Spuren verfolgte. Im Grunde wollte ich nur der Redaktion beweisen, was Recherche bedeutet. Joschi nahm daran teil, ein ungarischer Derwisch, von gelegentlicher Übellaunigkeit in seiner Hast gestoppt, er fotografierte, umrundete fotografierend mich und die befragten Personen. Ich besuchte den Pfarrer der Frau. Ihr Mann arbeite in Giengen bei Bosch. Sie führten eine ordentliche Ehe, erklärte der Pfarrer. Er habe sie getraut. Alles was er mir mitteilte, hatte einen doppelten Boden. Sie hätten sich Kinder gewünscht; der arme Kerle, sagte er. Ich fragte bei Bosch nach. Der Mann habe ein Alibi, die Steckkarte weise es aus. Ich nahm mir Mut, fragte die Kollegen des Mannes. In ihren Auskünften bekam die Tote ein neues Leben, sie sei sehr schön gewesen, es habe schon welche gegeben, die scharf auf sie gewesen seien. Da habe er sich gelegentlich aufgeregt. Aber in der frühen Stunde, in der sie ihr Leben verlor, arbeitete er. Das sei sicher. Vor Jahren habe ich über diesen Fall eine Novelle geschrieben, eine Kriminalgeschichte, und merke, wie die Erinnerung sich verdoppelt. Ich ließ von dem Verdacht nicht ab, verdächtigte den Mann, bezweifelte sein Alibi, fragte mich, weshalb die Polizei ihn in ihrer Untersuchung ausspare. Es könnte sein, dachte ich mir, er hat etwas gegen den Polizeioffizier in der Hand. Womöglich teilten die beiden eine gemeinsame Vergangenheit. Das versuchte ich herauszubekommen. Auf dieser Fährte wurde ich abgelenkt von dem Pfarrer, der mir riet, das Alibi doch noch einmal zu prüfen. Ich weiß nicht mehr, wie es herauskam. Der Freund des Mannes hatte für ihn gestochen. Ich stellte ihn nicht. Mit meinem Bericht war ich der Mordkommission um einen Schritt und ein paar Sätze voraus. Als der Prozess gegen den armen Kerl geführt wurde, hatte ich Heidenheim verlassen und Erwin saß im Gerichtssaal. Seither galt ich bei meinen Kollegen als Kriminalist, als der ich mich aber nicht weiter erproben wollte. Ich verschwand endgültig im Feuilleton. Ich nahm mir vor, über alles zu schreiben, obwohl ich über vieles wenig wusste. Auch über Konzerte, über Musik, mit der sich ein neuer Kollege beschäftigte, der in seinen Kritiken, wie auch immer abgestimmt, von Agogik und Dynamik faselte, der behauptete, in Kirchenmusik firm zu sein, und den ich für ganz und gar unmusikalisch hielt. Ich las und lernte. Wilhelm Kempff konzertierte, und ich studierte vorher seine Autobiographie. Als ich ihm dann zuhörte – er spielte Schumanns Kinderszenen und die Kreisleriana –, reagierte ich verstockt, bis er mich »spielend« überredete. Unmittelbarer reagierte ich auf Edwin Fischer, der, gekrümmt über die Klaviatur, mir mit der Hammerklaviersonate einen Beethoven beibrachte, der mir lang als Maß galt, bis ich auf Platten Solomon hörte. Und wie der spirrlige, hinfällige Cortot sich am Flügel geisterhaft belebte und mir einen Chopin schenkte, habe ich nie vergessen.

Dore Hoyer, Mary Wigmans eigenwüchsige Schülerin, studierte für die Ulmer Bühnen Strawinskys ›Geschichte vom Soldaten‹ ein. Sie hatte mich zu Proben geladen. Ich saß in einer Ecke, bemühte mich, unsichtbar zu bleiben, und schaute zu, wie ein Tänzer mit ein paar Schritten den Raum weitete, wie sie ihn dazu brachte, die Landschaft, durch die er zog, herbeizurufen, wie die Berge um ihn aufstiegen, bedrängten: »Zwischen Chur und Wallerstadt,/wandert einsam ein Soldat.« Die Musik führte ihn, lupfte ihn, ließ ihn springen. Ich fragte Dore Hoyer nicht aus wie den alten Albert Florath, der in einem belanglosen Boulevard-Stück gastierte und es leise und laut, röhrend und flüsternd einfärbte. Er habe doch in vielen UFA-Filmen größere und kleinere Rollen gespielt. Ob er Parteimitglied gewesen sei? Das sei, lachte er, nicht nötig gewesen. Er habe an nichts geglaubt, doch gut gespielt. Er wohnte im Hotel »Ochsen«, wie es sich für einen Star gehörte. Nach der Vorstellung lud er mich zum Wein ein, erzählte von Freunden, von Kollegen, lauter Legenden: Heinrich George, Veit Harlan, Bassermann. Die einen mussten das Land verlassen, die andern blieben. Unvermittelt bat er mich hinaus. Er brauche Hilfe. Ich folgte ihm aufs Klo. Ich solle warten. Er verschwand in der Kabine, erschien nach einer Weile wieder, mit hängender Hose, drehte sich um: Ich muss ein Stützkorsett tragen. Ziehen Sie mal an den Schnüren. Ich tat's. Doch nicht zur Zufriedenheit des alten Komödianten. Ich solle ihm in den Hintern treten und zugleich so kräftig ziehen wie möglich und dann eine feste Schleife binden. Ganz zufrieden konnte ich ihn nicht stimmen.

Im Sommer fünfundfünfzig gratulierte ich auf einer ganzen Seite Thomas Mann zum achtzigsten Geburtstag und hoffte inständig, der Meister bekomme durch einen Zufall die ›Heidenheimer Zeitung‹ in die Hände. Professor Kliefoth ließ diesen Aufwand gerade noch einmal durchgehen, denn, trug er belehrend nach, wir Deutschen hätten unsere Schwierigkeiten mit diesem Schriftsteller. Ich hingegen wusste, nachdem ich selbstverloren den ›Doktor Faustus‹ gelesen hatte, welche Schwierigkeiten Thomas Mann mit uns Deutschen hatte.

Im Sommer fünfundfünfzig kam endlich ›YAMINS STATIONEN‹ heraus. Ich kann mich nicht einmal daran erinnern, wohin mir die Belegexemplare geschickt wurden, mit wem ich feierte und ob überhaupt. Sicher widmete ich Mechthild das erste Exemplar und vielleicht trank ich mit der Redaktion im »König Karl« auf meinen zukünftigen Ruhm. Im Sommer fünfundfünfzig starb Großmama Härtling. Wir standen, ein paar Leute, an der Grube auf dem neuen Waldfriedhof, die Tanten, Lore und ich, und sahen zu, wie der Sarg hinuntergelassen wurde. Das Grab gibt es inzwischen nicht mehr. Mit Mechthild las ich gemeinsam (und stolz) KuLes Nachwort zu ›YAMIN‹: »Nichts ist begreifbar, niemand findet heim, nirgends ist Dauer. Aber die Worte Yamins verzaubern den Augenblick.«

Ich wollte weg, frei arbeiten, und traute mich nicht. Ich besprach den Plan mit Uli, Erwin und Nane. Die Nächte dehnten sich wieder aus, bei Bahmanns schlich ich mich öfter durchs Fenster, Ruoff riet mir zu, wiederholte aber, wovor mich andere schon gewarnt hatten: Von deinen Gedichten allein wirst du nicht leben können. Und ob du für Zeitungen in Nürtingen genügend Stoff und Anregungen findest, bezweifle ich. Nein, antworte ich, nicht in Nürtingen. In den Büchern. Aus mir. Ich werde über Dichter schreiben, über Maler, Musiker. Uli holte mich zurück. Ich solle wenigstens noch bis zum Jahresende aushalten. Er habe ohnehin das Gefühl, es befänden sich alle auf dem Sprung. Häufiger als zuvor besuchten wir gemeinsam Veranstaltungen. Er ging mit mir ins Theater, ich mit ihm auf politische Versammlungen. Die Wahlveranstaltung der Gesamtdeutschen Volkspartei versuchte uns Wilhelm Greiner auszureden. Es seien Spinner, rote Sektierer, wahrscheinlich steckten die Kommunisten dahinter. Womit er uns den Auftrag, den uns keiner gab, schmackhaft machte. Wieder ärgere ich mich, nicht Tagebuch geführt oder wenigstens Einladungen, Kino- und Theaterkarten, Programme aufgehoben zu haben. Bestimmt trafen sich die roten Sektierer nicht im feinen »Ochsen«. Ich erinnere mich an eine Hinterstube, an Tische, eine Menge leerer Tische und einige wenige Zuhörer. Nicht eine einzige Frau. Die beiden Redner galten als bekannt, für unseren politischen Redakteur als berüchtigt: Gustav Heinemann und Erhard Eppler. Solche Szenen können fest werden; der Film bleibt stehen. Was sie redeten, habe ich vergessen, doch nicht wie sie redeten. Der ältere, Heinemann, nuschelte, sprach gleichsam beiseite und fesselte von Anfang an. Er legte keinen Wert darauf, bedeutend zu wirken. Ebenso wenig der ungleich jüngere Eppler, der, ungewöhnlich für eine derartige Veranstaltung, den Redner Heinemann gelegentlich unterbrach, ergänzte, dies alles mit einer trompetenden Studienratsstimme. Sie bekamen dünnen Beifall, und die Diskussion blieb mühsam. Uli und ich fanden beide exotisch und überzeugend. Quergänger, die ohne ins Stottern zu geraten über Kommunisten sprachen, die Adenauers »Separatismus« verurteilten, die von einem einigen Deutschland träumten. Jahre später lud Heinemann, nun Bundespräsident, inzwischen bei der SPD, zu einem Gespräch über eine Zeitung ein, die den Sozialdemokraten fehle. Nicht der ›Vorwärts‹, der doch Hauspostille bleibe, sondern ein offenes, die Partei auch attackierendes Blatt. Wir planten, entwarfen und träumten von neuem, Gaus, Grass, Lettau, ich und andere. Es brauche, sagten wir uns, haltlose Visionen. Aus der Zeitung wurde selbstverständlich nichts.

Die beiden hatten uns gefallen. Sie kamen ohne die üblichen Schlagworte aus, pfiffen auf alle Sicherheit, grübelten über einen Frieden, den sie für gefährdet hielten, erfanden unmögliche Bündnisse, und doch erklärten wir uns nach zwei Bier, es hätte keinen Sinn, die GVP zu wählen. Die Stimmen gingen uns verloren.

Du wirst es schon schaffen, Pickart, versicherten mir Erwin und Uli nach einem langen, die gemeinsamen Erinnerungen in einem grandiosen Rausch zusammenfassenden Fest.

Ich will laufen lernen, ohne dass mir der Weg vorgeschrieben wird.

Großmama hat mir Platz gemacht. Ich kann wieder in die Achalmstraße einziehen. Sie fehlt mir. Die Tanten freuen sich und halten mich für verrückt. Wie willst du Geld verdienen? Ich werde es ihnen beweisen.

Weshalb gab ich mir nichts dir nichts eine Arbeit auf, die mich bestätigte? Merkte ich, dass sich auch die Kollegen, die Freunde in Gedanken von Heidenheim zu verabschieden begannen, dass sich diese mich anfeuernde, schützende Gemeinschaft auflösen würde? Dankwart Reissenberger hatte uns als Erster verlassen, korrespondierte für Tageszeitungen und Radioanstalten aus Bonn, war eine Zeitlang Sprecher der Bundespressekonferenz. Bald nach mir verließen Johnny, Erwin und Uli die Redaktion. Johnny Klein führte uns mit Bravour vor, wie ein Aufschneider seinen Plan erfüllt. Er heiratete seine Freundin Ira, sprang von der Gewerkschaftsjugend über in die CSU, ging in den diplomatischen Dienst, zählte als Presseattaché mit Stolz seine Hausangestellten in Djakarta, kehrte zurück, stand klug und auf einmal leise als Pressesprecher die vom Terror lädierten Münchner Olympischen Spiele durch und saß im Bonner Amphitheater bis zu seinem Tod als Vizepräsident des Bundestags. Auch Erwin Roth, der beherzt Undiplomatische, diente als Diplomat in Amman, Wien, Los Angeles. Und Uli, mein Redaktionsbruder, wurde Chef der Nachrichtenagentur UPI in Frankfurt. Ganz verloren wir uns nie aus den Augen. Neuerdings, allesamt schwer atmend und von diesem oder jenem Gebrechen gebeugt, treffen wir uns wieder häufiger, meistens in Heidenheim, und die alten Geschichten werden so lange neu und anders erzählt, bis wir unserer Jugend wieder trauen können, weil sie unsere alt gewordenen Gefühle aufnimmt.

Ich bin in kein Loch gefallen. Ich habe den Abgrund, falls einer drohte, nicht wahrgenommen, bewegte mich viel zu schnell, vergaß mich in der Arbeit, plante, fuhr hin und her zwischen Tübingen, Nürtingen und Stuttgart. Mechthild studierte in Tübingen Psychologie. Abends, wenigstens einmal in der Woche, besuchte ich sie in ihrer Bude in der Herrenberger Straße. Anfangs, wenn wir uns liebten, atmete röchelnd der Vermieter mit, der sein Auge gegen das Schlüsselloch drückte. Mit einem über die Klinke geworfenen Hemd brachten wir ihn um sein Vergnügen. Ich las vor, wir vertieften uns in Kassners Physiognomik. Die Artikel und Glossen, die ich verschickte, fanden Abnehmer: Josef Mühlberger in der ›Esslinger Zeitung‹, Richard Biedrzynski in der ›Stuttgarter‹, Fritz Heinrich Ryssel in der ›Schwäbischen Zeitung‹. Für Karl Schwedhelm schrieb ich meine erste Kritik im Rundfunk. Mechthilds Vater legte mir die erworbene Freiheit als einen bübischen Rückfall aus und machte mir in umständlichen Wendungen wenig Hoffnung, mit ihr nach dem Studium zusammenzuleben. Nach meinem Einkommen fragte er mich nie. Hätte er auch nur andeutungsweise gewusst, dass ich eine literarische Zeitschrift gründen wollte, er hätte mich für verrückt erklärt.

Wieder entfernt sich dieses Ich, und ich wehre mich gegen alle seine Energien, die ich mir nicht erklären kann. Wieso eine Zeitschrift? Gerade zu diesem Zeitpunkt? Wie wollte ich sie finanzieren? Wer riet mir ab? Wer zu? Wahrscheinlich habe ich Ruoff als Ersten ins Vertrauen gezogen, und er kam nicht einmal darauf, nach Geld zu fragen, sondern schickte mich auf den Weg: Mach nur nichts Halbes. Deine Zeitschrift muss gut werden. Und KuLe? Er wird sich erkundigt haben, ob ich denn mit möglichen Autoren Verbindung aufgenommen hätte. Johannes hat mich, da öffnet sich im Gedächtnis eine Luke, angefeuert: Ich solle mir die ›Lyrischen Blätter‹ zum Beispiel nehmen, doch Reimar Lenz auf keinen Fall fragen, wie er sie finanziere. Also schrieb ich Briefe an Ingeborg Bachmann, Günter Eich, Ilse Aichinger, lud sie ein, mir ungedruckte Gedichte zu schicken für eine Zeitschrift, die noch nicht einmal einen Namen habe. Ich bat

KuLe um einen Essay über die jüngste Lyrik, Heißenbüttel und Poethen sollten selbstverständlich dabei sein.

Ein paar Antworten haben sich in den alten Briefordnern erhalten. Freundliche Absagen. Sie scheinen mich nicht verdrossen zu haben. Immerhin war es mir gelungen, neue Verbindungen zu knüpfen. Einer der Eingeladenen hatte aus nächster Nähe geantwortet, Hans Magnus Enzensberger. Er möchte mehr über meinen Plan wissen. Wir verabredeten uns. Er schlug ein Lokal in der Büchsenstraße in Stuttgart vor, das ich nicht kannte. Als ich es betrat, mir einen Platz suchte, hatte ich den Eindruck, es sei ein Nachtlokal, das zufällig am Tag geöffnet hatte. Reste der Nacht, dunkle Schwaden, schwammen durch den abweisenden Raum. Ich bestellte einen Kaffee und bekam ein Wasser. Oder umgekehrt. Meine Fremde wuchs ins Lächerliche. Enzensberger musste eine bestimmte Absicht verfolgt haben, als er diese Kaschemme aussuchte. Er hatte mich in einen Film gesetzt, in dem er offenbar die Kamera führte. Er irrte sich. Ich übernahm diese Rolle. Ich schaute erwartungsvoll und verstört. Er erschien mit einer halben Stunde Verspätung, der weite Trenchcoat wehte auch weiter ohne Wind, und die blonden Ponys, die mir auf Fotos imponierten, wiederholten sich in der Wirklichkeit. Ehe er sich setzte, den Mantel über einen Stuhl warf, zuvor noch ein Buch aus der Tasche gezogen hatte, lachte er, nun doch verlegen, haha, und da in Kaufbeuren der Dialekt das offene a hallend eindunkelt, klang es der Umgebung angemessen: hoahoa. Ich vergaß es, Kamera zu sein. Mich interessierte, welches Buch er demonstrativ auf den Tisch und auf den Titel gelegt hatte. ›La chute‹, sagte er unaufgefordert, von Camus, drehte den Band auf den Rücken, sodass ich die Schrift lesen konnte. Das Buch ist noch nicht übersetzt. Er konnte es im Original lesen, ich nicht. Wir sprachen über die Leute, die wir gemeinsam im Funkhaus kannten, Andersch und Schwedhelm, auch über die Fernsehleute in der Baracke, Gottschalk und Huber. Diese Baracke, die im Hof stand, eingemauert von den fünf- oder sechsgeschossigen Gebäuden aus den dreißiger Jahren, ein Relikt aus dem Krieg, für die neue Zeit gerüstet: Hier begann das Fernsehen des Süddeutschen Rundfunks, und einen der Avantgardisten, den Redakteur und Schriftsteller Heinz Huber, hatte ich mir nach dem ersten Besuch ausgewählt, als möglichen Mentor und Freund. Für Gottschalk und Jedele arbeitete auch Martin Walser. Er habe in Tübingen promoviert, bei Beißner, erzählte Enzensberger. Und Huber, fügte er hinzu, legte den Jungenkopf schief, könnten Sie auch um einen Beitrag bitten für Ihre Zeitschrift. Er kenne ein paar leise und gescheite Erzählungen von ihm. Je länger ich ihm zuhörte, umso unscheinbarer kam ich mir vor. Er sprach entspannt und wusste alles. Wie oft die Zeitschrift erscheinen solle? Vierteljährlich, halbjährlich? Über all das hatte ich noch nicht nachgedacht, nicht über den Umfang, nicht über das Format, erst recht nicht über die Erscheinungsweise. Mein Gegenüber schien jedoch auf alles vorbereitet. Er stellte sogar die Frage nach dem Verleger, denn wer, sagen Sie, er rhythmisierte die Sätze mit dieser Floskel, sagen Sie, drückte mich noch mehr nieder, und sagte sein Sagen Sie derart erheitert, dass mir meine Planlosigkeit auf einmal gleichgültig wurde: Sagen Sie, lieber Herr Härtling, wer soll das Blatt vertreiben, wollen Sie es selber austragen? Spielerisch redete er mir den Plan aus. Ich merkte es nicht gleich. Ich hörte ihm zu, er fragte mich nach meiner privaten Situation, ich antwortete so knapp wie möglich, und wie nebenbei setzte er mich wieder gerade, machte mich wieder zum ebenbürtigen Gesprächspartner, in diesem rostig angelaufenen Etablissement, indem er mit ein, zwei Sätzen auf den ›YAMIN‹ kam, mich einlud, ihn im Funkhaus zu besuchen, aufstand, mich mit seinem Abschied überraschte, auch mit der Frage: Bleiben Sie dabei? Er wartete nicht auf meine Antwort, wehte hinaus, empörend jung für sein Wissen, seine Allüren. Ich gebe auf, hätte ich ihm erwidern können, doch diesen Triumph gönnte ich ihm nicht auch noch.

Mittlerweile bekam ich von den Redaktionen Aufträge. Sie bestärkten mich in meiner Rolle als »freier Korrespondent«, wie mich Fritz Heinrich Ryssel nannte.

Als meine Adresse gab ich an: Nürtingen, Achalmstraße 34, die Wohnung der Tanten, nun ohne Großmama, die auf den Waldfriedhof umgezogen war, ohne Lore, die in Tübingen oder schon in München studierte, tagsüber also frei für meine Büroarbeit. Die Tanten gingen zur Arbeit, ich konnte mich mit meiner kleinen Hermes an den Esstisch setzen und mich mit Büchern, Papieren, Zeitungen breit machen, doch ich sehe mich, so hartnäckig ich auch meine Erinnerung bemühe, nicht für längere Zeit an diesem Platz. Die Glossen und Aufsätze, selbst die von den Redaktionen bestellten Rezensionen entstanden »im Flug«. Die Angst vor den Wörtern fehlte mir noch. Ich dachte jeden Widerstand beiseite. Ich redete mir nicht hinein, kein Skrupel ließ meine Stimme stocken. Nur wenig von dem habe ich aufgehoben, was ich damals schrieb. Um Spuren von Eile und Widerstandslosigkeit zu entdecken, habe ich ein paar Ausschnitte herausgesucht, lese nach und bin verblüfft, dass ich mich nicht in der Sprache, sondern in den Themen wiederfinde. Immerhin habe ich nicht gehudelt, mich nicht aufgespielt. Meine Leichtfertigkeit bestand darin, dass ich leicht fertig wurde. Die Honorare erlaubten mir, meiner Unruhe nachzugeben, nach Stuttgart oder nach Tübingen zu fahren, Redaktionen, Buchhandlungen zu besuchen. Mechthild zu überraschen, mich mit Johannes Poethen zu treffen.

Er machte mich mit Alfred Kelletat bekannt, einem jungen Literaturwissenschaftler, hörbar aus Königsberg, der als Geschäftsführer der Hölderlin-Gesellschaft im Kloster Be-

benhausen, noch nicht im Turm am Neckar, residierte. Ihm verdankten wir, Johannes und ich, eine gemeinsame Lesung. Es war meine erste. Das dünne Bändchen mit den YAMIN-Gedichten, der wandernden Hieroglyphe von Fritz Ruoff auf dem Umschlag, trug ich sowieso immer bei mir. Inge Scholl, die damals bereits legendäre Leiterin der Ulmer Volkshochschule, lud uns zu dritt ein, nicht ohne Hinter-sinn, denn sie hoffte, Kelletat würde die Unverständlich-keiten in den Gedichten der jungen Herren erklären. Hat er es? Wie kamen wir hin? Übernachteten wir? Nichts weiß ich mehr. Nur eine Postkarte Poethens redet voraus, kündigt uns an: »Mein Kleiner – ich vergaß in dem Brief zu schrei-ben, dass wir am 12. oder 19. 3. in Ulm lesen sollen. Mit Kelletat. Inge Scholl sei sehr angetan. Schreib doch bitte dem Kelletiden, welcher von den beiden Terminen Dir ange-nehm ist. Wir bekommen 50 Mark, jeder.« Es muss ein Bu-benausflug gewesen sein. Inge Scholl wird für ein paar inter-essierte Zuhörer gesorgt haben. Wie oft hatte ich Dichtern zugehört: Bergengruen, Rombach, Reinhold Schneider, Ce-lan. Nun kehrte sich die Szene um. Ich stand an ihrer Stelle. Die Nähe meines Freundes Johannes suchend, werde ich die Angst vor diesem ersten Auftritt überwunden haben. Brü-derle, sagte der eine. Mein Johannes, der andere. Und Kelle-tat trieb uns in die Arena. Ich höre seine Stimme, Königs-bergisch eingefärbt, nur ist es die des Alten, den ich nach Jahrzehnten in Tübingen bei einem Treffen der Hölderlin Gesellschaft wiedersah, ein adretter kleiner Herr, der bloß noch an das Ännchen von Tharau denkt, dessen Statue er Kleipeda geschenkt und dort mit »Jenehmigung« aufgestellt hat. Bestimmt saßen wir nach der Lesung noch bei Wein zusammen und keine Verlegenheit erreichte uns. Wir hatten aufgetrumpft.

Wieder holte mich Johannes ab und brachte mich unter die Leute. Er sorgte dafür, dass ich zu Lenzens eingeladen wurde. Hermann Lenz kannte ich. Ich lief ihm im Funkhaus an der Neckarstraße über den Weg, und er, der Scheue, hielt mich am Ärmel fest und hernach, bei einem Wein in der Kantine, schwiegen wir erst einmal vor uns hin und dachten uns ein Gespräch aus, das wir erst nach einer Weile zögernd begannen. Ich mochte ihn: leise, in der Gestikulation wunderbar umständlich, noch immer ein »Heimkehrer«. Eines seiner ersten Bücher, ›Der russische Regenbogen‹, in dem sich seine Erfahrungen als Soldat in Russland niederschlugen, besprach ich ausführlich in der ›Deutschen Zeitung‹. Er hat es mir nie vergessen. Er wohnte mit seiner Frau Hanna im väterlichen Haus, eng und einnehmend gemütlich. Ich frage mich, ob er damals schon Sekretär des Württembergischen Schriftstellerverbands war. Bei ihm logierte Celan, wann immer er sich in Stuttgart aufhielt. Johannes bereitete mich auf ihn vor, auf einen Meister, einen wahren Poeten, einen, der tief verletzt und misstrauisch sei. Von Hanna Lenz erfuhr ich in wenigen Sätzen, dass Celans Eltern von den Deutschen ermordet worden seien.

Johannes und Celan besuchten das Hölderlin-Archiv, nachdem wir uns im Haus Lenz begegnet waren und Hanna Lenz irgendwann von jüdischen Waisenkindern, überlebenden, berichtete, denen sie bei der Auswanderung nach Israel geholfen hatte. In diesem Zusammenhang erfuhr ich, dass sie Jüdin sei. Ich sehe Celan vor mir, wie er in der Küche neben Hermann Lenz stand, beide nicht besonders groß, beide etwas gebeugt, als hätten sie lange eine Last getragen. Der Gast trat nach vorn, schaute mich an. Diese großen, dunklen Augen entfalteten einen Sog, dem ich zu entgehen versuchte, aus Angst oder Scham, bis ich nachgab, ihm die Hand reichte, er mich nicht, und ich ihn nicht aus den Augen ließ, bis ein erster Satz die Spannung, die unerlaubte Nähe aufbrach. Wir haben dann nicht aufgehört zu reden. Er wollte wissen, wie ich meine Eltern verlor. Öfter gingen wir die Staffeln auf und ab, die steinernen Stiegen, die in Stuttgart Straßen am Hang verbinden, und einmal, auf einem Absatz, sagte er mir, dass es ein Karma sei, von Nazis verfolgt zu werden. Ich versuchte ihm diese Angst auszureden, er reagierte zornig, ich, der ich selber beraubt sei, habe kein Recht, ihn zu beruhigen – und als er in Tübingen las, im Hörsaal 9, schlug einer in der ersten Reihe tatsächlich die »Soldatenzeitung« auf, die ihm allerdings von einem anderen aus den Händen gerissen wurde. Celan hatte ein Blick gereicht, um sich bestätigt zu sehen. Ich weiß es besser, Lieber, ich erleide es Tag für Tag. Wir redeten und redeten, erzählten uns, was uns im Augenblick durch den Kopf ging, und kamen uns nah. Als ich ihm ›in zeilen zuhaus‹ schickte, zwei Jahre danach, gab er in dem Brief, mit dem er mir dankte, diese eigentümlich wörtliche Nähe nicht auf, setzte sie fort: »Zeilen, Zelte, im Nu wieder abgebrochen: Hier ist man wirklich zuhaus. – Unsere Begegnung damals – wann? – in Stuttgart: unser Schmerz hat gelacht, wir haben uns verstanden. Sie glauben doch nicht, dass ich eine Antwort habe auf diese Frage; Wohin will es denn mit uns? Internodien, endlos, und ein paar Worte, als Knoten, mehr nicht. Eines davon: Herzlich –«

Internodien, ich musste nachschlagen. Internodium, fand ich, die Verbindung, der Knoten zwischen zwei Blättern.

In Frankfurt sahen wir uns nach Jahren bei Siegfried Unseld wieder. Wir wagten kaum zu atmen, als wir uns unterhielten. Als versuchten wir uns gegenseitig aufzusagen.

6

Einübungen und Aussichten

Mit einer Glosse beendete ich, ahnungslos, meine Tätigkeit als freier Journalist. Die ›Deutsche Zeitung und Wirtschafts-Zeitung‹ in Stuttgart hatte regelmäßig von mir kleinere Arbeiten gedruckt. Überraschend schrieb mir Helmut Cron, nicht wie sonst Georg Böse, der Feuilletonredakteur. Er lud mich ein. Die Redaktion wünsche, mich kennen zu lernen. Voller ungenauer Erwartungen fuhr ich nach Stuttgart. Ohne Grund wirst du nicht eingeladen, hatte Fritz Ruoff den Brief kommentiert.

Im Café Schappmann an der Königstraße stärkte ich mich mit Kaffee und Cognac, ehe ich mich im Verlagshaus an der Silberburgstraße meldete und in eine Prüfung geriet. Mir wird keine Zeit gelassen. Ich muss nicht warten, werde sogleich zu Helmut Cron geführt, in kein allzu großes Zimmer, kein Chefbüro, wie ich es erwartet habe, nicht größer als das von Bruno Nies; er freue sich, mich kennen zu lernen. Ein wenig kenne er mich schon durch meine Arbeiten. Klein und straff sitzt er hinter seinem Schreibtisch, bittet mich zu erzählen, vor allem von meiner Tätigkeit in Heidenheim, und dann fragt er mich überraschend, ob ich mich für die Landespolitik interessiere, aber die Antwort müsste ich schon seinem Kollegen, Jürgen Tern, geben, der mich zu sich bittet, der sich jedoch mit mir über Faulkner unterhält, über Steinbeck und Hemingway, wissen möchte, welche Short Story Hemingways mich am meisten beeindruckt habe, ›Der Mann auf der Brücke‹, das kann ich nun mit Überzeugung sagen, aber da möchte mich bereits Nicolas Benckiser sprechen, der sich erkundigt, ob ich einer Partei anhinge oder sogar angehöre, und zufrieden scheint, als ich das entschieden verneine, er unvermittelt auf einen Garten in der Nähe von Baden-Baden zu sprechen kommt, in Fremersberg, dorthin würde er mich einladen, wenn wir in Verbindung blieben, was noch offen bleibt, bis Georg Böse, der Feuilleton-Redakteur, mich in sein Zimmer holt, mich damit in Verlegenheit bringt, dass er den ›YAMIN‹ vor sich liegen hat, er habe in dem Bändchen gelesen, jaja, auf seine Frage, wen ich denn zu meinen literarischen Vorbildern zähle, mir nur Hans Arp einfällt, der, wie Böse mich korrigiert, denn doch eher als bildender Künstler anzusehen sei, aber er hat auch Gedichte geschrieben, entgegne ich vorsichtig, jaja, er nickt, und Romane schreiben Sie nicht?, fragt er und gibt sich an meiner Stelle die Antwort: Das kommt noch, trinkt einen Schluck Kaffee, und erst jetzt finde ich es unhöflich, dass auf allen Schreibtischen Kaffeetassen stehen, mir aber nichts angeboten wird in dieser als Gespräch getarnten Prüfung, und Herr Doktor Böse zieht aus einer Mappe eine Nachricht, schiebt sie über den Tisch, Ludwig Klages ist gestorben, sagt er, sie werden ihn vermutlich kennen, sagt er, ich nicke, er schiebt dem Blatt die Mappe nach, lehnt sich im Stuhl zurück: Schreiben Sie doch bitte einen Nachruf. Nicht mehr als fünfundzwanzig Zeilen zu dreißig Anschlägen, also eher eine kommentierende Meldung. In der Mappe finden Sie das nötige Material.

Die Herren hatten mich klein und kleinlaut geredet. Nun musste ich mich wehren. Gegen diese Prozedur, die sie sich zweifellos mir zuliebe ausgedacht hatten, denn ich war keineswegs scharf darauf, als Redakteur eingestellt zu werden, nur stolz darauf, dass sie mich ernst nahmen und als möglichen Kollegen prüften. Ich ließ Blatt und Mappe liegen, rührte sie nicht an. Sie bekommen selbstverständlich Honorar. Böse nickte auffordernd. Aber ich muss das nicht schreiben? Nein, das müssen Sie nicht, antwortete Herr Böse. Ich habe die fünfundzwanzig Zeilen geschrieben, eine kommentierende Meldung, ich habe nachgegeben, weil ich doch nachgeben wollte, und auch dafür fand Herr Böse einen Trost, nachdem er, während ich schrieb, sich mit seinen Kollegen verständigt hatte: Wahrscheinlich hätten Sie diese Existenz als freier Journalist nicht durchhalten können. Wenn Sie wollen, können Sie in zwei Wochen, zum Monatsbeginn, bei uns antreten. Ich würde als Jungredakteur eingestellt, mit einem Anfangsgehalt von 500 Mark.

Ich bin dreiundzwanzig. Ein paar Sätze lang bin ich mir sehr nahe gewesen, sechsundvierzig Jahre danach, nicht mir, sondern dem Ort, der Redaktion in der Silberburgstraße, die sich mit Stimmen füllt, mit Personen: Dechamps, Metzke, Clara Menck, Eberhard Schulz, Fritz Richert, natürlich die der Prüfer, die sanfte Stimme von Benckiser, die knatternde von Böse, die heisere von Cron. Es war mir nicht gelungen, frei zu bleiben.

Fünfhundert Mark, staunten die Tanten.

Du wirst noch eine Menge lernen. Lass dich nicht verbiegen, sagte Fritz Ruoff.

Wie gut, dass du abends nach Hause kommst, sagte Mechthild.

Ich fing an; beim dritten Anfang brannte es nirgendwo.

Diese morgendlichen Reisen mit dem Zug von Nürtingen nach Stuttgart. Drei Viertel des Schulwegs, danach auf dem Bahnhof auf Mechthild warten, wenn sie in Nürtingen übernachtete, nicht selten vergeblich, denn sie erreichte ihren Zug nach Tübingen meistens im letzten Augenblick, da hatte ich in meinem schon einen Platz gesucht, in der Ersten, weil nach meinem Verständnis der Redakteur einer überregionalen Zeitung nicht Zweiter fahren konnte, und hing eine Weile der versäumten Begegnung mit meiner Liebsten nach, bevor ich dazu kam, meine Mitreisenden im Abteil zu mustern, stets derselbe Schlag von Zweiter-Morgenzug-Passagier, fast oder schon leitende Angestellte, vor allem Beamte aus den Ministerien und gelegentlich Professoren, nicht selten Theodor Eschenburg, der ein Gespräch mit mir begann, wenn wir alleine saßen, nachdem er mich bei der ersten gemeinsamen Fahrt gefragt hatte, wo ich arbeite und ob ich wisse, wer er sei, worauf ich ihn mit der Antwort erfreute, ich kenne ihn aus Tübingen und lese seine Artikel. Zwischen Esslingen und Cannstatt schlief er regelmäßig ein. Wie viele Male im Laufe einer oder zweier Wochen, ließ sich an den Brandlöchern seiner Hose ablesen. Er rauchte nämlich Pfeife. Wenn im Schlaf Gebiss und Lippe erschlafften, kehrte sich die Pfeife um und ergoss den glühenden Tabak auf die Hose. Sobald die Hitze die Haut erreichte, wischte er, noch im Schlaf, mit einer heftigen Handbewegung die Asche vom Stoff. Als wir vertrauter waren, fragte ich ihn, weshalb er die Pfeife nicht, ehe er einschlafe, aus dem Mund nehme. Seine Antwort leuchtete mir ein: Wenn ich wüsste, wann ich einschlafe, täte ich's ja.

Georg Böse, hörte ich, habe während des Krieges die Luftwaffenzeitschrift ›Der Adler‹ redigiert. Er selbst sprach nicht darüber, wie auch der von mir geschätzte Biedrzynski von der ›Stuttgarter Zeitung‹ nicht, der offenbar eine ähnliche Position eingenommen hatte. Immer wieder gab es »Informanten«, die über Vergangenheiten Bescheid wussten. Sie blieben verschwiegen, wenn nicht gar vergessen, nur selten verriet sie ein Satz, eine Redewendung. Bestand jedoch einer darauf, Schriftleiter und nicht Redakteur zu sein, hatte er, nach meinem Verständnis, die Gegenwart noch nicht erreicht.

Einem jedoch sah ich mögliche braune Verstrickungen nach: Eberhard Schulz. Er glich geradezu lächerlich den blondhaarigen, blauäugigen, mit Ambosskinn versehenen Helden der Nazipropaganda, zum Beispiel den SS-Offizieren von Zwettl, die mein Vater für Barbaren gehalten hatte. Was und wie er schrieb, bestach mich, denn er blieb nie abstrakt, erzählte, verlor sich manchmal in Einzelheiten, nur derart verbissen, dass es für den Leser wieder spannend wurde. Er deutschtümelte nicht – in der Redaktion wurde er der »Bamberger Reiter« genannt –, aber er konnte, ohne die falsche Musik anzustimmen, über die Kunst schreiben, die uns durch die Nazis vergällt worden war, eben den Bamberger Reiter oder die Nibelungen oder die Opern Wagners. Manchmal nahm er mich zum Essen ins Café Schappmann mit. Ich lernte seine Freundin, Barbara Klie, kennen, die für ›Christ und Welt‹ schrieb. Jetzt, wenn ich mir nur mit Mühe Reste von Gesprächen in Erinnerung rufe, zum Beispiel über das geschwisterliche Empfinden zwischen Autoren und Redakteuren, oder über Giselher Wirsing und seine nationale Orientierung, jetzt ärgere ich mich über den Jungen, der betäubt vom Wissen und Können seines Kollegen dasitzt, andächtig zuhört und so gut wie nie widerspricht.

Die Diskussion mit jüngeren Kollegen setzte ich, ohne solche Befangenheit, auch nach der Konferenz fort. Mit Ernst-Otto Metzke, einem entschiedenen Fürsprecher der Bundeswehr, leidenschaftlichen Teilnehmer an Manövern, der beinahe von einer sich schließenden Panzerluke erschlagen worden wäre, besuchte ich häufig ein Fischrestaurant, debattierend achteten wir kaum auf die Gräten, wenn es um Krieg und Frieden, um Wehrtüchtigkeit und Friedfertigkeit ging. Jedes Mal kaufte er an der Theke, um mich unverbesserlichen Pazifisten zu beruhigen und keineswegs umzustimmen, ein »MON CHERI«, was dazu führte, dass ich jahrelang der Überzeugung war, am Tresen von Fischrestaurants Kirschen in Schokolade zu finden. Mit Bruno Dechamps unterhielt ich mich über die neuesten Filme. An der Kasse des längst verschwundenen Programmkinos in der Königstraße liefen wir uns häufig über den Weg, oder er schwärmte von Aachen, seiner Stadt, in der er sich in großbürgerliche, fein dosierte Arroganz und Pferdekenntnis eingeübt hatte.

Die beiden gingen, als die ›Deutsche Zeitung‹ nicht mehr, sehr eigenwillig, zweimal in der Woche erschien, vielmehr Tageszeitung wurde und nach Köln umzog, wie Nicolas Benckiser und Jürgen Tern zur ›Frankfurter Allgemeinen‹.

Abends, irgendwann abends, lud unser Verleger, Curt E. Schwab, in seine Wohnung ins Penthouse, und ich lernte, wie man auf einer Party herumsteht und Alleinsein sich zu einem peinlichen Zustand entwickelt. Oder wie man es zur Allüre ausarbeitet: mit distanzierendem Lächeln, häufigerem Nachschenken, nachdenklichem Blick aus dem Fenster. Bis zwei Fehlfarben, ein phantastisches Pärchen, meine Aufmerksamkeit auf sich zogen. Er klein und gedrungen, auf kurzem Hals ein mächtiges Haupt, das allerdings rätselhaften Gewalten ausgesetzt gewesen sein musste, denn unter dem struppigen, grauen Haar saß die Stirn nicht gerade, sie wurde nach einer Seite schmaler, und diese Asymmetrie setzte sich bis zum Kinn fort, wobei die wasserhellen Augen wie die eines Blinden wirkten; die Dame an seiner Seite – ab und zu führte er sie, indem er sie am Ellenbogen packte – übertraf ihn in ihrer bizarren Erscheinung: eine Hex, ein Wesen aus der Zwischenwelt, winzig, verwachsen, ein verwegenes, spitzes Hütchen auf den dünnen rotgefärbten Haaren, im Gesicht dominierten schwarze Augen, mit denen die schwarz geschminkten Lippen korrespondierten, überdies steckte sie in einem formlosen schwarzen Fummel, der weit überm Knie endete, und auch die überlangen Fingernägel an den großen, ausdrucksvollen Händen waren schwarz lackiert. Sie steuerten auf mich zu. Ich bin Sigrid von Massenbach, stellte sich die Hex mit der Stimme eines Filmvamps vor, wies auf ihren Begleiter: Das ist Naumann, mein Gefährte. Naumann redete leise, wie in Gedanken. Sie repräsentierten den Buchverlag Curt E. Schwabs, von dem ich bisher keine Ahnung hatte, zählten mir unverzüglich ihre Lieblingsautoren auf: Georges Bataille, Pierre Klossowski und Michel Leiris. Ausnahmslos übersetzten sie diese Bücher auch selbst. Sie wussten viel, blufften oder handelten mit geheimer poetischer Ware, mit Mystik und Nietzsche, mit dem Obszönen, doch meine Verwirrung legte sich. Ich lernte ihre Welt kennen, meine Bewunderung für ein unerhörtes, schweifendes Wissen wuchs, ein wahres Doppelwissen. Sigrid von Massenbach steuerte für unser Feuilleton Rezensionen bei, immer Hinweise auf Entlegenes, Exquisites, vorgetragen in einem Verschwörerton, den ich behutsam normalisierte. Sie empfahl mir als Mitarbeiter einen Verwandten, Alexander von Platen, der, wie sein Vorfahr, dieselbe Schwäche für Buben hatte, damals noch verheiratet und zwiefacher Vater. Er verblüffte mich mit jeder seiner Rezensionen, zitierte spielerisch, verwies, verglich, und ich, der Redakteur, musste ihm vertrauen, denn lesend ging ich bei ihm in die Lehre. Nach ein paar Jahren wurde er verhaftet, kam ins Gefängnis, wohin ich ihm regelmäßig Literatur schickte, bis er freigelassen wurde, sich von Europa befreite, in Marokko oder Tunesien verschwand. Selbst von dort kamen, wie wiederholte Abschiede, noch ein paar Rezensionen, eine, wenn ich mich recht erinnere, über Lévy-Bruhl.

Schräg gegenüber dem Verlagshaus gab es die Gaststätte »Silberburg«. Dort wurde ein junger, belebender Riesling ausgeschenkt, die Maultaschen galten als die besten Stuttgarts. In der »Silberburg« traf sich allwöchentlich der Stammtisch, eine Versammlung von intellektuellen Potentaten, angeführt von Friedrich Sieburg. Auch mein Böse zählte zu ihnen, Siegfried Melchinger, der mächtige Theaterkritiker der ›Stuttgarter Zeitung‹, der Schriftsteller Otto Rombach. Sieburg stellte mir in Aussicht, in ein paar Jahren ebenfalls zur edlen Runde zu gehören. Da hatten die Zeitung und ich Stuttgart schon längst verlassen.

Manches, was ich im redaktionellen Alltag als Selbstverständlichkeit erfuhr, kann ich im Nachhinein höchstens als Märchen erzählen. Dass wir tatsächlich noch Manuskripte empfingen und die Setzer im Tagblatt-Turm die Handschriften ohne Mühe lasen oder unleserliche Passagen nach Gutdünken übersetzten. Ich habe Sieburgs wunderbar zu lesende, gleichsam sich ausstellende Schrift vor Augen, oder die ausschweifenden, sich in musikalischen Blöcken ordnenden Sätze von Max Ophüls, der im Südwestfunk Goethes ›Novelle‹ inszenierte, ein Stück für Stimmen und Gesang, so traumsicher aus dem Kern der Poesie, dass ich, sobald ich diese CD auflege, in Schichten meine Emotionen über Jahrzehnte aufrufen kann.

Ich kaufte den mit schwarzem Segeltuch bespannten Rohrstuhl von Knoll. In der Wohnung in der Achalmer Straße forderte er bis zu meinem Auszug die Tanten zu Attacken heraus: dieses unmögliche Gestell, in dem kein vernünftiger Mensch sitzen, geschweige denn liegen könne. Mechthild dachte weiter, möblierte mit ihm unsere gemeinsame Zukunft: Anfangs müssen wir ihn eben abwechselnd benützen.

Im Frühsommer sechsundfünfzig wurden nicht nur in den Reden Adenauers die »Soffjets« zur Bedrohung, wir diskutierten dringlicher, auch ängstlicher, denn die Truppen des Ostblocks ordneten sich im Warschauer Pakt, eine Antwort auf die NATO, und nicht einmal meine Zuflucht in der Schulstraße, die Buchhandlung Fritz Eggert, konnte mich vor der allgemeinen Nervosität bewahren. Ehe ich die Arbeit in Stuttgart aufnahm, hatte ich Eggert schon entdeckt oder war auf ihn hingewiesen worden. Nun ließ ich kaum einen Tag aus, bei ihm hineinzuschauen, an dem runden Tisch zwischen den deckenhohen Bücherwänden einen Platz zu ergattern, was ich unterließ, wenn der Philosoph Max Bense, ein avantgardistischer Büttenredner, und sein

Anhang bereits zu Gast waren, dann setzte ich mich auf die Stiege, die ins »Büro« führte. In kleinen Tassen gab es Kaffee. Ihn auszuschenken, hatte Gandhi die Konzession. Der Schnaps, der bei den Stammkunden dazukam, blieb unsichtbar. Habe ich ihn je Gandhi gerufen, wie es einige seiner engsten Freunde taten? Gandhi – dieser Zweimeterkerl, mit dem zu groß geratenen Kopf, ein typischer Rothaariger, hellhäutig, empfindlich und gewaltig. In seinen ausgebreiteten Händen lagen die Bände der Inselbücherei oder der Schockenbibliothek wie Vögelchen. Er wusste rasch, worauf ich scharf war. Expressionisten in Erstausgaben, und natürlich auch Haringer, meine frühe Liebe. Eines Tages legte er mir ein handgebundenes, handgeschriebenes Büchlein auf den Tisch, alles von Haringer, und darin eingeklebt den Bericht aus der Züricher ›Tat‹ über das Begräbnis des müde gewordenen Vaganten. Wahrscheinlich habe ich nicht mehr gehandelt, weil er sowieso im Preis nachgab. Außerdem besetzten die »Soffjets« unsere Gedanken. Wie sollte es je wieder einen Krieg geben in Europa? Selbst Max Bense, der in der Sowjetzone, in Jena, gelehrt hatte, bis ihm die falschen Ideen attestiert wurden, hielt es für undenkbar. Mit den Ängsten müsse jeder für sich zurechtkommen. Am liebevollsten und genauesten hat Ludwig Greve Gandhi porträtiert. Auf dem Bernstein erschien er zu meiner Zeit nicht.

Jetzt. Jetzt nippe ich an der Tasse Kaffee, mit der mir Gandhi eine Portion Cognac unterjubelt. Er legt ein Bändchen auf den Tisch: Ich vergaß, es Ihnen gleich bei Erscheinen vorzulegen. ›Aprèslude‹ von Gottfried Benn. Ich lese, unter den Blicken Gandhis, rede die Verse mir ein, diese Musik kenne ich, habe mich gegen sie gewehrt, bis ich eine Platte hörte, auf der Benn einem andern meiner Favoriten, Klabund, nachrief. Diese Offiziersstimme mit Kasinohall im Ohr deklamiere ich, um Gandhi zufrieden zu stellen:

Fragen, Fragen! Erinnerungen in einer Sommernacht,
hingeblinzelt, hingestrichen,
in meinem Elternhaus hingen keine Gainsboroughs,
nun alles abgesunken
teils-teils das Ganze
Sela, Psalmenende.

Noch in diesem Sommer stirbt Benn. Mit Gandhi und seinen Kunden trauere ich. Hans Jürgen Fröhlich, Gandhis
Assistent, liest ein paar Gedichte vor. Nach zwei getarnten
Cognacs beginnen wir uns über die Marotten unseres Halb-
gottes lustig zu machen: »Es gibt nur zwei Dinge: die Leere
und das gezeichnete Ich.« Fröhlich hat bei Fortner Kom-
position studiert, schreibt Erzählungen, ein leiser, verletz-
barer Dandy. Seinen ›Schubert‹ las ich, ehe ich meinen
›Schubert‹ schrieb, mit erinnerndem Respekt und Gewinn.
In meinem Gedichtband ›unter den brunnen‹, der zwei Jahre
darauf herauskam, steht ein Gedicht auf Benn: »er ist ganz
ohne bilder heimgekehrt.«
    Unruhen beginnen nicht, setzen nicht ein – sie brechen aus.
Dennoch gingen ihnen Gespräche, suchend und fragend, voraus. Ägypten verstaatlichte den Suezkanal, die Russen standen ihnen bei. Wodurch die Spannung zwischen West und
Ost sich verstärkte und in der politischen Redaktion hitzig
diskutiert wurde. Einer der Redakteure, die sich allesamt als
Kenner der Szene ausgaben, sammelte Zinnsoldaten, verfügte über mehrere Armeen unterschiedlicher Provenienz, bewegte in der Nacht die Miniaturheere in Probemanövern
und überraschte am nächsten Tag seine Kollegen mit Schil-
derungen von Kampfhandlungen, die er nicht nur für möglich, sondern für ausprobiert hielt.
    Es folgten die Wochen, in denen Kirschen geerntet und
eingekocht wurden. Durch das Arzthaus an der Marktstraße
zogen duftende, die Wärme noch steigernde Schwaden, und

in der Küche entkernte meine zukünftige Schwiegermutter die Früchte. Meine zukünftige Schwiegermutter. Ich hielt um Mechthilds Hand an, aus einem Impuls, nicht geplant und das bei ihr, nicht bei Mechthilds Vater, vor dessen Bescheid ich mich fürchtete. Ich kann noch jeden Schritt nachgehen, jeden Satz nachsprechen. Ich brauchte eine Weile, bis ich neben mir stand, wich den Spritzern aus dem Entkerner aus, sie wurde aufmerksam, fragte mich, ob ich einen Wunsch hätte. Isch was?, fragte sie. Noi, sagte ich. Sie wollte ihre Arbeit fortsetzen, doch ich hielt sie mit einem entschlossenen »Doch« auf: Ich möchte Mechthild heiraten. Sie lachte nicht. Sie antwortete auch nicht. Sie wendete sich mir ganz zu, und die große Wärme, die sie ausstrahlen konnte, schloss mich ein. Ond warom kommscht da grad jetzt, hier in der Küch? Sie ließ mich nicht aus den Augen, fasste nach meiner Hand und beschloss mit einem Satz die Szene: Irgendwann muasch ja Mut fasse. Sie sagte es ihrem Mann weiter, der musste sich nun auch geschlagen geben. Die Verlobung wurde auf Silvester 1957 festgesetzt. Geheiratet könne aber erst werden, wenn Mechthild das Diplom der Psychologie erworben habe.

Auf dem Weg zur Redaktion entdeckte ich im Schaufenster des Kunsthauses Schaller auf einem Postamentchen eine Halskette, ärgerlicherweise ohne Preis. Ein paar Tage kehrte ich immer wieder zu ihr zurück: Schmal hochgezogene, raffiniert in einem Zug verbundene Glieder, die einen Hals umschmiegen sollten. Ich ließ sie mir zeigen. Was ich zahlen musste, in zwölf Raten, habe ich längst vergessen, auch den Namen des Silberschmieds. Mir erscheint das Schmuckstück ohnehin wie das Werk eines anonymen alten Meisters. Mechthild trägt die Kette bis auf den Tag am liebsten.

Neuerdings lief in der Redaktion immer eines der vorhandenen Radios. Die Nachrichten wurden bedrohlich. Wir alle hatten den Eindruck, das Unheil nähere sich uns. Die Zinnsoldaten unseres Kollegen bewegten sich nach immer neuen (alten) Mustern, in immer neuen (alten) Schlachten. England und Frankreich verbündeten sich und drohten Ägypten. Auf Agenturfotos waren Schiffe zu sehen, die gleichsam in der Wüste festlagen. Die Leitartikler fragten sich, ob Israel angreifen werde. Im Oktober 1956 rückte die Bedrohung auch geographisch näher. In Budapest standen die Studenten gegen die kommunistische Regierung auf. Aus dem Aufstand wurde eine Revolution. Ihre Anführer bekamen Namen: Imre Nagy sollte Ungarn regieren und General Pal Maleter für das Volk kämpfen. Die Berichte packten uns derart, dass wir sie laut kommentierten, beklagten, fluchten und seufzten. Mittlerweile hatte auch in Ägypten der Krieg begonnen, rückten israelische Truppen vor, sprangen französische und englische Fallschirmjäger ab. Die Notrufe von Radio Budapest wurden von Stunde zu Stunde schriller, hoffnungsloser. Warum, fragten sie verzweifelt, greife der Westen nicht ein. Unsere Kommentatoren teilten kleinlaut die geteilte Welt.

In Gandhis Bücherhöhle setzten wir die Gespräche fort, Bense wunderte sich nicht, dass der Westen die Ungarn im Stich lassen werde, und Gandhi besorgte mir die Poetischen Werke Petöfis, in zwei Bändchen, 1919 erschienen, da las ich die Gedichte, die den Zorn der Budapester Studenten schürten. Die Russen besetzten mit ihren Panzern nicht nur Budapest, sie drohten auch den Engländern und Franzosen. Mit Fritz Ruoff wanderte ich abends wieder über den Säer, gegen den Wind. Sein Schweigen machte mir Angst. Erst Tage, nachdem Maleter und Nagy in der Gefangenschaft verschwanden, Tibor Déry verhaftet, die Totenklage leiser wurde, redete er: Es hört nicht auf, Peter, sagte er. Ich habe gehofft, mit dem Krieg hätte die Einsicht einen Schlussstrich gezogen. Wir sind nicht fähig zu lernen. Wir fangen immer von vorne an. Und wiederholen, was uns zerstört. Ich spreche ihm das nach, vierzig Jahre später, nicht wörtlich, sinngemäß. Imre Nagy hatte wenig länger als eine Woche als Ministerpräsident amtiert. Am 4. November setzten die Russen Janos Kadar als seinen Nachfolger ein. Nachfolger? Sein Vorgänger wurde umgebracht. Wie sollte er ihm folgen? Vermutlich in der Redaktion begann ich den ›Hymnus Magyar‹ zu schreiben, dort, wo aus dem Radio uns eine Wirklichkeit ansprang, der wir nur hilflos antworten konnten:

...

Wenn am blutigen Fluß
Die Sterbenden flüstern werden,
In dieser Stunde
Und in den kommenden Stunden
Der kleinen Völker des Abendlandes.
...
Tanzt Csárdás ihr Mädchen –
Verschenkt eure bunten Bänder
Ihr Mädchen –
Tanzt Csárdás ihr Mädchen
Legt schwarze Kleider an
Denn euer Volk stirbt –

...

Ich zeigte das Gedicht Alfred Andersch. Er gab es weiter an Karl Schwedhelm. Der teilte den Strophen Stimmen zu, ein Requiem für drei Sprecher, eine Sprecherin und Chor. Am 27. 1. 1957 sendete es der Süddeutsche Rundfunk in seinem ersten Programm.

Soweit er sich auch von mir entfernt, der Junge, der das schrieb – »Löscht die Gesichter mit Phosphor aus,/löscht die Städte mit Phosphor aus« –, er ist nicht mit mir gealtert. Im Lauf der Jahre hat er sich wiederholt gemeldet, aufgewühlt und gegen alle erfahrene Ohnmacht: beim Bau der Mauer, beim Prager Aufstand, im Flörsheimer Wald an der Startbahn West, beim Anschlag auf die New Yorker Doppeltürme. Ich wage es nicht mehr, mich mit ein paar Sätzen gegen den Wahnwitz zu stemmen.

Erika Berneburg verantwortete die monatliche üppige Modebeilage in Tiefdruck, eine exotische Zugabe in einer ›WirtschaftsZeitung‹. Sie arbeitete in einer anderen Etage und ließ sich so gut wie nie in unserer Redaktion sehen. Ich lernte sie erst kennen, nachdem sie mich entdeckt hatte. Sie hatte einige meiner Aufsätze gelesen, ich schriebe »entzückend leicht«, fand sie, und ich könnte ihr bei den Formulierungen der Bildunterschriften helfen. Das sei, fand ich, ein starkes Stück, und bat Böse, mich nicht freizugeben. Doch seiner Meinung nach musste ein Jungredakteur beweglich und lernbegierig sein. So diente ich eine Woche, bevor die Beilage erschien, Madame Berneburg – und war Böse dankbar. Die Dame, extravagant, gespielt schusslig, maskenhaft geschminkt, die ihre hennarote Mähne ständig mit gespreizter Hand traktierte, erwies sich als gescheit, bemerkenswert belesen und hemmungslos frei in ihren Meinungen. Die Herren »unten« seien allesamt derart akademisch in die reine Wolle gefärbt, dass sie untereinander auf ihre Titel verzichten könnten, jedoch nicht, wenn sie ein Restaurant besuchten oder ein Hotelzimmer reservierten. Gegen elf schenkte sie Schampus ein. Wenigstens ein Gläschen für die Inspiration. Nachmittags gab's Häppchen. Die Modefotografien breitete sie im ganzen Zimmer aus. In den Stunden der Entscheidung kroch sie zwischen und auf den Bildern, rief mich manchmal, bat um ein Urteil: Na, sagen Sie schon, hält das Kostümchen an dieser Bohnenstange Fasson? Aber Sie starren ja auf Busen und Hintern! Für die

Bildtexte gab sie mir die nötigsten fachlichen Angaben. Mit einem Wort brachte ich sie aus der Fassung, ein einziges Mal: Auf drei oder vier Seiten warteten Models in Dessous, allesamt makellos gewachsen, auf meine begleitenden Worte. Verzweifelt mühte ich mich zu variieren. Aber Büstenhalter blieb Büstenhalter, Höschen blieb Höschen, und sei es noch so gewagt. Einen kräftig gebauten BH versah ich mit Fischbein. Madame Berneburg saß zwischen den Fotografien, schob sie hin und her, legte manche beiseite auf einen Stapel. Nebenher las sie meine Bildunterschriften. Plötzlich reckte sie sich, griff sich an den Hals und rief: Maupassant! Sie stand auf, graziös wie eine Ballerina, das können Sie nur von ihm wissen: Fischbein! Ja, die Korsagen. Die verwöhnten Weiber von heute würde Fischbein ganz schön zwicken. An einem der nächsten Tage nahm sie mich mit zu einem Fototermin. In einem Probesaal der Oper führten Mannequins die neuesten Modelle vor, im Herbst für den Frühling. Madame stellte mich als ihren Assistenten vor. Die Mädchen bewegten sich mit oder ohne Zurufe des Fotografen, wie Pflanzen unterm Wasser. Hinter einem Paravent zogen sie sich mit einer Geschwindigkeit um, die mich verblüffte. Diese planvolle Rastlosigkeit, dieses Hin und Her zwischen (vorgestelltem) Nacktsein und Posieren in eleganter Kleidung elektrisierte mich, und ich begann ausnahmslos jede der fünf Jungfrauen zu begehren, was Madame nicht entging. Sie setzte sich neben mich auf eine Bank, legte ihre Hand auf meine: Das sind Pascha-Gefühle, mein Lieber, die treiben Sie sich rasch mal wieder aus. Immerhin werden Sie begriffen haben, dass Fischbein eine dieser Elfen nicht zusammenhält. Keine Angst, ich verrate Sie nicht.

Gandhi legte ›in zeilen zuhaus‹ ins Schaufenster und KuLe überreichte mir den Vertrag für den Band, der 1958 erscheinen sollte, ›unter den brunnen‹.

Öfter denn je fuhr ich mit dem Zug direkt nach Tübingen, stieg in Nürtingen nicht aus. Mechthild wartete auf dem Bahnsteig. Sie in den Armen zu halten, ihren Kopf an meiner Brust, trieb mir die Unruh aus und stimmte mich um auf Zukunft. Wir spazierten durch die Stadt, die rund um die Stiftskirche und um den Marktplatz grau zusammenschnurrte und auf Schnee wartete.

Mit Franz Schonauer machte mich Alfred Andersch bekannt. Sie glichen einander. Beide hätten sie Boxer sein können. Oder Feldwebel. Nicht allzu groß, muskulös, verhalten aggressiv, »Stiftenköppe«. Den rothaarigen Schonauer plagte, im Unterschied zum wetterfesten Andersch, das Sonnenlicht. Heinz Huber hatte mir Anderschs ›Kirschen der Freiheit‹ geliehen. Diese Erzählung einer Desertion beunruhigte mich. Erst jetzt kann ich mir erklären, weshalb: Anderschs Sympathie für Ernst Jünger gibt mir das Stichwort. Er blieb gleichsam an der Front, wechselte nur die Fronten. Mir war dieses Frontdenken, obwohl es mir vor Kriegsende noch einige »alte Frontschweine« einbläuten, nicht mehr geheuer. Schonauer hatte eine Schwäche für schnelle Autos, wechselte zwischen Porsche und Maserati und kollidierte häufig mit der Polizei. Regelmäßig wurde ihm der Führerschein abgenommen, was ihn nicht daran hinderte, trotzdem zu fahren. Er schrieb Rezensionen, auch für uns, und arbeitete als Lektor für den Henry Goverts Verlag. Als er von Gandhi hörte, ich schreibe an einem Roman, was mir Gandhi nicht zutraute, er halte mich für einen Silbenstecher, der höchstens Luftgebilde wie ›YAMIN‹ in die Welt setzen könne und dem bei drei Seiten Prosa der Atem ausgehe, als Gandhi ihm das steckte, lud Schonauer mich zum Abendessen ein, in ein gelobtes Restaurant in der Nähe von Denkendorf. Ich saß zum ersten Mal in einem Maserati. Schonauer sorgte dafür, dass mir Hören und Sehen verging und ich seine Auseinandersetzungen mit der Polizei für selbstverständlich hielt. In unserem Fall, auf dieser Fahrt, handelte es sich um amerikanische Militärpolizei. Schonauer verfuhr sich. Wir jagten durch Esslingen. Denkendorf liegt aber auf den Fildern, warf ich ein, worauf er wendete und oben noch einmal wendete, in einen Wald hineinraste und nach kurzer Zeit durch eine Sperre schoss. Er bremste so, wie es sich für einen Maseratifahrer gehört. Uns umgab Lärm, Geschrei, zwei Scheinwerferkegel erfassten uns. Schonauer drückte sich vom Volant ins Leder, sagte sehr artikuliert: Scheiße. Wir waren an den verblüfften Wachposten vorbei in den Hof einer amerikanischen Kaserne geschossen. Eine veritable Attacke. Es dauerte eine Weile, bis uns unsere Arglosigkeit abgenommen wurde, wir uns langsam entfernen durften. Mein Fahrer beschloss nun doch, in seiner Stuttgarter Stammkneipe einzukehren, wo er mir anbot, den Roman, falls er was würde, in den Verlag zu nehmen.

Das Jahr siebenundfünfzig endete, und das neue Jahr begann mit uns beiden, Mechthild und mir. Die Tanten und Lore waren zu Gast in der Marktstraße. Meine winzige Abordnung bei der großen Maierfamilie. Alle Geschwister Mechthilds und deren Partner feierten uns, nebst den Schwiegereltern. Es fiel mir schwer, zu ihnen Vater und Mutter zu sagen. Vati und Mutti, das sind meine Kinderwörter gewesen. Später, als es die Eltern schon nicht mehr gab, habe ich sie (und auch in meinen Büchern) mit Vater und Mutter angesprochen. Die Schwiegereltern kannte ich seit zehn Jahren. Ich hatte sie schätzen gelernt; meine Schwiegermutter mochte ich sehr. Paps und Musch wurden sie von ihren Kindern gerufen. Diese beiden Einsilber brachte ich allenfalls als Zitat über die Lippen. Der Wechsel vom Sie zum Du fiel mir hingegen leichter. Ich legte Mechthild das Halsband um.

Sie beschenkte mich mit einem alten, silbernen Samowar.

In den auf Erinnerungen erpichten Gesprächen wird das einmal Unerlaubte zum erheiternden Gegenstand. Wie wir schon vor Jahren, das fing früh an!, uns abends zum Abschied vorm Haus küssten und Schweitzers Spitz, auf Anstand achtend, nicht nur außer sich geriet, sondern Frau Schweitzer auf den Plan rief, sozusagen als »Nachbarin Liebestod«. Um Mitternacht, als wir anstießen, als die Knallfrösche auf der Gasse hin und her sprangen, Raketen zum Himmel fuhren und bizarre Funkenschwärme ausschickten, als die Trompeter vom Turm der Stadtkirche bliesen, zogen wir uns auf die Veranda zurück und setzten die Schwüre fort, die wir schon lang, ohne Verlobung und Silvester, austauschten, lauter Sätze, die mit »bald« begannen oder endeten.

Die Flüchtlinge aus Ungarn, ihre Berichte aus Budapest und dieses Foto, auf dem junge Revolutionäre ratlos um einen gelynchten Geheimpolizisten stehen, die Nachricht von der Ermordung Nagys und Paleters – ich wurde nicht fertig damit. Sie haben den Westen, uns, um Hilfe gerufen. Die Kollegen aus der politischen Redaktion widersprachen mir nicht, aber sie gaben zu bedenken, dass ein Zufall von außerordentlicher geopolitischer Auswirkung, die gleichzeitige Konfrontation mit den Sowjets im Nahen Osten und in Ungarn, jede weitere militärische Aktion nicht erlaubt habe. Ihre fertigen Ansichten über gesteuerte Zufälle brachten mich auf. Wieder kamen manche davon, wurde geregelt und verschwiegen. Ich las Gespräche mit Flüchtlingen, teilte ihre Wut, ihre Hilflosigkeit. Bis einer, aus welchem Grund auch immer, an den Reichsverweser Horthy erinnerte und an das Bündnis Ungarns mit dem Deutschland Hitlers. Wie durch einen Riss in der Wand schaute ich auf eine Szene im Gasthof Neunteufel.

Mein Vater sitzt am Klavier, spielt eine dieser Endzeitschnulzen, und Mutter schreibt für Soldaten als Kompaniechef Entlassungsscheine aus. Auf einmal wechseln die Uniformen ihre Farben, vom Feldgrau zum Erdbraun. Es sind ungarische »Verbündete«. Sie tragen keine Schiffchen, sondern bei weitem schickere Kappen. Mutter weigert sich, ihnen Papiere auszustellen. Vater unterstützt sie. Es gibt keinen Streit. Der Teufel wird die armen Teufel holen, sagt einer der deutschen Soldaten. Vater nennt den Führer der Ungarn Reichsverweser und muss mir erklären, wie ein Führer sein Reich verwesen lassen kann. Er spielt ein paar Akkorde auf dem Klavier. Verwesen bedeutete früher verwalten. Aber das ist eine Weile her. In der Erinnerung an diese Szene steckt ein Wort, das ich nach einem halben Jahrhundert wahrscheinlich nicht mehr richtig buchstabiere, das aber noch immer für mich eine bestimmte Farbe, die Lenau-Farbe besitzt: Honvéd. Honvéd-Husaren.

Ich entdeckte einen der Dichter, den die Kommunisten eingesperrt hatten, Tibor Déry, las den ausholenden Roman ›Der unvollendete Satz‹ und gleich zweimal hintereinander die Hundegeschichte ›Niki‹. Der Übersetzer, Ivan Nagel, schrieb für unsere Zeitung über Theater und Opernaufführungen, über Bücher. Ich bewunderte ihn, seine immensen Kenntnisse und seine Fähigkeit, spielerisch Verbindungen zu knüpfen zwischen Sprache und Musik, Bild und Bewegung. Was er beschrieb, konnte ich sehen und hören. Es gelang ihm sogar in einer Kritik aus dem provenzalischen Aix mir eine Stimme zu vergegenwärtigen, die er für sich und auch für mich entdeckte. Zum ersten Mal hörte er Teresa Berganza singen. Als ich ein paar Monate später eine Platte mit ihr kaufte, hörte ich, was ich gelesen hatte. Dabei schrieb Nagel schwer, brauchte Druck, und wenn uns seine Manuskripte zu spät erreichten, verteidigte ich ihn stets damit, dass er seinen konkurrierenden Kollegen an Anschauung und Wissen überlegen sei.

Über die Redaktion kam ich leichter an Theater- und Opernkarten. Meistens gelang es Mechthild, rechtzeitig aus Tübingen zu kommen, und nachts, nach der Vorstellung, fuhren wir dann, erfüllt von Bildern, Sätzen, Klängen, gemeinsam nach Nürtingen, redeten und redeten, und weil wir noch nicht genug hatten, zogen wir ein paar Runden durch die menschenleeren Gassen, bis wir uns vorm Haus in der Marktstraße verabschiedeten. Wir erlebten Anfänge, grandiose Schocks. Pontos Shylock tritt noch immer auf, sobald ich eine Zeile im ›Kaufmann von Venedig‹ lese. Er hält das Stück besetzt, obwohl ihm inzwischen andere Shylocks folgten. Nur seine Stimme wird laut, brüchig und näselnd: Wer schneidet Fleisch aus einem Menschenleib? Und noch eine andere, junge Stimme wurde uns damals geschenkt: Die Inszenierung von Smetanas ›Verkaufter Braut‹ kann nicht sonderlich einfallsreich gewesen sein, denn die Bühne samt Bildern und Personen ist aus meinem Gedächtnis verschwunden. Bis auf einen. Er steht bewegungslos an der Rampe, hat den Wenzel darzustellen und singt. Es war nur die erste Strophe einer unendlichen Arie, die wir von Fritz Wunderlich hörten. Noch einer, der in diese Reihe gehört, spricht nicht, spielt stumm, sodass jede seiner Gesten sich wie ein Schatten hinter den geschlossenen Augenlidern wiederholt: Jean-Louis Barrault in den ›Kindern des Olymp‹.

Ich fange mit meinem Roman an, ohne Skrupel. Schonauer und Henry Goverts warteten auf ihn. Der Stoff, die Geschichte eines Remigranten, steht fest und bei Gandhi stoße ich auf den Titel. Ich hatte ihn nach Ernst Blass gefragt, dem Berliner Lyriker, auf den ich durch einzelne Gedichte in Anthologien aufmerksam geworden war. Das nobel und haltbar gebundene Bändchen, das er mir vorlegte, war von ihm, ›Die Gedichte von Trennung und Licht‹, erschienen 1915 bei Kurt Wolff, und auf der Seite, die ich zufällig las, stand, damit ich ein günstiges Omen habe, ein Gedicht, das nur darauf wartete, Motto für meinen noch nicht fertig geschriebenen Roman zu sein, ›Süddeutsche Nacht‹:

Vorgärtennacht! Mit Sträuchern an den Straßen,
Wo Bäume neben Gaslaternen stehn,
Im Dunkel hell und über alle Maßen
Zu golddurchjagtem Duften ausersehn.

Es schloss mit einer Strophe, die mir den Titel schenkte:

Wir wollen aber nicht nach oben sehn.
Vielleicht, dass schon am nächtigen Himmel steht,
Wenn wir ganz klein durch Gartenstraßen wehn,
Ein riesiger, entsetzlicher Komet.

Ich las es laut vor, was in Gandhis Laden nicht selten geschah. Übernahm das Gandhi selbst, bekam seine Stimme die schwingende Helligkeit einer Bachtrompete, er wurde zum überdimensionalen Posaunenengel. Im Laufe der Zeit verschaffte er mir nahezu alle Veröffentlichungen von Blass. Bis auf wenige waren sie im Verlag Richard Weissbach erschienen, der auch die Zeitschrift ›Die Argonauten‹ herausgab. Ich machte eine Entdeckung nach der andern. Sie glichen Herzsprüngen. Viel später erst las ich, wie elend mein Dichter jener Stuttgarter Stunde 1939 im jüdischen Krankenhaus in Berlin starb, verfolgt, vergessen, verarmt. ›Im Schein des Kometen‹ sollte mein Roman heißen.

Mit Henry Goverts besprach ich die, wie er sagte, für uns beide bequemsten Termine. Er saß mir an seinem Schreibtisch gegenüber, ein durchsichtiger, feiner Herr aus einem Roman von Henry James, und mir ging durch den Kopf, dass er ›Vom Winde verweht‹ für Deutschland entdeckt hatte. Das Geld wird ihm geholfen haben, nach Liechtenstein zu ziehen. Er war korrekt. Der Vertrag kam pünktlich.

Das Stuttgarter Netz, das haltbar schien, begann an einigen Stellen zu reißen. Erst unmerklich. Dann gab es Andeutungen und Gerüchte. Schonauer, nun im Besitz eines Porsche, fürchtete, dass Goverts sich zurückziehen würde. In der Redaktion wurde leidenschaftlich und angstvoll der Plan diskutiert, unser zweimal in der Woche erscheinendes Blatt in eine Tageszeitung umzuwandeln und mit ihm nach Köln zu ziehen. Rasch teilten wir uns in Kölner und Stuttgarter, jene, die bereit waren aufzubrechen, und jene, die für ihr Häusle schon angespart hatten. Eine Weile scherte ich mich nicht mehr um die Gerüchte, denn Heißenbüttels zogen nach Stuttgart, in die Rothebühlstraße. Er trat die Nachfolge Alfred Anderschs im Radio-Essay des Südfunks an. Noch vor seinem Umzug trafen wir uns, saßen im Park der Villa Berg in der Frühlingssonne. Er hatte meinen Roman gelesen, das abgeschlossene Manuskript, und erklärte mir mit einem Lächeln, das die Fältchen um seine Augen versammelte, dass ich »das Ganze« zur Seite legen und von vorne anfangen solle. Ich weiß, du wirst es nicht tun, fügte er hinzu.

Nein. Verletzt setzte ich mich über die Bedenken des Freundes hinweg, der mich nun seit sechs Jahren lesend begleitete, mir und meinen Gedichten, nicht zuletzt ›YAMIN‹, auf die Sprünge half. Wir trafen uns häufig. Der Gesprächsstoff ging uns nie aus. Und mit dem ›Niembsch‹ fand ich auch als Romanautor sein Interesse wieder.

Jetzt sehe ich ihn, wie er von seinem Schreibtisch aufsteht, eine Rolle Papier in seine Jackentasche schiebt, sich verabschiedet und draußen auf der Neckarstraße aufs Rad steigt. Ich glaubte ihm nicht, als er mir versicherte, er werde auch in Stuttgart mit dem Rad fahren, die Hügel rauf und runter. Das mit einem Arm. In solchen Augenblicken öffnete sich sein Lächeln zu einem kurzen jungenhaften Lachen.

Franz Schonauer hingegen war mit meinem Manuskript zufrieden, gab es in Satz, verschwand aus dem Verlag, den Goverts an Hildegard Grosche verkauft hatte, die ich erst einmal übers Telefon kennen lernte: Sie denke nicht daran, das Programm für den Herbst so zu übernehmen, wie es geplant worden war. Dazu zähle auch mein Buch. Sie werde es auf alle Fälle verschieben. Nun verteidigte ich es wie ein ratloser Vater sein krankes Kind. Das komme nicht in Frage, antworte ich ihr. Worauf sie nur abschätzig durchatmet. Nein, sage ich. Und was macht Sie so sicher? Der Vertrag, erwidere ich. Was sie, mich überrumpelnd, mit einer Einladung pariert. Wir sollten uns kennen lernen, mein Lieber. Wir lernen uns kennen. Ich lerne meine Verlegerin kennen. Eine kleine Dame mit rotem Pferdeschwanz, Ungarin, die ihre Leidenschaften mitunter vor sich hertreibt, wie eine Herde wilder Pferde. Was sie liebt, ob Bücher, schöne Dinge, Menschen, nimmt sie ganz in Anspruch. Bis heute, mein Leben lang, wirkt dieser komisch kontroverse Anfang nach. Alle meine Bücher, auch die, die sie nicht mehr in ihre Obhut nahm, lagen ihr gleichsam als Erster vor. Mit Goverts setzte sie fort, was sie im Kleinen schon begonnen hatte. Den Steingrüben Verlag brachte sie mit. Die Besatzung war übersichtlich: Frau Kinkel, ihre Sekretärin, Roland Hänssel, der Hersteller, Kunstkenner und Galerist, Britta Titel, meine spätere Lektorin, Lyrikerin, ein zartes Wesen, das nur selten aus dem Schatten trat, und Hans-Dieter Müller, der den Klopfzeichen der Kommenden lauschte, Alexander Kluges erstes Buch in den Verlag holte.

Obwohl Hildegard Grosche sich schon entschieden hatte, nahm sie mein Buch ein paar Wochen lang regelmäßig aus dem Programm, wusste Gründe, die mich nachgiebig stimmten, fragte mich und sich, ob ich noch einen zweiten Roman schreiben würde, und erst als sie dessen sicher war, gab sie auf. ›Im Schein des Kometen‹ erschien im Herbst 1959. Da arbeitete ich längst in Köln, kam nach Stuttgart allenfalls noch zu Besuch.

7

Laut und leise

Die Zeitung zog zu Beginn des Jahres 1959 um, verzichtete auf nahezu alle Statuten und Regeln, die bisher von der Redaktion hoch und heilig gehalten wurden, als unumstößlich galten. Nun erschien sie täglich und wurde von einem Chefredakteur geleitet. Das Kollegialprinzip, die den Ton angebende Meisterrunde, wurde aufgegeben. Ich hörte nicht auf zu staunen und zu lernen. Alle diese Prinzipienreiter fielen auf einmal klaglos und schamlos vom Pferd. Manche Kollegen gingen. Die einen folgten Jürgen Tern zur FAZ, die andern, vor allem Redakteure aus dem Wirtschaftsressort, kamen schon in Gedanken nicht zurecht mit dem neuen Chefredakteur, Hans Hellwig, der als Propagandist Ludwig Erhards galt oder verschrien wurde. Erhard habe eine Gruppe von Mittelständlern dazu gebracht, das Blatt zu finanzieren. Auch mein Mentor, Helmut Cron, verließ uns, mein Chef, Georg Böse, ebenso. Zum ersten Mal spürte ich, dass Aufbruch mehr als nur Abschied bedeutet.

Lore kam, um mich zu verabschieden, aus München. Ich erinnere mich sehr deutlich an diese Begegnung in der Achalmstraße. Ich staunte, wie frei und unbesorgt sie sich bewegte, nun ganz ohne Misstrauen und Angst, wie sie ihrer Kraft vertraute und wie schön sie war. Manchmal, als Dreizehn- oder Vierzehnjährige, hatte sie mich so angeschaut, als müsse sie mir unsere Kindheit vorwerfen. Jetzt lachte sie und erzählte von einem Freund.

Mechthild hatte ihre Diplomarbeit abgegeben. Wir wollten im Laufe des Jahres heiraten, ich wollte nicht allein in Köln bleiben.

Offenbar steckte ich mit meiner Abschiedslaune an. Gandhi, der Herr der Bücher, erwog, das Lädchen in der Schulstraße aufzugeben und sein Antiquariat von zu Hause aus fortzuführen. Ehe er die Tür seiner magischen Bücherbude für immer schloss, brachte uns ein trauriger Vorfall noch einmal zusammen, gingen wir auf Bücherjagd. Bruno Dechamps spielte den Boten, fing mich in der Redaktion ab. Ob ich das Antiquariat in der Hauptstätter Straße kennte, den alten jüdischen Buchhändler? Den kannte ich. Er habe sich in seinem Laden aufgehängt, ihn vorher angezündet. Nun verkaufe ein städtischer Beamter die Bücher. Nach Gewicht! Er sei schon dort gewesen. Es stinkt zwar alles bedrückend nach Feuer, was aber nichts an den Schätzen ändere, die erhalten geblieben seien. Ich war schon unterwegs. Anstelle des fadendünnen, von Erinnerungen und Sorgen ausgezehrten Männchens stand ein dicker Mann hinterm Ladentisch. Auf dem Tisch eine Waage. Jedem, der den Laden betrat, rief er zu, es werde nach Gewicht bezahlt, bis auf wenige Ausnahmen. Ich sah mich um, sah vor mir die erste bei S. Fischer erschienene Ibsen-Ausgabe, daneben Jahresbände der Neuen Rundschau in Jugendstileinbänden. Ich ließ wiegen, fünfzig Pfennig pro Kilo, bat den amtlichen Verkäufer, mein Paket für kurze Zeit in Verwahrung zu nehmen, sauste zur nächsten Telefonzelle und rief Gandhi an. Ihn hatte die traurige Nachricht noch nicht erreicht. Unverzüglich trat er auf. Mit dem ersten Blick erspähte er, was mir erst nach einiger Zeit aufgefallen war. Der Jäger, der mächtig und schwitzend die Brandstätte beinahe sprengte. Ganz oben, unter der Decke, reihte sich Band neben Band der Goetheschen Werke. Die Herzogin-Sophie-Ausgabe. Die Weimarer. 143 Bände. Die wird schon was wiegen, stellte er für sich fest, wendete seine Aufmerksamkeit jedoch anderen Kostbarkeiten zu, zog einige Bücher aus dem Regal, stapelte sie auf dem Ladentisch, sichtlich angespannt, denn er fürchtete, ein anderer könnte den Schatz unter der eingerußten

Decke vor ihm beanspruchen. Also trat er vor den städtischen Bücherwieger, zeigte auf das Häuflein auf dem Tisch, riss dann die Arme hoch, wies nach oben und in die Runde: Und die da oben, die alle gleich aussehen, möchte ich auch. Der Dicke folgte mit seinen Blicken Gandhis fahriger Bewegung, fragte: Alle? Gandhi bestätigte: Alle. Worauf der Beamte ihn bat, die Leiter zu nehmen und das Zeug selber runterzuholen. Was Gandhi behend tat. 50 Pfennig das Kilo. Als wir die Bände in Kartons packten, Gandhi penibel darauf achtete, dass seine Schweißtropfen nicht die Bücher trafen, als wir, vom Brandgeruch eingehüllt, an den dachten, den wir städtisch genehmigt beraubten, sagte er leise: Ich hoffe, der Herr Kollege wird es mir nicht verübeln.

Aus Köln, von unserem Vorauskommando bekam ich die nötigen Adressen geschickt: Die Redaktionsräume befänden sich in der ersten Etage des Kaufhauses Peters, und für mich sei ein möbliertes Zimmer am Eigelstein für die ersten Wochen gemietet.

Mit Fritz Richert reiste ich zum ersten Mal nach Köln, am Rhein entlang. Wie viele Male sollten sich die Postkartenblicke wiederholen.

Wer mit der Bahn in Köln ankommt, legt den Kopf in den Nacken, begrüßt den Dom. Damals besaß er noch nicht den Kragen, der Wind wehte anders, mantelfreundlicher um den monströsen Bau. Ich sollte, war mir von den Quartiermachern aufgetragen worden, erst mein Zimmer in Beschlag nehmen, danach meinen Platz in der Redaktion. Der Eigelstein sei vom Bahnhof, via Marzellenstraße, leicht zu erreichen. Ich schlenderte durch ein von schmutzigem Firnis überzogenes Viertel, in dem ich immerhin den katholischen Verlag Bachem entdeckte, von ihm nur ein paar Schritte entfernt eine »Ami-Kneipe«, vor der Prostituierte warteten.

Ich muss mich auf das Ich von damals verlassen. Was es

sah, ist längst verschwunden, übertüncht, nur noch in skurrilen Zitaten erhalten. Die Städte begannen, Ruinen abzutragen, Bombenlücken zu schließen. Die heute verhöhnte Fünfzigerjahre-Architektur versicherte uns Zukunft. Die Hohe Straße, in der wir zwei Jahre lang flanierten, bestand aus mehr oder weniger geschickt kaschierten Baracken und ein paar feuerverschonten Häusern. In dem einen befand sich, wie in der Stuttgarter Königstraße, eng und wärmend ein Programmkino. Gegenüber das Café Campi, in dem sich die Szene traf und dessen Besitzer mit seiner Leidenschaft das Konzertleben bereicherte: Er lud die namhaftesten Jazzmusiker zu sich und in die Stadt.

Ich stand vor meinem Quartier, einem mehrstöckigen Mietshaus aus der wilhelminischen Epoche. Mein Zettel wies mich in den dritten Stock. Ich klingelte, wurde von einer Dame mit aufgetürmter Frisur, leuchtend roten Lippen und einem fulminanten Bass empfangen. Auf Kölsch. Ich konnte nur ahnen, dass sie mich begrüßte und mir mitteilte, sie habe mich schon länger erwartet. Sie geleitete mich, ohne Unterbrechung redend, in ein Zimmer, das überraschte und außerdem eine Überraschung bereit hielt: Es weitete sich beinahe zum Saal, stand voller Möbel und das Licht, das durch die Fenster fiel, verdämmerte. Beklommen folgte ich ihr, entdeckte allerdings kein Bett, keine Couch. Wo, fragte ich, ohne dass es mir gelang, ihren Redefluss zu unterbrechen, wo?, wo kann ich? Wir hielten vor einem Gitterbett, an dessen Fußende allerdings das Gitter entfernt war. Hier?, fragte ich. Hellhörig geworden, verstand ich sie: Ich habe mit einem kleineren Herrn gerechnet. Vor mir stand nicht eine einfache Kölner Zimmerwirtin, sondern eine Dame, die mir großzügig Raum in ihrer weitläufigen Wohnung zur Verfügung stellte. Die Miete zahlt ja Ihre Zeitung. Womit sie mir deutlich machte, dass ich, der ich bloß ein vermittelter Mieter war, kein Recht hatte, aufzubegehren. Ehe ich meiner

Verzweiflung nachgab und floh, führte sie mir noch Bad und Toilette vor. Ich bitte Sie, Ihr Necessaire, auch die Seife, nach der Morgentoilette wieder aufs Zimmer zu nehmen.

Ich ging nicht, ich lief zum Kaufhaus Peters. Vorbei am Café Reichardt, dem Funkhaus, dem Wallraf-Richartz-Museum, über den Opernplatz. Dieser lächerliche Anfang raubte mir die Luft. Die breiten, endlosen Gänge im Peters, die ich bald, wie die anderen Kollegen, als Corso schätzte, wo man sich jederzeit treffen konnte, diese Gänge versetzten mich erst einmal in Panik. Ich suchte nach der Verwaltung, die mich zum Eigelstein ins Gitterbett verschickt hatte. Dr. Bartholy, der neue Chef vom Dienst, sei dafür verantwortlich. Seine zerschlissene, aber offenbar haltbare Freundlichkeit fing mich auf. Dieser moderate Mann stammte aus der Batschka und demonstrierte elegant und nicht ohne Ironie, wie aus einem Bauernbuben in Ungarn ein Städter wird. Servus, mein Lieber. Er rauchte Ketten. Und das auch nach einem Herzinfarkt, als er schon Chef der ›Augsburger Allgemeinen‹ war. Was ist Ihnen zugestoßen? Er differenzierte sein Interesse. Meistens genügte ihm: Was gibt's schon wieder? Aber mir ist tatsächlich etwas zugestoßen, das zu vermitteln mir nicht leicht fiel: In dem Zimmer, das für mich gemietet wurde, gibt es nur ein Gitterbett, ein Kinderbett. Die Augen hinter den dicken Brillengläsern wurden zu Schlitzen: Sie haben genau hingesehen? Ich nickte bloß. Ein Kinderbett. Er schloss die Augen. Was den Leuten alles einfällt.

Dieser Anfang bringt meine Erinnerung durcheinander. Bis auf den Korridor, die Redaktionsgasse, sie bleibt fest in der verwischten Topographie. Wahrscheinlich saßen wir vom Feuilleton alle in einem Zimmer. Otto Friedrich Regner, Nachfolger von Dr. Böse, hatte ich bereits in Stuttgart kennen gelernt. Er widersprach in allem seinem knirschenden und knappen Vorgänger. Der Ballett-Regner, Autor eines viel gelesenen Ballettführers, verblüffte tatsächlich durch seine Leichtigkeit, denn er war groß und dick, sein schwerer, stets apoplektisch geröteter Kopf wurde bestimmt von einem lüsternen Mündchen und kleinen, flinken, blauen Augen, die Halbglatze säumten dünne, rote Haare. Selbst wenn er schwieg, las oder schrieb, drückte er sich aus. Er brummte, schmatzte, stöhnte, lachte. In seinem mächtigen Leib hauste ein Seelchen, empfindlich, rasch beleidigt, pathetisch, immer bereit zu staunen und zu genießen. Er kam aus Hersbruck. Das Fränkische färbte seine Rede. Über seinen Kinderort sprach er, als sei er für ihn eine Zuflucht geblieben. Er war ein gieriger Leser. Oft nahm er sich eine Neuerscheinung auch in der Redaktion vor, schob den Stuhl etwas vom Schreibtisch weg und begleitete die Lektüre mit den überraschendsten Geräuschen, die wir als Basso continuo seiner Zustimmung verstanden. Die Ballerinen und Ballerinos Europas kannte er alle, auf die Kölner Truppe richtete sich seine Hoffnung, und ein Tänzer verehrte OFR so sehr, dass er ihm Rosen in der Redaktion überreichte, ein huschender Rosenkavalier, darauf bedacht, nicht aufzufallen, was Regner wieder in Verlegenheit brachte. Er sei ein Esel, fand er, aber ein fabelhafter Tänzer. Einmal, so ging das Gerücht, soll sein Verehrer, als er Regner abends besuchen wollte und der nicht öffnete, die Fassade hoch, in die zweite Etage geklettert sein. Schrieb Regner über einen Ballett-Abend in Basel, München, Köln, Wien oder Paris, formulierte er vor, indem er erzählte, dabei Tanzschritte andeutete und wie durch ein Wunder schwerelos schien. Er schrieb mit der Hand, in einer ungewöhnlich lesbaren, runden, tänzerisch eilenden Schrift. Ich brauchte Zeit, bis ich ihn mochte. Sein Ehrgeiz war beträchtlich. Er wollte mit uns, Hans Bender, Heinrich Vormweg und mir, das beste Feuilleton machen, ein Forum für Kenner, Leidenschaftliche. Sich und uns verbot er jede Form von Häme, auf Ironie hingegen schwor er, sie sei Bestandteil der Liebe. Er ließ uns jede Freiheit. Jeder konnte über das schreiben, was ihn beschäftigte, fesselte. Mir teilte er nach einiger Zeit die Literatur zu, über die Bender, Vormweg und ich ein konstantes Gespräch führten, jeder seine Vorlieben ins Spiel brachte, nicht minder heftig seine Abneigungen. Hans Benders Erzählungen, wie ›Die Wölfe kommen zurück‹, galten bereits damals als Klassiker, Erfahrungsgeschichten, herb und wortgenau. Ich schätzte ihn vom ersten Tag an, seine Ratschläge und Zurufe, seine Aufmerksamkeit. Ich war mir durchaus bewusst, jeden Tag mit einem Dichter zusammenzuarbeiten, der für uns jüngere Schreiber eine Macht darstellte. Mit Walter Höllerer gab er die Zeitschrift ›Akzente‹ heraus.

Mit Heinrich Vormweg wurde ich langsamer warm. Vielleicht hielt uns anfangs eine unausgesprochene Rivalität auf Distanz. Wie manches Gespräch, das abwartend und misstrauisch begonnen wird, gewann es bald an Intensität und Herzlichkeit. Er nahm sich Zeit, auch in der Freundschaft. Um sich zu erklären, erzählte er mitunter von seiner Kindheit im Siegerland und die Konsonanten schleiften auf dem Boden.

Abends schloss ich mich häufig den Politikern an, wenn ich nicht ins Theater, in die Oper oder in eines der immer aufregenden Konzerte im Funkhaus ging. Fritz Richert, ein Franke wie Regner und ihm entfernt ähnlich in Temperament und Aussehen, begleitete mich auf meinen Erkundungen in die Stadt und die abendlichen Kneipen. Obwohl das Bett nach der ersten Nacht ausgetauscht worden war, drängte es mich nicht in das düstere Zimmer, das meine Schlaflosigkeit förderte, da es die sonderbarsten Geräusche auf Vorrat hatte.

Keine Stadt hat sich mir, habe ich mir so erschlossen, wie Köln. Gleich zu Beginn sagte ich mir die romanischen Kirchen auf: die Antoniterkirche mit dem Engel Barlachs, der die Luft schwer werden lässt, Groß Sankt Martin, Sankt Apostel, Sankt Gereon, dieser geschichtete, zwiegetürmte Rundbau, Sankt Maria im Kapitol, Sankt Maria Lyskirchen, Sankt Pantaleon, Sankt Severin und Sankt Kolumba, die aus den Trümmern gebaute Kapelle mit ›Maria in den Trümmern‹. Die besuchte ich beinahe täglich.

Ach, diese kölnischen Marien, diese von Lochner gemalten, blaumänteligen Frauen. Unterwegs treffe ich sie immer wieder, rundköpfig, mit neugierigen Augen und einer Aura, die ich nicht als heilig, sondern als sinnlich empfinde. Sie sind Geschöpfe dieser Stadt und ihrer Geschichte. Selbstsicher bewegen sie sich zwischen den kostbaren Gläsern im Römisch-Germanischen Museum, witzig und derb lassen sie sich auf Unterhaltungen mit Unbekannten ein, vor einer Wand, in einer Tür auf jemanden wartend, könnten sie wieder zurücktreten in ein Bild, das sie mit goldenem Grund aufnimmt.

Den Dom habe ich erst Wochen später betreten. Ich vergaß, als ich die Kirchen aufsagte, dass sie vom Krieg gezeichnet waren, aufgerissen, feuergeschwärzt, mit leeren Fenstern, die Türme Stümpfe, bisweilen provisorisch eingerüstet, und auf den Mauern wuchsen Bäumchen. Bei einigen war der Wiederaufbau fortgeschritten, die klaffenden Wunden geschlossen, und in den Seitenschiffen, den Kapellen, warteten die Heiligen. Wer weiß, wie sie überstanden. Ob sie vor den Bombenangriffen an sicherem Ort aufbewahrt wurden, ob sie verschont blieben oder unter einem Steinhaufen wieder gefunden wurden, damit es Wunder gäbe. Mit den Hebungen und Senkungen im kölnischen Dialekt hatte mich schon mein Freund Johannes vertraut gemacht. Ihn ließ es keine Ruhe, mich in Köln zu wissen, in der Stadt, deren Anziehungskraft er fürchtete und gegen die er seine neue süddeutsche Existenz ausspielte. Er war der Erste, der mich besuchte, mit dem ich ins Innerste Kölns vorstieß, zu den

Vätern, seinem und dem Tonis, seiner Frau. Beide der Geschichte Kölns verpflichtet und dem Karneval dienend, eine Verquickung, die mir fremd bleibt, die ich aber inzwischen als real akzeptiere: Sie macht das Kölner Gemüt aus.

Mit den ersten Kölner Wochen begann vieles. So die endgültige Trennung von einer Gegend, mit der ich erwachsen geworden war. Oder die erste selbständige Aufgabe im Beruf: ein Literaturblatt aufzubauen und zu redigieren. Und, vor allem, das gemeinsame Leben mit Mechthild. Sie hatte ihr Psychologiestudium mit dem Diplom abgeschlossen. Wir beide hatten die Bedingungen, die uns mein zukünftiger Schwiegervater gestellt hatte, erfüllt: Sie war für den Beruf fertig; ich stand im Beruf und verdiente ordentlich. Das Aufgebot hing im Rathaus Nürtingen aus, der Termin war festgelegt: 3. Juli 1959. Es fehlte noch eine Wohnung. Im ›Kölner Stadt-Anzeiger‹ las ich die Immobilienanzeigen. Die Mieten erschreckten mich. Ich vertraute auf den Zufall, auf einen Boten. Ohne die Stimme zu heben, mitten in einem Gespräch – Hans Bender besaß die Fähigkeit, mit seiner Stimme zu lächeln –, bemerkte er, dass in seinem Haus in der Brüderstraße eine Wohnung frei geworden sei. Einmal hatte ich ihn nach Hause begleitet. Wir standen vor einem fünfstöckigen Neubau, dessen Erdgeschoss von einem noblen Laden für Innenausstattung besetzt war, »Von Wittgenstein«. Bender stellte mich dem Hausverwalter vor. Zwei Zimmer, Küche, Bad und ein recht großer Vorraum. Bender wohnte in der ersten Etage. Die leeren Zimmer, in denen er mich stehen ließ, erlaubten mir nicht, mich wenigstens schon in Gedanken einzurichten. Sie hallten und wehrten sich gegen mich. Ich verließ die Buden meines bisherigen Lebens und besichtigte eine halbwegs komfortable Wohnung für meine Frau und für mich. Was für eine Vorstellung. Ich unterschrieb den Vertrag, bat um einen Grundriss, denn den wollte ich den Nürtingern vorlegen, und wir würden kleine Möbel hineinmalen, die wir noch nicht hatten. Bis auf den schwarzen Segeltuchstuhl von Knoll. Den hatte ich bereits platziert.

Es war mir gelungen, den Händler im Zigarettenladen nebenan zu überreden, Reval einzukaufen. Nach seiner Auskunft befanden die sich noch im süddeutschen Probelauf. Ich ging ins Kino in der Hohen Straße, traf mich mit Jürgen Becker, den ich schon in den ersten Tagen in der Redaktion kennen gelernt hatte. Er war ein Stadtgänger aus Leidenschaft. Auf seinem Stadtplan steckten lauter Fähnchen mit Namen, deren Geschichte er wusste, Linien, die er durch die Topographie zog und die sich kreuzten: Hans G Helms, der Wortmusiker, oder ein Zauberer, dessen Namen ich vergessen habe, oder Reinhard Lettau, ein Dichter für morgen. Wir trafen uns in Vostells Atelier, der zündete seine präparierten Bilder an und das Feuer fraß Spuren, schwarze Rinnsale, die sich in den großen, schwarzen Augen seiner spanischen Frau spiegelten. In die Redaktion stürmte Pater Rochus Spiecker, ein Dominikaner, unser weltfrommer Kolumnist, und unterhielt uns mit Witzen aus der Stadt. Immerfort flogen Tauben auf, vor jedem erinnerten Bild, setzten sich in Schwärmen in Bewegung, rauschten und gurrten, selbst nachts am Eigelstein, wenn sie in steinerne Nischen schlüpften, ständig hungrig. Tagsüber verwandelten sie sich in Nonnenschwärme, rund um den Dom oder in der Komödienstraße, und überraschten die Passanten. Ich bin sicher, dass vor manchem Amen ein sehr weltlicher Text gesprochen oder mindestens gedacht wurde.

In der Redaktion fragten sie mich nach Mechthild aus. Also eine Kinderliebe, konstatierten sie, was zu einer Debatte über Haltbarkeit von Kinderlieben führte. Vor allem den beiden Sekretärinnen schwante Unheil. Aber für alle Fälle wünschten sie uns alles Gute. Ob wir denn Kinder wollten?

Dieses Ich, das von einer Verlegenheit in die andere stürzt,

sich kaum zu wehren weiß, das die Forderung des Chef-
redakteurs, sofort nach der Hochzeit am nächsten Wochen-
beginn die Arbeit wieder aufzunehmen, ohne Widerspruch
hinnimmt, dieses Ich bewegt sich in einer Entfernung, die zu
überbrücken mir nicht gelingt. Ich mag es nicht.

Wieder ein Abschied ins Wochenend, allerdings einer außer der Regel. Hans Bender übernahm für mich den Sonn-
tagsdienst. Otto Friedrich Regner schickte mir ein Lachen
nach, dessen Echo mir folgte, bis es an der Loreley hängen
blieb. Die Kollegen musterten mich, als nähmen sie an, die
Hochzeit würde mich verändern.

Ich kann mich nicht entscheiden, ob ich zuerst in die
Achalmstraße zu den Tanten gehe, Lore nach einer langen
Pause wieder sehe oder Mechthild und die Schwiegereltern
in dem Haus an der Marktstraße begrüße, ich lasse mich
gleichsam gehen, wähle die Achalmstraße, den Weg, den ich
auswendig weiß. Die Weiberbegrüßung, die Joi- und Je-
schuschrufe der Tanten nehmen mich auf, sie drücken mich
auf das alte Sofa: Setz dich, mach es dir bequem!, und
erzählen mir, wie lange ich »meine« Mechthild schon kenne.
Schon als Kinder!, rufen sie. Ich sehe, wie Lore mir mit
einem hilflosen Lächeln aus dieser Erinnerungsattacke zu
helfen versucht, aber die beiden Tanten haben inzwischen
meine, unsere Zukunft in Beschlag genommen, wie wir uns
in Köln einrichten werden und sie uns möglichst bald besuchen kommen. Mit der Zeit würden wir Kinder haben, und
sie würden selbstverständlich die Großeltern ersetzen, die
haben sie ja nur von der mütterlichen Seite. Sie fragen, ob
mir ein Sliwowitz bekomme, haben ihn schon eingeschenkt.
Der fährt mir heiß in Kehle und Kopf. Nur ein bissel kräfti-
ger müsstest du noch werden für all das, was dich erwartet.
Was soll ich ihnen antworten? Ich nicke, ich höre nicht hin,
stimme aber allem zu. So gelingt es mir am ehesten, mich zu
verabschieden – bis später, vergiss den Hausschlüssel nicht!

Ich mache einen notwendigen Umweg: Ruoffs sind umgezogen, hinauf auf den Säer, in die Pfändersche Villa, wo ich vor Jahren eingeladen war und die Bilder bewunderte, die Frau Pfänder in Jahrzehnten gesammelt hatte, von Nolde bis Baumeister. Ich kann ihm meinen ersten Roman ankündigen, den er, nachdem er ihn gelesen hat, ablehnt, da er sich in einer Person wiederfindet, was ich ihm nicht auszureden vermag.

Den Turbulenzen im Doktorhaus zeige ich mich gewachsen. Was für den kommenden Tag, den 3. Juli 1959, geplant ist – »bis auf das Wetter« –, erfahre ich mehrfach, mehrstimmig. Dass ich mich pünktlich um halb elf auf dem Rathaus im ersten Stock vor dem Standesamt einfinden solle, dass nach der Trauung und einem Umtrunk im Doktorhaus die ganze Gesellschaft nach Köngen ins Hotel Keim fahre, dort zu Mittag gegessen werde und am Nachmittag, nach Kaffee und Kuchen, Mechthild und ich nach Stuttgart gebracht würden, zum Zug.

Die Wirklichkeit beschleunigt den Plan. Die Tanten haben »ihren« Taxifahrer bestellt. Du hättest dir, klagt Tante Lotte, von dem böhmischen Schneider einen neuen Anzug bauen lassen sollen. Einen Stresemann, doch der ist danach kaum mehr zu gebrauchen. Wir sind, wie kann es anders sein, zu früh, sehen, wie einer nach dem anderen aus dem Doktorhaus tritt, Mechthild in einem weißen Kostüm. Es ist an der Zeit, wir können den Standesbeamten nicht warten lassen. Der hält eine Rede, deren Sinn mir entgeht. Wir werden gefragt, ob wir es denn miteinander aushalten wollen, tauschen die Ringe und dürfen uns, ermuntert von dem Beamten, küssen. Vor dem Zimmer, auf der breiten Treppe, überraschen mich die alten Kollegen, Fritz Maier, Peter Simpel und Fräulein Anni, sie streuen Reis und Blumen, ich winke ihnen zu, danke, sehe in ihre Gesichter, lese lauter vergangene Geschichten, und möchte für einen Augenblick nicht aus ihnen fort. Während des Sekttrinkens verschwindet Mechthild, sie sei mit dem Packen noch nicht fertig. Und ich darf nichts vergessen, sagt sie, wer weiß, wann ich zu einem ersten Besuch heimkomme. Von meinem Schwiegervater erfahre ich, dass der Möbelwagen am Montag in Köln ankomme, sicher nicht zu früh, denn unser Mobiliar, das Schlafzimmer und die Küche hätten längst nicht den ganzen Wagen gefüllt, würden als Beiladung geführt, und wo der Wagen sonst noch Station mache, wisse er nicht. Wir fahren nach Köngen zum Hotel Keim, wo es ein erlesenes Menü gibt, das in solchen Situationen nach nichts schmeckt, das man tunlichst vergisst, wie auch die Reden, die dringlichen Ratschläge und vorsichtigen Nachfragen. Mechthild und ich probieren die neue Rolle aus, die beglaubigte Gemeinsamkeit, verlassen die festliche Runde, um uns auf dem Hof zwischen Hotel und Autobahn zu umarmen, zu küssen, auf und ab zu gehen, bis wir gerufen werden, wir müssten uns für den Abschied doch genügend Zeit nehmen. Uli, Mechthilds ältester Bruder, bringt uns nach Stuttgart zum Bahnhof. Und jetzt erinnere ich mich, wie warm es gewesen ist, wie hell, und sehe im Vorbeifahren den Darmol-Mann, der in Übergröße auf dem Dach seiner Fabrik in einem langen Schritt erstarrt steht. Im Zug, im Abteil lehnen wir uns aneinander und brauchen eine Weile, bis wir die Atemlosigkeit los sind.

In Heidelberg sparten wir das Geld für ein Taxi und straften uns bitter. Der Weg vom Bahnhof zum Hotel zog sich, die Koffer wurden mit jedem Schritt schwerer. Das Abendessen sparten wir ebenso, zogen uns gleich zurück aufs Zimmer. Nun schliefen wir nicht mehr heimlich miteinander, im Gegenteil, mir kam es vor, als versammelten sich die Gedanken aller, die mit uns gefeiert hatten, in das ausladende altmodische Doppelbett. Wir mussten uns an unsere Liebe erinnern, um die Hochzeitsnacht zu überstehen.

In Köln kamen wir pünktlich an. Schritt für Schritt nahm Mechthild die Wohnung in Besitz. Wahrscheinlich gingen uns die gleichen Gedanken durch den Kopf: Niemand kann uns hier mehr reinreden. Zum ersten Mal richtig erwachsen sein. Wir stellten unsere Koffer im Entree ab, als könnten wir uns erst empfangen, wenn die Möbel aufgestellt sind. Der Möbelwagen hätte längst da sein müssen. Ich lehnte zum Wohnzimmerfenster hinaus, schaute auf die Brüderstraße. Am frühen Nachmittag klingelte es. Ein junger Mann überreichte Mechthild ein Blumenstöckchen als Willkommensgruß. Er wohne direkt unter uns. Es war Hans Georg Schwark, der Freund, der Lebensgefährte Hans Benders. Wir stellten das Alpenveilchen mitten ins Wohnzimmer. Gegen unsere wachsende Unruhe half es nicht. Mit dem nächsten Klingeln meldete sich ein Herr Meyer. Er wohne direkt über uns und bitte vorsorglich darum, im Bad nach 10 Uhr abends nicht mehr die Wasserspülung zu betätigen; er und seine Frau litten unter Schlaflosigkeit. In mir stieg die Wut hoch über diesen verdammten Spießerwunsch, und ich vergnügte Mechthild mit der Vorahnung, wegen diesem Idioten an Verstopfung leiden zu müssen. Der Spediteur kam nicht. Am frühen Abend, endlich, fuhr der Möbelwagen vor. Die Spannung löste sich in Betriebsamkeit. Die Küche wurde eingebaut, das Schlafzimmer aufgestellt. Die Bücherkisten türmten sich mitten im Wohnzimmer. Der Knollsessel bekam erst ohne, dann mit schwarzer Bespannung seinen Ort zugewiesen, und die Regale, schwer, drei Bücher tief, reihten sich an der Längswand des Wohnzimmers auf. Mechthilds Schreibtischlampe sorgte für das nötige Licht. Als ich die Bücher auspackte, stellte ich fest, dass ein Karton fehlte, der, in den ich die Kleine Stuttgarter Hölderlin-Ausgabe gepackt hatte. Wochen später bekam ich ihn. Zwei Minuten vor zehn zog ich die Wasserspülung mit einem lauten Fluch, der, hoffte ich, nach oben drang. Die frisch überzogenen Betten kühlten. Wir schlupften zueinander und wühlten uns ein Zuhause zurecht.

Die Wohnung blieb ein Provisorium. Sie kam nicht über den Status einer Zwischenstation hinaus, obwohl ich vorhatte, bei der Zeitung zu bleiben, und Mechthild sofort in Bonn und Köln weiterstudierte, promovieren wollte. Wir warfen einen Anker; dennoch blieb ich auf dem Sprung. Selbstverständlich kauften wir uns noch dieses und jenes Möbelstück, vor allem baten wir einen Innenausstatter aus dem Geschäft im Parterre, der maß für die Fenster noble Vorhänge aus, und in den ersten Wochen schon kaufte ich ein Braun-Gerät, den so genannten Schneewittchensarg, Radio und Plattenspieler in einem, geschützt von einer aufklappbaren Plexiglashaube.

Bald meldeten sich die ersten Gäste. Zwei Jahre lang spielte unser bescheidenes Wohnzimmer Salon. Da wir noch streng haushalten mussten, bewirteten wir alle mit dem, was wir auch zu zweit genossen, mit einem ungarischen Rotwein, dem Kadarka, mit billigstem Weinbrand oder mit Tee. Es brauchte nicht viel, um leidenschaftlich zu debattieren, zu erzählen, vorzulesen. Hans Bender weihte den Raum als Erster literarisch. Er kam an einem Abend, fragte, nachdem wir uns an den Esstisch gesetzt hatten, ob er uns sein neues Buch ›Wunschkost‹ vorlesen dürfe. Wir baten ihn darum. Es werde aber eine Zeit brauchen, warnte er. Ohne die Stimme zu heben, doch nicht monoton, eher um das Geschehene auf Distanz zu rücken, las er, und die badische Einfärbung seiner Stimme machte Frost und Schrecken der Erzählung erträglich. Wunschkost bekamen die Schwerkranken, die Moribunden des russischen Kriegsgefangenenlagers. Während ich die Geschichte zweier junger deutscher Offiziere in russischer Kriegsgefangenschaft hörte, eine sich ausweitende Anekdote von Freundschaft und Misstrauen, beobachtete ich den Vorleser, der gerade und straff auf dem Stuhl saß, sich kaum rührte, um seiner Bewegung Herr zu bleiben. Sein Jünglingskopf – damals verschwand das Wort Jüngling gerade aus dem allgemeinen Sprachgebrauch – passte durchaus zu einer Leutnantsuniform. Er war fünfundzwanzig, als er in Gefangenschaft geriet und erfuhr, was Wunschkost bedeutet. Er hätte ein jüngerer Kamerad meines Vater gewesen sein können.

Bevor wir nach Köln umzogen, hatte mir Tante Käthe Vaters goldene Taschenuhr überlassen, eine IWC, die er zum zweiten juristischen Staatsexamen von Großpapa geschenkt bekommen hatte. Es ist ein Vermächtnis, hatte sie betont. Jetzt fiel sie mir ein und Vater in der Krankenbaracke in Döllersheim. Ob es da auch einen Matsura gegeben hat, fragte ich mich, der für Penicillin sammelte. Für dieses neue Medikament, mit dem sein Freund Ulmer womöglich gerettet werden könnte. Ich hatte mir von Hans Bender in den ersten Wochen unserer Zusammenarbeit ein Bild zu machen versucht. Einer, der schon 1951, als ich noch zur Schule ging, die ›Konturen‹ herausgab, ›Blätter für junge Dichtung‹, der sich, im Gegensatz zu mir, seinen Traum erfüllt hatte, mit all den Dichtern im Land in Verbindung zu treten, ein Gespräch zu führen, der jetzt die ›Akzente‹ mit Walter Höllerer edierte, einer, der seine Erfahrungen hätte ausspielen können, sich aber zurückhielt, schüchtern schien, manchmal beinahe ängstlich. Nun, als erzählender Vertreter Ulmers und Matsuras, gewann er einen Hintergrund, der ihn fremd und überlegen sein ließ. Er war um Jahre jünger als mein Vater, doch er hatte mindestens so viel erlebt wie er. Längst hatte seine Stimme einen Raum geschaffen, der uns umschloss. Mit den letzten Sätzen, die den Lagerfriedhof schildern, wurde er unmerklich leiser, und kaum hatte er geendet, stand er auf und verabschiedete sich. So kam er der Verlegenheit zuvor. Wir hätten uns anstrengen müssen, danach ein Gespräch zu beginnen. Ein paar Tage später lag ›Wunschkost‹ auf meinem Schreibtisch mit der Widmung: »Dem Peter Härtling, meinem Kollegen, täglichen vis-à-vis und epischen Mitstreiter, herzlich Hans Bender«. Mit diesen wenigen Worten setzte er mich im Kaufhaus Peters auf den Platz, nach dem ich in meinem Gedächtnis vergeblich suchte.

Bender kam regelmäßig zu Besuch. Wir verabredeten uns so gut wie nie. Meistens überraschte er uns. Immer brachte er eine Kleinigkeit mit, ein Buch, das ihn sehr beschäftigt hatte, Blumen, Süßigkeiten. Selten begleitete ihn Hans Schwark, der damals noch nicht bei der Deutschen Welle arbeitete und ein kurzes Geplauder mit Mechthild vorzog. Bender lebte in einer Welt vielfältiger Beziehungen. Seine Briefwechsel mit jungen Dichtern wurden mitunter bestätigt, indem dieser oder jener leibhaftig erschien, für Aufregungen oder Enttäuschungen sorgte. Oder es meldeten sich die Worpsweder – kam die Rede auf diesen von der Kunst gesegneten Heideort, geriet Bender ins Schwärmen. Für ihn setzte sich die Künstlergenossenschaft um Vogeler fort, in anderer Besetzung und ohne die übermäßigen sozialistischen Hoffnungen. Hier fand er Freundschaft, die der Kunst gewidmet war. Ein Bogen schlug sich ihm von Vogeler und dem Barkenhof, von Paula und Otto Modersohn, Rilke und Clara Westhoff, von dem Worpsweder Moor ins badische Mühlhausen, seinem Kinderort, oder nach Italien, das ihn anzog wie kein zweites Land, dessen Maler er so liebte, dass er Bilder beschreibend hineingehen konnte, und dessen Dichter er mir, einen nach dem andern, empfahl: Manzoni, Vittorini, Pavese.

Einem Jungen, der in Benders Geschichten eine beinahe magische Rolle spielte, verdanke ich das erste Ölgemälde, das ich kaufte und das in unserem Wohnzimmer die Blicke auf sich zog. Es war ein geprügelter, davongelaufener Stadtjunge, der durch Europa streunte. Ein durchtriebener Melancholiker mit einem schönen, schmalen Ephebenkopf, der sich einem ins Gedächtnis prägte wie der Abdruck einer Gemme. Von Bender wusste ich, der junge Mann hüte seit einiger Zeit Schafe in der Provence und der Hirt, dem er helfe, sei ein berühmter von Cocteau geförderter naiver Maler, Serge Fiorio. Unerwartet tauchte der Junge auf, wohnte »unten« bei Bender und blamierte aus Chuzpe oder aus Geldnot seinen Mentor und das gesamte Feuilleton der ›Deutschen Zeitung‹. Er gab uns eine Kurzgeschichte, die er unlängst geschrieben habe; die ganze Redaktion war entzückt. Sie erschien in der nächsten Samstagsbeilage. Ein Leserbrief entlarvte den kühnen Schwindler: Die Erzählung habe nicht Hubert Fichte geschrieben, sondern Heimito von Doderer. Den Titel der Geschichte trage auch der Band, in dem sie zu finden sei: ›Die Peinigung der Lederbeutelchen‹. Die Scham überwog die Wut, womit der Nachfahr des Odysseus wahrscheinlich gerechnet hatte. Kein zweiter Leser meldete sich, auch kein Kollege aus der Politik oder Wirtschaft. Die Blamage blieb unter uns. Da der Hirt nicht auf Vorrat gemopst und einen Roman erst geplant hatte (mit dem ›Waisenhaus‹ bewies er, dass er Doderer nicht brauchte), verlegte er sich auf den Verkauf von Fiorios Bildern. Er war nicht nur jeder Rolle gewachsen, er lebte sie mit spielerischem Ernst. Mir bot er ein Bild an, in dem ich mich mit dem ersten Blick verlor: ein Karussell, auf dem Löwen und Pferde kreisen, und das in einer verrutschten, kindlichen Perspektive. Ohne Zweifel übertrieb er den Preis. Aber ich war nicht imstande zu handeln. Ich erinnere mich, dass er mich nach dem gelungenen Geschäft umarmte, er roch nach Engeln und Teufeln zugleich. Was Hubert Fichte später veröffentlichte, habe ich fast alles gelesen, die ausholenden, Räume schaffenden ethnischen Reportagen, die autobiographischen Niederschriften. Er vermochte nicht nur zu zaubern, er war auch neugierig, ein gebranntes Kind, dem Zauber erlegen. Leonore Mau, die große Fotografin, die ihn sein Leben lang begleitete, hat in ihren Aufnahmen die Angst, die jeder Zauber macht, gebannt.

Jürgen Becker wurde meistens von Mare, seiner Frau, begleitet. Worüber wir uns anfangs unterhielten, habe ich nicht vergessen. Ich hatte in der kurzen Phase als frei arbeitender Journalist für die Zeitschrift ›Welt und Wort‹ einen Aufsatz über freie Autoren und ihre Einkünfte geschrieben. Ein Bubenstück, denn ich begann eben Erfahrungen zu sammeln, und recherchiert hatte ich nicht. Jürgen, an seinem ersten Buch (›Felder‹) arbeitend, auf dem Sprung und auf der Suche, nahm meine Ausführungen ernst und zwang mich freundlich nachfragend, sie ebenfalls ernst zu nehmen. Auf dieser Grundlage grübelten wir über die Möglichkeiten oder Unmöglichkeiten einer freien Existenz.

Heißenbüttel kam immer erst abends, nachdem er tagsüber durch die Stadt gewildert war auf der Jagd nach Büchern, Bildern, Menschen, wenn er im WDR als Vertreter des Süddeutschen Rundfunks seine Aufwartung machte. Wir fuhren dort in unserer Unterhaltung fort, wo wir beim letzten Treffen geendet hatten, ein endloses Gespräch, in dem zunehmend Gertrude Stein, Wittgenstein, vor allem aber auch Platten eine Rolle spielten, die er mitbrachte, die wir gemeinsam anhörten, Paisiello, Monteverdi. Nichts konnte seinen Sammlertrieb dämpfen, selbst die angespannte familiäre Finanzlage nicht, als schon die vier Kinder auf der Welt waren. Hatte er anstelle des Abendessens Platten eingekauft, brachte er eben »Schnitzel mit Loch« nach Hause. Damals begann er zu fotografieren. Wie immer, wenn er einer neuen Spur folgte, lernte er, machte er sich kundig. Jetzt stapelten sich Fotobücher bei ihm. Es verblüffte mich, wie virtuos er mit einer Hand den Apparat beherrschte. In einer Serie hat er mich fotografiert, porträtiert. Er kam früher als gewöhnlich, die Kamera lag gleich in seiner Hand, als hätte er sich auf diese Sitzung vorbereitet. Ich möchte dich fotografieren. Wir reden miteinander und ich fotografiere dich. Jetzt. Hier in eurer Wohnung in der Brüderstraße. Er sagte es so, als bekämen die Fotos schon ihren Untertitel. Sie haben sich erhalten. Mir sind sie nicht geheuer. Ich bin noch nicht siebenundzwanzig. Hat mein Freund Helmut mich in einer boshaften Laune erfunden? Einen aufgeregten Intellektuellen, dem die Reste von Torheit und Naivität ins Gesicht geschrieben stehen. Mich überrascht die entfernte Ähnlichkeit mit Woody Allen. Aber noch jetzt, nach vierzig Jahren, gelingt es mir nicht, meine täglichen Katastrophen in Komik zu verkehren. Zu diesem fuchtelnden, grimassierenden Spiegelbild kann ich nicht Ich sagen.

Womit bewirteten wir den alten Meister? Aus Nürtingen hatte ich die erste Post an Wilhelm Lehmann geschickt, den ›YAMIN‹ beigelegt. Ein paar seiner Gedichte kannte ich auswendig. Zum Beispiel ›Oberon‹:

Durch den warmen Lehm geschnitten
Zieht der Weg. Inmitten
Wachsen Lolch und Bibernell.
Oberon ist ihn geritten,
Heuschreckschnell.

Oberon ist längst die Sagenzeit hinabgeglitten.
Nur ein Klirren
Wie von goldenen Reitgeschirren
Bleibt,
Wenn der Wind die Haferkörner reibt.

Da musizierte der Sommer auf uns unbekannten Instrumenten. Und mit dem zweibändigen Loerke, den ich in Heidenheim auf Raten erstand, hatte ich mich auf diese Begegnung vorbereitet. Ich hatte Lehmann als Mitarbeiter für mein Literaturblatt gewonnen. Jetzt kam er. Er hatte sich auf einem Kärtchen in seiner aus Spinnennetzen gewobenen Schrift angekündigt. Der kleine, prononciert aufrecht stehende und gehende, weißhaarige Herr steht in der Tür. Mechthild hat geöffnet. Er hält eine Winterchrysantheme in der Hand und überreicht sie ihr mit einer Verbeugung. Was sie sprachlos macht. Sie deutet auf mich und in die Wohnung hinein. Ich nehme ihm den Mantel ab. Es war klar, dass wir ihm den einzigen vorhandenen Sessel anbieten würden, den Knoll. Er lächelte, nahm unser Gefuchtel nicht zur Kenntnis, setzte sich, nickte, als er in dem hängenden Segeltuch landete: O ja, ich weiß, das ist der berühmte Fledermausstuhl, und beruhigte uns endgültig, indem er ihn als außerordentlich bequem bezeichnete. Er sprach hoch und leise. Ob er Tee, Kaffee oder Wein wünsche, fragte Mechthild. Er könnte ein Glas Wein vertragen. Wir haben nichts anderes anzubieten als unseren preiswerten ungarischen Kadarka, mit dem der große Wilhelm Lehmann zufrieden war. Wir fragten ihn auch nicht, ob er ihm munde. Es blieb nicht bei einer Flasche, und Mechthild improvisierte ein Abendessen mit Brot und Rührei. Ich musste ihn nicht ausfragen. Selbstverständlich spielte Oskar Loerke in unserem Gespräch eine wesentliche Rolle, doch auch das Berlin der Zwanziger, nicht zuletzt die Reformpädagogik, für die er sich eingesetzt hatte, und während ich ihm zuhörte, merkte ich, wie er sich gegen Verletzungen wehrte, zurückgesetzt oder übergangen zu werden, dass der von mir verehrte Meister oft im Schatten anderer stand. Die Verbindung mit Jungen und Jüngeren bestärkte ihn in einem neuen Aufbruch. Am Ende redeten wir über Musik, und er bat mich, eine Platte aufzulegen, einen frühen Italiener. Da mein Plattenbestand seinerzeit noch überschaubar war, glaube ich sicher zu wissen, was ich wählte: Scarlattis Sonaten, gespielt von Clara Haskil. Danach erhob er sich ohne Mühe aus dem Knoll, verabschiedete sich, noch zarter und entrückter als vor ein paar Stunden. Ich brachte ihn hinunter, das Taxi wartete schon. Mechthild stellte die Chrysantheme über Nacht in den Kühlschrank. So hielt sie sich länger.

Fast schon am Ende der beiden Kölner Jahre trat einer meiner ältesten Freunde in der Brüderstraße auf, überraschend, nicht allein – Johannes mit Toni, seiner Frau, und Margarete Hannsmann, seiner Freundin. Offenbar wünschten sie sich vor allem von Mechthild Rat und Hilfe. Oder auch nicht. Denn Johannes und Margarete rühmten in hohen Tönen ihre Liebe, während Toni ihnen wütend zuhörte. Nein, wir konnten nicht helfen. Es stand alles schon fest. Nur brauchten die beiden Liebenden, pathetisch gestimmt, eine Bestätigung ihrer einzigartigen Erfahrung. Was herauskam, unausgesprochen längst beschlossen, war: Johannes und Toni würden sich trennen und Magdalena, die Tochter, bei Toni bleiben. Ich erzähle es und es kommt mir vor, als wäre es eben geschehen, als würden mich die heftigen Wortwechsel noch unmittelbar berühren. Aber ich kann die ganze Geschichte bis zu ihrem Ende übersehen. Sie lehrt mich, was »erinnern« bedeutet. Wir alle verloren uns nicht aus den Augen. Toni arbeitete in Köln an der Stadtsparkasse. Als sie sich aus dem Dienst verabschiedete, bat sie mich, an ihrer Arbeitsstätte für Kinder zu lesen. Magdalena ist Studienrätin an einem Kölner Gymnasium. Margarete blieb Johannes verbunden, musste sich aber in zwei weiteren großen Lieben erneuern, erst zu dem Holzschneider Grieshaber, dann zu dem Dichter Fühmann. Beide Frauen sah ich wieder, als Johannes auf dem Stuttgarter Zentralfriedhof beerdigt wurde. Magdalena verwechselte ich mit Toni, doch in meiner Rede hielt ich sie voller früher Zuneigung noch auseinander, Mutter und Tochter. Mit Margarete zu sprechen, gelang mir nicht. Sie lief, während wir uns um das

Grab von Johannes versammelten, zwischen den Gräbern hin und her, von einer anderen Erinnerung bewegt als ich.

Das Blatt zog um. Aus der provisorischen, doch ungemein anregenden Bleibe im Kaufhaus Peters in ein nicht weit entferntes Gebäude an der Apostelnstraße, frisch hochgezogen, im Stil der späten Fünfziger, abwechselnd gefärbte Betonplatten und Glas. Das Feuilleton wurde öfter als vorher von Kollegen aus anderen Ressorts besucht, denn der Blick aus unserem Fenster ging direkt auf das parallel zur Apostelnstraße liegende Bordellgässchen.

Über Interesse und Zuspruch konnten wir uns nicht beklagen. Unserer Zeitung wurde auch von der Konkurrenz Qualität und Einfallsreichtum bestätigt. Da aber das Anzeigenaufkommen kaum wuchs, fragten wir uns immer wieder, ob wir uns halten könnten. Wir verließen uns auf die oft apostrophierten »mittelständischen Unternehmer«. Nie wieder konnte ich so freizügig planen, meiner Phantasie ein so reiches literarisches Spielfeld ausbreiten. Was immer ich mir ausdachte und vorschlug, durfte ich verwirklichen. Auch als ich mir, angeregt durch das ›Times Literary Supplement‹, unser Literaturblatt als sechzehnseitige Beilage im halben Blattformat wünschte. Autoren, die ich anschrieb, ließen sich nicht zweimal bitten, sogar Arno Schmidt überraschte mich mit einer Antwort, als ich ihn (und andere) bat, den »Ort, an dem ich schreibe« zu schildern. Bei einer Serie über die literarischen Zeitschriften vor und nach dem Ersten Weltkrieg empfahlen sich die Mitstreiter gegenseitig, lauter kundige und oft noch selbst involvierte Literaten, unter ihnen Ludwig Kunz aus Amsterdam. Schon mit dem ersten Brief meldete er auch seinen Besuch an. Er habe nicht nur ›Die Lebenden‹ herausgegeben, er habe den niederländischen Dichter Lucebert übersetzt und mir ohnehin viel zu erzählen. Aufgeregt, die dicke Aktentasche auf dem Schoß und auf der Tasche die Baskenmütze, ließ er ungeregelt und ungebremst den Strom seiner Erinnerung schießen, nicht zuletzt an den engen Freund Max Herrmann-Neisse – mit ihm, einem der ersten Lyriker, die ich in der Amerika-Bibliothek in Nürtingen fand, dessen ›Trostlied der bangen Regennacht‹ zu meinem heimlichen Hymnenschatz zählte, hatte der winzige, in dem Stuhl zusammengesunkene Kunz mich schon gefangen. Seine Auskunft über ›Die Lebenden‹ war einer der ersten Aufsätze in der Zeitschriftenreihe. Ich schöpfte aus dem Vollen. Ich lernte und belehrte in einem, ich unterhielt mich mit mir selbst, um den Auseinandersetzungen mit den Kollegen gewachsen zu sein. Jeder nahm an der Arbeit des anderen teil. Wir ersparten uns Hochmut und Dünkel, nicht jedoch Kritik und Nachfrage. Oft brüteten wir miteinander Projekte aus – und Attacken aus der Chefredaktion wurden gemeinsam abgefangen. Wobei uns Kollegen aus der Wirtschaft und Politik zu Hilfe kamen. Dem einen lag die bildende Kunst am Herzen, dem andern die Musik. Kamen sie von Reisen, schrieben sie auch für uns über ihre Liebhabereien und Entdeckungen. Fritz Richert gehörte zu unsren Freunden, ebenso Klaus Natorp, Ulrich Schiller und der kleine Johannes Gross, ein Riese an Intelligenz, Bildung und Arroganz, der sich am Telefon knapp und ironisch mit »GrossDeutsche Zeitung« meldete. Ulrich Schiller, Slawist und mit einer Jugoslawin verheiratet, baute mir Brücken aufs politische Terrain. Er stand eher den Sozialdemokraten nahe als dem Erhard-Flügel der Christdemokraten, der in der Redaktion dominierte. Mir passte keine Partei ganz. Die von Ollenhauer geführten Sozis erschienen mir spießig und unbeweglich. Der CDU nahm ich ihren Konservatismus weniger übel als ihr selbstverständliches Bündnis mit alten Nazis, wie Globke, Vialon und Oberländer. Dass eines mit dem andern zusammenhing, wurde mir erst später klar. Den Liberalen traute ich einfach nicht, obwohl ich in meinen journalistischen Anfängen Politiker wie Reinhold Maier oder Karl Georg Pfleiderer durchaus bewunderte. Schiller erzählte von seinem Studium in Zagreb und gleichzeitig die Geschichte seiner Schwiegereltern, kam auf die Gräuel, die Kroaten Serben und Serben Kroaten antaten, wobei die katholisch-faschistische Ustascha sich besonders hervortat, und, fügte er, wenn er auf dieses Thema kam, hinzu, als wäre es ein Schluckauf der Geschichte, und Tito ist Kroate, kein Serbe. Schiller machte mich mit Klaus Bölling bekannt, der am Westdeutschen Rundfunk tätig und ebenfalls mit einer Jugoslawin verheiratet war. Bölling verdanke ich eine Erfahrung im Voraus, einen Blick in den zukünftigen Alltag von Mechthild und mir. Frau Bölling war nicht zu Hause, und er musste sich an diesem Abend um die beiden kleinen Söhne kümmern. Sie schliefen bereits, als wir kamen. Mit ein paar Spielzeugen, die im Zimmer lagen, blieben sie präsent. Spät am Abend brach ein leises, geradezu diskretes Weinen in unsere Unterhaltung ein. Bölling sprang sofort auf, verschwand, kehrte wieder, einen Zweijährigen auf dem Arm. Im Gänsemarsch folgten wir Vater und Sohn aufs Klo, sahen gerührt zu, wie das Bübchen tief schlafend, weit entfernt von unserer Welt, pullerte, sein Körper einem Impuls nachgab, während sein Bewusstsein von ganz anderen Bildern beherrscht wurde. Die »Bewusstlosigkeit« des Kindes und die behutsame, geübte Routine des Vaters gingen mir nicht aus dem Kopf. Unser Ältester kam erst drei Jahre nach diesem Abend zur Welt, aber mir schien, als hätte ich damals etwas sehr Wesentliches für später gelernt. Merkwürdig, wie derartig belanglose, doch für den Augenblick neue und überraschende Szenen ins Gedächtnis absinken und plötzlich wieder gegenwärtig sind.

Hildegard Grosche meldete sich, überschüttete uns mit Gastgeschenken, einem üppigen Sortiment von Delikatessen, trank ungerührt und ausdauernd unseren Kadarka, der sie, die Ungarin, eigentlich hätte abschrecken müssen. Die langen Nächte mit ihr wurden zur Tradition. Die schützende Bastion, hinter der sie die Gründung eines eigenen Verlages gewagt hatte, war die Redaktion von ›Christ und Welt‹, der Wochenzeitung am Steingrübenweg in Stuttgart. Später schrieb ich für das Blatt. Aber der »Kreis« um Giselher Wirsing, Klaus Mehnert, Rudolf Kircher war mir nicht ganz geheuer. In ihm rieben sich Vergangenheiten. Dennoch war es ein Hintergrund, der meine Verlegerin in ihren Anfängen stützte. Als sie dann pandurenkühn den Goverts Verlag kaufte, verlor Steingrüben an Gewicht. Reiseberichte aus vergangenen Jahrhunderten, nobel ausgestattet, wurden dessen Spezialität. Sie schaffte es ohne Mühe, alle Aufmerksamkeit auf sich zu ziehen. Sehr klein, mit einem Repertoire ausdruckskräftiger, besitzergreifender Gesten, trug sie ein Köpfchen auf dem Hals, in dem die hellen Augen dominierten, Angriffslust und Neugier wunderbar mischend, das rotblonde Haar war zu einem Pferdeschwanz gebunden. Sie war gekommen, mit mir nach dem »unnötigen Roman«, wie sie mehrfach betonte, die Herausgabe meiner ›Geister aus Poetia‹ zu besprechen, der Essay-Serie, die seit einiger Zeit im Süddeutschen Rundfunk lief. Den Vertrag dafür zauberte sie zwischen Mitternacht und vier aus der Tasche, und wenn ich mich nur geringfügig störrisch zeigte, beugte sie sich zu Mechthild, tuschelte mit ihr und sparte mich aus. Gegen Morgen musste ich ihr einige in Köln entstandene Gedichte vorlesen. Dabei hatte sie mir vorher erklärt, dass sie lieber selber lese, als sich vorlesen lasse. Ich schloss diese Kratzbürste ins Herz. Durch sie lernte ich den Verleger Joseph Caspar Witsch kennen, an einem Nachmittag im Domhotel, an dem es keine wortlose Sekunde gab, sich die Sätze knäulten, kölnisch und ungarisch gefärbt, schnell, ständig aus der Laune, den andern, die andere überreden zu wollen. Es wurde über mögliche gemeinsame Werbeaktionen debattiert, über die »Bücher der Neunzehn«, über Böll und Koeppen und nicht zuletzt über Faulkner, dessen Rechte Hildegard Grosche über einen Schweizer Verlag gewonnen hatte. Diesen Dichter kannte ich, ich hatte ›Licht im August‹ gelesen, mitgerissen von einer Prosa, in der Mythos und Wirklichkeit nicht zu trennen waren. Die beiden redeten und redeten. Ich mischte mich nur ein, wenn ihnen, selten genug, der Atem ausging.

Witsch sah ich bald wieder, als Gastgeberin seiner Marienburger Verlagsvilla, in der sich regelmäßig namhafte Journalisten trafen, wohl auch Freunde des »Kongresses für die Freiheit der Kultur«, der zu dieser Zeit noch nicht verdächtigt wurde, vom CIA gefördert zu sein. Wolfgang Leonhard gehörte zu ihnen, er dachte mäandernd über einen »dritten Weg« nach, wie ihn Tito vorführte, eine Position, die auch mein Freund Schiller vertrat. Gerd Ruge und Klaus Bölling hörte ich hier, den schönen Garten vor Augen. Mit Klaus Harpprecht traf ich zum ersten Mal zusammen und Manès Sperber nahm mich didaktisch in Anspruch, leise, inständig und immer aufgeregt. Jahrzehnte hatte er der Kommunistischen Partei, der Internationale gedient, nun rechnete er mit ihr ab, indem er vor allem die Jüngeren resistent zu machen versuchte gegen »die rote Pest«. Durch seinen großen Roman ›Wie eine Träne im Ozean‹ bin ich gewandert wie durch eine Landschaft, die von Schlachten und Kämpfen verschandelt und verwandelt wurde. So, wie ihn, konnte ich mir einen Rabbiner vorstellen. Ich wurde, wann immer wir uns im Lauf der Jahre trafen, zu seinem durchaus widerborstigen Schüler. Es stritten sich die Atlantiker und die Gaullisten, Pasternaks ›Dr. Schiwago‹ stellte selbst ausdauernde Leser auf die Probe, und das Nobelpreiskomitee sorgte dafür, dass sich die Welt über die Engstirnigkeit und Provinzialität des Sowjetregimes entsetzte, als es Pasternak die Ausreise verwehrte und ihm nahe legte, den Preis abzulehnen. Gerd Ruge, der den Dichter mehrfach besucht und interviewt hatte, wusste mehr als wir alle. Genau das zeichnete den Kreis in Marienburg aus: Er bestand fast nur aus Mehrwissern, nicht aus Besserwissern. Die gab es allerdings auch.

Regner verteilte, von Platz zu Platz wippend und tänzelnd, jede Woche die Pressekarten, die er nicht selber nutzte. Oft bekam ich Karten für verwegene avantgardistische Veranstaltungen und Vorstellungen, die dann nicht ich, sondern unsere beiden Spezialkritiker in allen Details und gelegentlichen Peinlichkeiten unseren Lesern erläuterten: John Anthony Thwaites die Malerei, Heinrich Lindlar die Musik. Manchmal fuhren Mechthild und ich nach Leverkusen, der Bilder und der Musik wegen. Dort erlebten wir zum ersten Mal eine Stockhausen-Aufführung, ›Die Jünglinge im Feuerofen‹. Vielleicht ist es die Premiere gewesen. Im Konzertsaal des Westdeutschen Rundfunks hörten wir das Rundfunk-Orchester unter Schuricht oder Klemperer, holten uns in den Pausen bei Campi ein Eis, im Gürzenich dirigierte Günter Wand, dem das Etikett »Kapellmeister« anhing, was wir nicht verstanden, denn seine zarte und beschwingte Deutlichkeit gefiel uns und wurde später von der ganzen Kritik bestätigt, als wir in der Neuen Philharmonie seinen Bruckner hörten, überwältigt von dieser filigranen Strenge. In einem verwegenen Rösselsprung gerieten wir vom Gürzenich auf den Neumarkt, zur »Brücke«, dem Kulturhaus der Engländer, und lernten dort Staunen und Schweigen, von John Cage und seinem Freund David Tudor vorbereitet und dazu angeregt. Später sprang der Tänzer Merce Cunningham hinzu, in bizarren Gesten und winzigen abgezirkelten Schritten den Tonraum Cages ausschreitend.

Jürgen Becker las uns aus den ›Feldern‹ vor, die Wohnung in der Machabäerstraße wurde zum poetischen Vermessungsraum. Wir tranken, setzten auf das Spiel in der Kunst, das Wolf Vostell schon wieder mit knurrigem Ernst demonstrierte und der Kunsthistoriker und Schriftsteller Albrecht Fabri mit seiner Philosophie auf der Basis von Edgar Allan Poe grundierte. Adorno kam, um das von vielen verschriene, von wenigen gekannte musikalische Sprachwerk von Hans G Helms auf die Höhe von Joyce zu wuchten. Frau Moore spielte barbusig Cello und Nam June Paik machte während eines Konzerts von der Bühne einen Kopfsprung in einen mit Reis gefüllten Bottich. Die Stadt wurde von vielen Gedankenwirbeln heimgesucht und belebt. Mein Freund Heißenbüttel hielt sich mitunter tagelang in Köln auf, scharf auf Neuigkeiten. Zwar fand ich seine poetologischen Theorien aufregend – und er, der vielseitig Gebildete, wusste die Künste zu mischen, durcheinander zu bringen und auszubeinen –, aber für meine Arbeit nicht tauglich. Heinrich Vormweg übernahm klug und seinen siegerländischen Langmut ausspielend, den Gesprächspart. Heißenbüttel dankte es ihm.

Der erste Mensch, Juri Gagarin, flog im Sputnik ins All, kreiste um die Erde. Wer wartete und genau hinschaute, konnte ihn als wandernden Stern am Himmel erkennen. Ich sah ihn in der Gesellschaft eines von Zweifeln geplagten alten Mannes. Wir besuchten Heinrich Böll. Hans Bender hatte vermittelt, begleitete uns. Bevor der Sputnik am Himmel erschien, beeindruckte mich besonders ein Regal, in dem sämtliche Übersetzungen der Böllschen Werke gesammelt standen. Ich dachte mir aus, dass alle in ihrer Sprache zu reden begännen, durcheinander, immer lauter werdend, und doch in einem Satz Böll wiedergebend. Später traten wir vors Haus, Annemarie und Heinrich Böll, sein Vater, und wir legten die Köpfe erwartungsvoll in den Nacken. Es brauchte eine Weile, bis wir den reisenden Stern entdeckten. Da! Ja! Ja! Nur Vater Böll wollte es nicht wahrhaben. Wo?, fragte er, störrisch und ungläubig. Dort! Mit ausgestreckten Armen und Zeigefingern bemühten wir uns, seinen Blick auszurichten. Es half nichts. Als wir wieder ins Haus gingen, blieb er noch vor der Tür stehen, sah aber nicht mehr zum Himmel, hielt den Kopf gesenkt und schüttelte ihn. Jahre danach erlebte ich eine ähnliche Verweigerung. Ich arbeitete bei S. Fischer. Carl Zuckmayer hatte mich eingeladen, seine Rede zum 20. Juli 1969, zum Jahrestag des Attentats auf Hitler, anzuhören. Er hielt sie in der Bendlerstraße, an jenem Ort, an dem Stauffenberg und seine Freunde erschossen wurden. Am Abend erwartete uns ein weiteres Ereignis, die Landung des ersten Menschen auf dem Mond. Wir hatten uns zum Essen im Hotel Kempinski verabredet, Zuckmayer, seine Frau Alice und sein alter Freund, General Hans Speidel. Das Hotel bereitete sich auf den historischen Moment vor. In der Lobby standen mehrere Fernsehapparate, und die Sessel waren wie im Kino aufgestellt. Das Publikum werde rechtzeitig alarmiert. Wir tranken und redeten über Wein, ausdauernd und unterschiedlich kundig. Zuckmayer kam auf Freunde, sie wurden anschaulich in Anekdoten, Bassermann und die Bergner. Alice Zuckmayer hingegen begleitete schon in Gedanken den Mann auf den Mond. Zuckmayer forderte sie freundlich auf, ins Hotelkino zu gehen, nach vorn, wahrscheinlich werde auch der Anflug übertragen. Und Sie, Härtling, gehen Sie doch gleich mit. Was ich, gefesselt von seiner Erzahlung, überhaupt nicht vorhatte. Und Sie?, fragte ich. Er und Speidel wollten die Stellung halten, gut versorgt wie sie seien. Alice Zuckmayer, ich und ein halbes Hundert Hotelgäste erlebten die Landung, die ersten taumelnden Schritte, historische Aussprüche des Astronauten, applaudierten wie die andern und kehrten, aufgewühlt von säkularen Bildern, zu den beiden älteren Herren zurück, erzählten, fielen uns gegenseitig ins Wort, bis Zuckmayer mit zwei Einsilbern den Schlusspunkt setzte: Na gut. Doch was haben wir auf dem Mond zu suchen, solange wir mit unserer Erde nicht zurechtkommen. Ich hätte den Mann mit dem Kopf eines römischen Häuptlings umarmen wollen. Wahrscheinlich sind dem alten Böll ähnliche Gedanken durch den Kopf gegangen, denke ich, als er allein vor dem Haus in Müngersdorf stand.

Erwarteten Mechthild und ich keine Gäste, gingen wir immer denselben Weg, »mantelvertraut«, durch die Stadt, den Neumarkt streifend, mit einem Blick in die Schaufenster der Buchhandlung am Dom, die Schildergasse hinunter, hinein in die Hohe Straße, über den Domplatz zum Bahnhof und meistens zur Post, linker Hand in der Vorhalle. Zurück dann am Wallraf-Richartz-Museum und an der Kolumba-Kapelle vorbei über den Opernplatz zur Brüderstraße. Wenn die Oper gerade zu Ende war, liefen wir gleichsam gegen den Strom. Die wenigen Schritte von unserer Wohnung zur Oper verführten geradezu zu Verspätungen. Es ist ja noch Zeit, sagten wir uns, trödelten und erreichten die Ouvertüre nur noch im Galopp. Eine Aufführung habe ich nicht vergessen, werde sie nie vergessen. Obwohl sie, gemessen an einer anderen, auf die ich noch kommen werde, deren Vollkommenheit nicht erreicht. Ihr Glanz, ihre Frische hat sich erhalten, nicht zuletzt durch zwei Sänger und eine Sängerin. An diesem Abend trat eine Gestalt an die Rampe, riss mich hin, ging von da an in meiner Phantasie um, wandert durch manche meiner Bücher: Don Giovanni. Oskar Fritz Schuh führte die Regie. Wer das Orchester dirigierte, weiß ich nicht mehr. Giovanni spielte, sang ein junger hochgewachsener, sich ausholend bewegender Mann: Hermann Prey. In seiner Stimme steckten zwei, ein registergewaltiger Heldenbariton und ein hurtiger Buffo. Er nahm die Bühne für sich ein, nicht brutal und selbstvergessen, sondern erinnernd und erwartungsvoll. Mir schien es, als bewegte er sich in einem

Vorraum der Melancholie. Er sang aus Liebe um sein Leben. Wobei ihm beides, Liebe und Leben, nichts mehr versprach. Er brauchte sie noch, um sich und seine Gedanken in Bewegung zu halten. Sein Widerpart, Don Ottavio, wurde von einem Tenor gesungen, dessen Debüt wir in Stuttgart erlebt hatten und auf dessen Auftritt ich außerordentlich gespannt war: Fritz Wunderlich übertraf alle meine Erwartungen. Er nutzte den von Prey geschaffenen Raum, spielte keine Rolle, womit er diese ohnehin etwas fatale Figur stärkte. Er sang und die Stimme löste sich von ihm in einer einzigen lichten Linie. Ich konnte sie sehen und spüren. Als er ›Pace‹ sang, liefen mir die Tränen über die Backen. Auf dem fragmentarisch erinnerten Theaterzettel steht noch Edith Mathis als Zerline. Ihr »Schrei« und die renitente Zärtlichkeit, mit der sie Masetto tröstet, antworteten Don Giovanni. Und das souverän und frei.

Ich kam von Giovanni nicht los. In der Redaktion ging ich Regner und Heinrich Vormweg allmählich auf die Nerven, indem ich meine Erzählungen und Anschauungen wiederholte, ergänzte und veränderte. Regner dämpfte meinen Enthusiasmus: Er kenne gescheitere Regisseure als Schuh. Doch er musste mir zugeben, dass die Sänger »kolossal« gewesen seien. Wenn er etwas als kolossal beurteilte, wusste er keine Steigerung mehr. Nur, ergänzte er, Mozart hat ja nicht bloß für die drei komponiert, sondern mehr, viel mehr, mein Lieber. Wahrscheinlich sorgte er für den Boden, der mich mit dem »mehr« versorgte. Er kannte aus seiner Münchner Zeit, als er noch bei der ›Süddeutschen‹ arbeitete, einen jungen Mann, der in einer Musikalienhandlung Verkäufer war und sich danach in der Werbung einer großen Plattenfirma betätigte. Hin und wieder besuchte er Regner unangekündigt in der Redaktion. Ein hochempfindlicher Spinner, der sprechend sang und singend sprach. Er hieß Wolfgang Strobel, wurde von seinen Freunden Strobele gerufen. Gelegentlich luden wir ihn ein. Jedes Mal brachte er als Gastgeschenk eine Platte mit. Ehe er sie uns überreichte, klagte er über die Dummheit und Taubheit der Plattenfritzen, denen er ausgesetzt sei, blätterte kostbare Kunstpostkarten, die er sammelte und verschenkte, auf den Tisch, trank gierig den Kadarka und beschwor uns, davon abzulassen, das Zeug sei giftig. Wir ahnten noch nicht, dass er sich mit giftigerem Stoff betäubte. Eine alte Aufführung, erklärte er, eine alte Platte, neu geprägt: Don Giovanni, dieses Mal als Meisterstück zweier deutscher Emigranten, Fritz Busch und Carl Ebert, 1936 in Glyndebourne. Er drängte mich, sie gleich aufzulegen, machte es sich im Knoll bequem und genoss sichtlich meine wachsende Verblüffung. Schon der erste Ton der Ouvertüre traf und spannte mich an. Ich kannte diese Musik – und doch nicht: Ein Brio befreit sie, sie hat Laune, sie will, sie muss erzählen. Leporello trat auf und seine Unruh sprang auf den Zuhörer über. »Notte e giorno faticar...« Mit der Zeit wurde mir klar, was diesen Giovanni von allen anderen, die ich kenne und kennen lernen werde, unterscheidet: Fritz Busch verleiht den Rezitativen eine unerhörte erzählerische Kraft, er akzentuiert, wird schnell, verzögert, wird spitz, wird breit. Und stets con brio. Die Sänger lassen sich nicht nur auf diese Erzählkunst ein, sie genießen sie, und jeder Aufbruch, jeder Ausbruch in eine Arie wird zu einem beseligenden, den Erzählfluss stauenden Augenblick. Die Stimme des jungen Prey hatte mehr Grund und Zugriff als die John Brownlees, der in Glyndebourne den Giovanni sang. Der jedoch bleibt für mich unvergleichlich. Busch gelingt eine Verzauberung. Giovanni erzählt sich phänomenal differenziert selber. Er erinnert sich und weiß, was ihn erwartet. Don Ottavio wurde ebenfalls von einem mir bis dahin Unbekannten gesungen, dem Ungarn Koloman von Pataky. Seine Stimme gleicht in ihrer Färbung und Kraft der Fritz Wunderlichs. Nur braucht er nicht wie Wunderlich die Rampe, um sich im unendlich tönenden Raum einer Mozartschen Arie zu halten, er wird von Busch geführt, weiß den Hiatus zwischen Rezitativ und Arie, weiß, wann die vorantreibende Erzählung Atem holt, um wunderbar zu sich zu kommen oder: wie durch ein Wunder. Strobele beschenkte mich noch ein zweites Mal. Und wieder pflanzte er mir mit der Platte – Artur Schnabel spielt Schuberts B-Dur-Sonate – Wünsche ein. Ob Mozart oder Schubert, ich wünschte mir, so zu schreiben wie ich hörte, wünschte mir eine Annäherung von Sprache und Musik.

Ich wünschte mir – dieses Ich des Siebenundzwanzigjährigen kann ich mit seinen Vorsätzen, seinen Hoffnungen auf einmal wieder erreichen. Es ist über Anfänge hinaus, meidet Pausen und Rückblicke, hat Erfolg mit seinem Literaturblatt, lernt Menschen kennen, die mit ihren Geschichten sein Gedächtnis gleichsam fortsetzen. Dieser junge Mann wartet auf eine Erzählung, eine Prosa, die er sich noch nicht zutraut, die er erst genau hören muss.

Mechthild und ich standen vor den rheinischen Madonnen, den apfelköpfigen Marien Lochners, und wünschten uns lautlos, was andere von uns erwarteten: Kinder. Diese Demut hat uns Köln beigebracht. Eine Stadt voller belebender Bilder, die schon alt sind und darum nicht altern können. Hier fiel es mir leicht, Gedichte zu schreiben, Reime zu finden. Sogar ein Bittlied an den heiligen Franz, nachdem ein paar Franziskaner bei Sankt Gereon an mir vorüberwehten. Oder zwei Strophen auf Boris, den Sohn von Jürgen und Mare Becker, den wir zum ersten Mal betrachten durften. Mitten in Köln, in der Machabäerstraße. Boris bekam keinen süßen Willkommensgruß »auf die Spielplanke gekritzelt«, vielmehr eine Beschwörung, die wetterfest machen sollte: »die feuerbas hat dich verlacht:/wer hat den wolf in den pferch gebracht?/wer hat den hut zur kirch gemacht?/wer hat dem sinn in die flügel gedacht?//der auf dem halm sitzt, der schwankt gut –/denn nur im matten schwitzt der mut./die feuerbas bläst fahrt aus wind –/fahr wohl! sie ist im wasser blind.« Boris braucht keine magischen Aufforderungen mehr. Die Feuerbas hat kräftig geblasen. Er hat sich einen Namen als Fotograf gemacht.

Die Gerüchte belagerten das Haus an der Apostelnstraße: Die uns finanzierenden Mittelständler stimmten nicht mehr mit Hellwigs Politik überein, seiner ausdauernden Parteinahme für Ludwig Erhard. Das missfalle den Anhängern Adenauers. Sie könnten uns das Kapital entziehen.

Nach der Meinung unseres tänzelnden, schnaubenden Generals sollte ein Untergang, wenn es denn einen gäbe, einem Feuerwerk gleichen, derart brillant sein, dass man noch nach Jahren bewundernd an das Blatt denke. Im Übrigen halte er von dem Krisengeschwätz so gut wie gar nichts. In der Ressortleiterkonferenz habe er den wenigen Kleinmütigen noch allemal die Leviten gelesen.

Der neue Mann schickte sich voraus. Eine Handvoll Glossen, aufgegeben in Berlin, unterzeichnet mit dem Kürzel -alk. Absender Wolfgang Werth. Regners Neugier steckte uns an. Der könnte zu uns passen. Ihn müsste man sich anschauen. Irgendwann steht er in der Tür, hereingeführt von Frau Käufer oder Frau Platz, natürlich auf Kölsch, was mir schon nicht mehr auffällt: Dat is de jonge Mann. Da ist er, wie aus einem Bild. Ein staunendes Jungengesicht, das sich nicht vergisst, wenn es alt wird, mit kurzen, keineswegs vorsichtigen Schritten tritt er vor Regners Schreibtisch und überrascht mit seiner Stimme. Sie klingt fest, aber auf schütterem Grund, als werde jeder Satz von einem ungelachten Lachen begleitet. Mitunter schlägt sie ins Weinerliche um. Wir fragten ihn aus, erfuhren, dass er aus der »Zone« geflüchtet sei, in Berlin das Abitur wiederholt habe und nun Germanistik studiere. In Rudolstadt sei er aufgewachsen.

Was andeutungsweise zu hören war. Regner schlug ihm vor, in den nächsten Semesterferien zu volontieren. Das geschah. Er kam nicht ohne Übung, hatte sich bereits im Archiv der ›Süddeutschen‹ und in der Lokalredaktion der ›Heilbronner Stimme‹ umgeschaut. Nach wenigen Tagen hatte ich den Eindruck, als kennten wir uns von Kind auf, obgleich wir uns unsere Kindheiten später und in wiederholbaren Fragmenten erzählten. Ihm beim Schreiben zuzusehen, hieß seine Qual zu teilen. Er erweiterte verbissen und geduldig Anfänge, riss ein Blatt, auf dem vier Sätze standen, aus der Walze, spannte ein neues ein, riss es heraus, aber immerhin hat er es zu sieben Sätzen gebracht. Und so weiter. Nichts davon, aber auch gar nichts ist dem Produkt am Ende anzumerken. Er schreibt anschaulich und leichtfüßig. Und er verfügt über ein Gedächtnis, das stets passende Zitate abgibt. Die begonnenen Blätter häuften sich auf seinem Schreibtisch, türmten sich, dazu noch die angelesenen, aufgeschlagenen, mit Lesezeichen gespickten Bücher, und diese chaotische Papiergegend breitete sich auch unter und um seinen Schreibtisch aus. Der Neue war zu bescheiden, um dieses Chaos als schöpferische Unordnung zu verteidigen. Also schien es mir angebracht, ihn um ein wenig Übersichtlichkeit zu bitten. Selbstverständlich räumte er Schreibtisch und Untergrund frei, um die Unordnung wieder ordentlich wachsen zu lassen. Er nahm mir meinen Einspruch nicht übel. Wir waren inzwischen Freunde. Und wir sind es bis auf den Tag. Er lernte Mechthild kennen, den Brüderstraßen-Kadarka, und wir wiederum seine Freundin Gisela aus Heilbronn, seine spätere Frau, deren Scheu Mechthild mühelos bewältigte. Die Nürtingerin scherte sich wenig um die feinen Unterschiede zwischen dem oberen und dem unteren Neckarschwäbisch. Die beiden Frauen begannen damals ein endloses Gespräch, das sie – unbeschadet von längeren Unterbrechungen – bis heute weiterführen.

Es war der dritte, letzte Karneval, den wir erlebten. Inzwischen hatte ich einige Regeln gelernt. Am Donnerstag zog ich einen alten Schlips an, den mir eine der rasenden Weiber schon im Entree knapp unterm Knoten abschnitt. Die Kamellen von Jungfrau, Bauer und Prinz ersparten wir uns und jubelten, angesteckt von der totalen Kindischkeit, einem bizarren Zug im Vringsveedel zu. Am Nachmittag, die Redaktion hatte das Blatt fast geschafft, warf ein aus der Fasson geratener Nachrichtenredakteur eine Bierflasche aus dem Fenster im zweiten Stock. Die Untat löste eine Polizeiaktion aus, die Johannes Gross die Chance gab, seine Führungsstärke auszuspielen. Die Uniformierten marschierten, kaum hatten sie die Nachrichtenredaktion gestürmt, beruhigt und in geordneter Formation wieder ab. Spät am Abend spazierten Mechthild und ich durch die räudige Stadt, die auf den Aschermittwoch wartete. Die Gasse war von Unrat bedeckt. Plötzlich, vor Kolumba, tauchte ein Clown auf, nicht ganz sicher auf den Beinen, tief versunken in eine ihn glücklich stimmende Erinnerung. Er bemerkte uns nicht, beanspruchte Köln als seine Bühne. Doch seine Einsamkeit teilte sich uns eigentümlich beredt mit.

Kyra Stromberg, deren feinsinnige, musikalische Rezensionen ich schon in Stuttgart bewunderte, die den Redakteur zum dankbaren Leser machten, sorgte für einen Anfang von Zukunft: Sie machte mich mit Fritz René Allemann, einem der Herausgeber des ›Monat‹, bekannt. Diese Zeitschrift hatte ich bereits in Stuttgart zu lesen begonnen, die Weltläufigkeit vieler ihrer Beiträge beeindruckte mich, auch wenn mir der dogmatische Antikommunismus zu weit ging. Die ideologischen und politischen Erregungen der Zwanzigerjahre redeten noch mit. Durch sie erfuhr ich die Geschichte, nach deren »Wahrheit« ich mich fragte, die mir von den Älteren verschwiegen und vorenthalten wurde, eine so schrille wie leuchtende und schmutzige Geschichte. Im ›Monat‹ traten manche noch als Zeugen auf, keineswegs eindeutig in ihrer Haltung, fragwürdige Helden und phantastische Rhetoren: Silone, Koestler, Georg K. Glaser, Peter de Mendelssohn, Isherwood, Spender, Auden, dessen ›Zeitalter der Angst‹ mir Gandhi noch in die Hände gedrückt hatte. Melvin J. Lasky, Gründer und langjähriger Mitherausgeber, lasse sich öfter noch sehen, erfuhr ich von Allemann, und Hellmut Jaesrich, sein Kompagnon, sei von Anfang an dabei gewesen. Wir kamen auf gemeinsame Bekannte, auf Sperber und Bölling, und wenige Tage danach lud er mich zur Mitarbeit ein: »Es wäre für uns eine große Freude, Sie zu unseren Mitarbeitern zählen zu dürfen.« Ich machte Vorschläge, sah endlich die Chance, einen ausholenden Essay über »meinen« Haringer zu schreiben.

Am 13. August 1961, drei Monate nach Allemanns Brief, bekamen die Befürchtungen und Ängste, die in beiden Deutschlanden unterschiedlich erfahren wurden, eine böse Antwort. Ulbricht entschloss sich, die Mauer zu bauen, weiteren Republikflüchtlingen den Weg in den Westen abzuschneiden und unter Intellektuellen eine Diskussion zu provozieren, die lange anhielt: über Schrecken und Notwendigkeit dieser Grenze. Berlin war eingeschlossen. In diese Stadt luden mich Lasky, Allemann und Jaesrich ein: »Ich verspreche mir«, schrieb Allemann, »unendlich viel Bereicherung, sachliche wie menschliche, von unserer Zusammenarbeit.« Regner, der bald als »leitender Feuilletonredakteur« zur ›FAZ‹ nach Frankfurt ging, riet mir zu. Wolfgang Werth ebenso. Er werde nachkommen, bestimmt. Danach brachte er mich, berlinkundig, mit einem Ratschlag durcheinander. In Berlin mit seinem gemäßigten Klima brauche man keinen Mantel. Dabei hatte ich mir gerade einen mit Innenpelz angeschafft. Ich hatte ihn nötig, als wir im Februar 1962 ein paar Tage im Hotel Berlin logierten und auf Wohnungssuche gingen.

Unterdessen häuften sich die Anrufe aus dem Nürtinger Arzthaus. Mechthilds Mutter hatte sich in der Praxis infiziert, lag mit einer Hepatitis im Krankenhaus. Wir fuhren hin. Die Musch (wenigstens für mich nannte ich sie längst so), die mit jedem Atemzug beleben, mit jeder Umarmung schützen konnte, gab auf. Auf dem Nürtinger Waldfriedhof wurde sie begraben, unweit von Großmama. Auch sie gehörte zu den Frauen, die für das Spannungsfeld meiner Jugend gesorgt hatten – zwischen Liebe und Widerstand.

Wir packten für den Umzug. Jedes Buch meiner Bibliothek musste in einer Liste für die Behörden der DDR aufgeführt werden. Kenner halfen mir, »gefährdete Titel« auszusortieren, unter anderem Lukács, Bloch oder ein dünnes Bändchen mit ›Briefen aus Stalingrad‹. Sie schickte ich per Luftpost. Lange hatten wir nach einer geeigneten Wohnung nicht suchen müssen. Viele Berliner verließen die Stadt, und wir zogen ein: Goethestraße 31, in Lichterfelde-Ost. Wir hatten genügend Platz, auch für Zuwachs. So weit wagten wir nicht zu denken. Der Abschied aus Köln fiel uns schwer. Die leise Aufmerksamkeit unserer Mitbewohner Bender und Schwark fehlte uns eine Weile sehr. Dies ahnend half uns Hans Bender mit einem einzigen Satz: »Ich könnte Köln noch schlechter machen, um Ihnen das letzte Heimweh zu vertreiben.« Er folgte Regner und mir, kündigte, um Redakteur bei der Zeitschrift ›Magnum‹ zu werden, die, als wir in Köln begannen, im Kaufhaus Peters unser Nachbar war.

8

Kiez und Welt

Wir lernten rasch, was ein »Kiez« bedeutet. Die große Stadt war nach der Teilung am Kurfürstendamm noch ein wenig lauter geworden, die Berliner bestanden auf ihren nächtlichen »Sausen«. Die Mauer wurde voller Wut besichtigt und zur Attraktion für Touristen. Dort, wo Flüchtlinge beim Versuch, aus einem Fenster zu springen, über die Mauer zu klimmen, durch die Spree zu schwimmen, umgekommen oder erschossen worden waren, erinnerten Kreuze an sie. Lichterfelde-Ost lag weit davon entfernt, im Süden der Stadt. Mit Lichterfelde-West hätten wir gewissermaßen noch städtisches Ansehen gewählt, ein Stückchen Berliner Geschichte, Erinnerung an die Soldaten des Kaisers, die Kadettenanstalt. Für »Ost« konnte ich mit einer späteren, anderen Geschichte aufwarten: In der Goethestraße, unserer Straße, stand auch das Haus – unmittelbar neben dem kleinen Kiez-Rathaus –, in dem sich Generaloberst Beck mit den Verschwörern des 20. Juli traf. Unser Haus befand sich fast schon an der Einmündung der Goethestraße in den Ostpreußendamm. Um die Ecke gab es einen Käse- und Milchladen im Souterrain, der allerdings nach einiger Zeit verschwand, ein paar Schritte weiter, nahe dem Teltow-Kanal, hielt sich ausdauernd ein Kolonialwarengeschäft, das man heute als Kleinmarkt bezeichnen würde. Die Gegend zwischen Bäkepark, Lilienthals Fliegeberg, Kanoldtplatz und Post an der Drakestraße zu erkunden, gelang uns Schritt für Schritt.

Morgens fuhr ich mit dem Bus zur Redaktion; Mechthild auf kürzerem Weg in die Gary-Straße zur Freien Universität. Die Kollegen bemühten sich, uns in Stimmung zu halten, eine Euphorie, die sich wieder einstellt, denke ich an die Anfänge in Berlin. Allemanns und Jaesrichs luden uns abwechselnd ein. Aus dem fahrenden Auto skizzierten sie die Stadt. Einmal, als wir durch den Tiergarten auf den großen Stern zufuhren, die Siegessäule mit der Siegesgöttin vor uns, trompetete der Jaesrich-Sohn aus dem Fond: Püppi mit Flügeln! Das ist sie für mich geblieben. Ihre Bedeutung auf das treffende Maß gebracht, inzwischen neu vergoldet, hauptstädtisch. Als derselbe Knabe mir im Redaktionszimmer seines Vaters einen an der Tischkante befestigten, großen Bleistiftspitzer vorführte, indem er rasend daran kurbelte, philosophierte Jaesrich über eines der Grundübel unseres Berufs, die unausweichlichen Druckfehler. Er behauptete, ihm entgehe selten einer. Sogar in Telefonbüchern finde er welche. Eine der Sekretärinnen brachte das Vorausexemplar der neuesten Nummer. In ihrem Schlepptau erschien, nach vorn gebeugt auf der Fährte seiner Gedanken, François Bondy. Ich war ihm schon in Köln flüchtig begegnet, bewunderte seine immensen Kenntnisse, seine Vielsprachigkeit, er wünschte mir und dem ›Monat‹ wenigstens kleine Triumphe – und wir kamen wieder auf Druckfehler zu sprechen. In seiner Zeitschrift ›Preuves‹ verlasse er sich auf andere, die geduldiger und genauer hinschauten, doch ohne es vorzuhaben, entdecke er in jedem Heft gleich ein Dutzend Druckfehler. Deshalb werde er gefürchtet. Jaesrich griff nach dem druckfrischen ›Monat‹, warf einen Blick auf den Umschlag und reichte das Heft François. Der warf ebenfalls einen Blick darauf. Schließlich hatte er einen Aufsatz beigesteuert. Er sank noch ein wenig mehr nach vorn, klammerte sich an die Schreibtischkante und sagte leise: Schau, was ihr mit mir angestellt habt. Auf dem Umschlag wurde groß mit seinem Namen geworben. Allerdings stand da: Françonis Bondy. Ordentlich mit Cedille. Es dauerte eine Weile, bis François sich wieder aufrichtete, Jaesrich das Heft vorsichtig vor sich auf den Tisch legte, die Hand flach auf dem Umschlag, bis das Schweigen brach und der Betroffene zu lachen begann. Ich traute mich nun auch. Jaesrich beschloss, den Umschlag neu zu drucken, doch François, generös, wehrte ab, die Leser des ›Monat‹ kennten seinen Namen und könnten ihn, vermute er, richtig buchstabieren.

Natürlich war die Redaktion des ›Monat‹ viel kleiner als die Redaktionen, die ich bisher kennen gelernt hatte, doch keine konnte sich an Komfort mit ihr messen. Wir residierten in einer typischen Dahlemer Villa aus den frühen Zwanzigerjahren. Nach der Legende habe ein reicher Bauunternehmer sie seiner Angebeteten, dem Ufa-Star Brigitte Helm, geschenkt. Die Liebe habe nicht lange gehalten und die Dame ausziehen müssen. Ein paar Kleinigkeiten erinnerten an ihre mögliche Herrschaft. Das Klingelbrett in der ersten Etage, zwischen Küche und Gastzimmer, das allerdings nur noch einen Gast kannte, Melvin J. Lasky. In der hellen Weitläufigkeit des Hauses verteilte sich die Mannschaft, ohne sich gegenseitig zu stören. Wer wollte, brauchte sich für Tage nicht zu zeigen. Eine fabelhafte Möglichkeit für die Fleißigen wie für die Faulen. Unten, in den beiden Sälen, residierten die Herausgeber, Allemann und Jaesrich, in einer Art Vorsaal die Sekretärinnen, Zanetti und Janowitz. Oben arbeiteten der Redakteur Holander, ein Friese, der sich wenig später nach Friesland absetzte, und nicht sonderlich regelmäßig Erik Nohara, die »rote Zelle«, Mitglied des SDS und schon 1966 Veranstalter von Hearings und Demonstrationen gegen den Vietnamkrieg. Die Küche beanspruchte Frau Neumann, unsere Putzfrau, die uns, nicht nur wenn Gäste angesagt waren, bekochte, vorzugsweise mit Kartoffelpuffern, von denen Hellmut Jaesrich aus schierer Lust mehr als ein Dutzend vertilgen konnte. Da Jaesrich leidenschaftlich gern spazieren ging, ein Hüne im Stolperschritt, ein charmanter Gesellschafter mit Depressionen, planten und diskutierten wir unterwegs. Womit ich ein wenig übertreibe: Wir gingen auf dem Mittelstreifen, der die Schorlemer Allee teilte, hin und her, zwischen Breitenbachplatz und U-Bahnhof Podbielskiallee. Es gab so gut wie nichts, worüber er nicht Bescheid wusste. Er hatte bei Ernst Robert Curtius studiert, der ihn, weil er mit seiner Dissertation nicht zu einem Ende kam, einsperrte. Seine Sprachmelodie – ob im Englischen, Deutschen, Französischen – wurde von einem quengelnden Unterton getragen. Er holte erinnernd aus – ich hörte zu. Ich bemühte mich, die nächste Ausgabe des ›Monat‹ zu planen – er hörte zu. Zum ersten Mal erfuhr ich, wie Depressionen einen Menschen, den ich verehrte, mochte, veränderten und unerreichbar sein ließen. Tagelang las er in den dicken Berliner Telefonbüchern oder im ›Kürschner‹ und korrigierte. Tagelang blieb er zu Hause, zog die Bettdecke über den Kopf. Tagelang kam er nur auf einen Sprung in die Redaktion, vor allem dann, wenn das Heft fertig umbrochen war, und wir auf das Editorial warteten, das ihm zugeteilt war. In diesem Zustand konnte er nicht schreiben. Nur Bleistifte spitzen. Oder unsichtbar werden. Denn im letzten Moment lag ein Zettel auf meinem Schreibtisch, hingezaubert, auf dem »Euer Liebden« herzlich gebeten wurde, die Glosse zu übernehmen. Depressionen stecken nicht an, aber sie können überspringen, auf die Dauer von ein paar Schritten oder auf die Dauer eines Nachmittags.

Ich gehe neben dem Kollegen Jaesrich auf dem Mittelstreifen der Schorlemer Allee. Ich schlendere. Ich werde mit ihm schneller, folge den Bewegungen seines verdunkelten Gemüts. Es sind Gänge, die ich noch jetzt, in Gedanken, wiederholen kann. Ich war noch nicht dreißig. Er war mir mit seinen Erfahrungen, seinen Kenntnissen bei weitem überlegen. Manchmal versuchte er mit kleinen Spitzen, mir diesen Abstand deutlich zu machen. Ich reagierte nicht darauf. Oft korrespondierten wir auf zwei Ebenen. Wir sprachen überaus beteiligt über einen Aufsatz von Richard Löwenthal, und nebenbei ließ er mich wissen, dass er Rix schon eine Ewigkeit kenne, mit ihm verbunden sei, und ich, nähme er's genau, kein Recht hätte, vorwitzig dessen Aufsatz zu beurteilen. Je tiefer er in einer Depression steckte, desto deutlicher nahm die Spannung zwischen uns zu. Jahre danach, ich hatte den ›Monat‹ verlassen und er eine Stelle bei der ›Welt‹ gefunden, sahen wir uns wieder in Klagenfurt beim Bachmann-Wettbewerb. Es ging mir nah, ihn so unerwartet vor mir zu sehen, gealtert, entstellt durch eine dicke Brille, die er seit einer Staroperation tragen musste. Wir verbrachten den Abend miteinander, verhedderten uns in Erinnerungen, ich sagte ihm, was ich ihm und dem ›Monat‹ zu verdanken hätte, doch die Dunkelheit in seinem Wesen schien mir noch undurchdringlicher.

Gelegentlich lud die Redaktion ein, vor allem, wenn wir einen prominenten Gast vorführen konnten: Walter Laqueur, Friedrich Torberg, François Bondy, Witold Gombrowicz, Hannah Arendt. Die Offenheit und Leidenschaft, mit der man sich auseinandersetzte, hatte ich nicht erwartet. Sie war mir neu. Geschichte und Welt öffneten sich in den Erinnerungen der Weitgereisten, die uns besuchten. Über den beginnenden Vietnam-Krieg gingen die Meinungen auseinander, auch in den Beiträgen für die Zeitschrift. Wenn ein für uns zuständiger CIA-Agent mitlas, wird er nicht nur in diesem Fall hart geschluckt haben. Die »Freiheit«, auf die ein ehemaliger Kommunist wie Manès Sperber sich berief, wurde eingeschränkt durch eine wie auch immer formulierte Gegenideologie. Diese Einsicht hielt mein Misstrauen wach. Ich zählte mich nicht zu den Konservativen. Sie vertraten in ihrer Vergesslichkeit, in ihrem kleinlichen Abgrenzen und Verdrängen doch die Generation meiner Väter. Politiker wie Willy Brandt, Adolf Arndt, Fritz Erler zogen mich ungleich mehr an. Die Sozialdemokraten hatten, trotz des »vaterländischen« Kurt Schumacher, nach 1945 lang gebraucht, ihre Eigenständigkeit zu formulieren, denn das »Ahlener Programm« der Christdemokraten nahm ihnen fürs erste soziale Grundsätze weg. Brandt hatte als junger Mann die Hölle gestreift. Im Spanienkrieg erlebte er, wie unmenschlich Stalin selbst mit seinen Getreuen umging. Nachdem ich Koestlers ›Sonnenfinsternis‹ gelesen hatte, grübelte ich wochenlang über Gläubigkeit nach. Mir fiel Martin Lörcher ein, der mir, nachdem ich Gott leugnete, geraten hatte, ihm das selber zu sagen. Der furchtbare Gott der Ideologen verfolgte jeden Zweifler, warf ihn ins Lager, mordete ihn. Die Davongekommenen waren nun meine Gefährten und meine mit Vorsicht beanspruchten Lehrer. Denn wann immer die alte Lehre rigid durch eine neue ersetzt wurde, wich ich zurück, da die Freiheit, ihre Freiheit nicht selten an Dogmen zu ersticken drohte. Manchmal wurde der Streit handgreiflich. So watschten sich in einer Runde, die über die Mauer, ihr Verbrechen und ihre Notwendigkeit stritt, Sebastian Haffner und Wolfdietrich Schnurre. Zur gleichen Zeit bat Günter Grass in einem Brief Anna Seghers zu diesem widersinnigen Bau Stellung zu nehmen. Sie schwieg.

Das Sonntagsfrühstück in der Goethestraße wurde bald zur Einrichtung. Gegen neun stand ich mit Mechthild in der Küche. Meine Aufgabe bestand in der Zubereitung der Spiegeleier – mit immer neuen Unterlagen und Beilagen, ob Schinken, Käse, Tomaten, Paprika, Chili. Um halb zehn meldeten sich die Gäste, Mechthilds jüngste Schwester Helgard mit ihrer Freundin. Beide lernten in Berlin medizinisch-technische Assistentin. Mechthilds Bruder Horst, Physiker, und seine Freundin Dagmar. Beide arbeiteten am Hahn-Meitner-Institut und heirateten bald. Ein Jahr darauf erweiterte sich der Kreis durch ein weiteres Paar, Gisela und Wolfgang Werth. Es war mir gelungen, Wolfgang in den

›Monat‹ zu holen. Der Tisch, an dem wir frühstückten, wanderte. Den hellsten luxuriösesten Platz hatten wir im Wintergarten, den dunkelsten, aber noch immer gemütlichen, im Wohnzimmer hinter der großen Glastür. Eine Zeit lang stand er auf der Grenze zwischen den beiden großen Zimmern, aber die Schiebetür wurde am Ende mit einem Bücherregal dicht gemacht. Für diese ständigen Umzüge in der Wohnung sorgte die wachsende Zahl der Kinder. Nicht selten setzte sich das Frühstück fort bis in den späten Nachmittag oder in den Abend, denn ich hatte mir einen Fernsehapparat angeschafft, befand mich mit ihm gegenüber den anderen im Vorteil bei weltbewegenden Ereignissen oder wichtigen Fußballspielen. Im Sommer zogen wir in das mit einer Rabatte markierte Dreieck am Ende des Gartens, unser Gartenstück, oder spazierten durch den Kiez, in meiner Erinnerung immer hochgestimmt und voller Erwartung. Die Ängste brachen ungerufen ein.

Ein einziges Mal füllte sich die Wohnung zum Platzen mit geladenen und ungeladenen Gästen. Im Oktober 62 tagte die Gruppe 47 am Wannsee, und ich lud, übermütig und zum Entsetzen von Mechthild, Freunde und Bekannte ein. Von Literatur war nicht die Rede. Chruschtschow hatte auf Kuba Raketen installiert, amerikanische Kriegsschiffe blockierten den Seeweg, es drohte der Dritte Weltkrieg. Reinhard Lettau zog das Telefon an langer Schnur ins Bad, machte es sich in der Wanne bequem und telefonierte mit seiner Frau in den Staaten, gab sich Mühe, sie zu beruhigen, trieb in seiner Sorge die Telefonrechnung in schwindelnde Höhen, was ich ihm gutschrieb. Dann hockten wir wieder zusammen, Jürgen Becker, Lettau und ich, Kriegskinder, Flüchtlingskinder, richteten uns aufs Schlimmste ein, indem wir uns gegenseitig beteuerten: Es wird nichts passieren, die kommen im letzten Moment zur Vernunft. Was tatsächlich geschah. Am nächsten Tag trafen wir uns in der Akademie der Künste. Alexander Kluge führte seinen Film über das Nürnberger Reichsparteitagsgelände vor, einen scharfsinnigen, bitteren Bildessay über Barbarei und Pathos behauenen Steins. Als wir aus dem Studio traten, die Kino-Dunkelheit noch in den Augen, überfiel uns ein Gerücht, dem wir erst einmal keinen Glauben schenken wollten – die Älteren fanden dafür den Landserausdruck: Nichts als eine Latrinenparole –, das sich aber im Lauf des Abends als wahr erwies: die Redaktion des ›Spiegel‹ sei nach einem Bericht über ein Nato-Manöver wegen Geheimnisverrats von der Polizei durchsucht und Rudolf Augstein verhaftet worden. In solchen Situationen beginnen in einer großen Gesellschaft sich alle hilfesuchend um die eigene Achse zu drehen. Zufällig findet man durch einen Halbsatz, eine Bemerkung wieder Halt, sieht in ein bekanntes Gesicht. Einer der Ersten, dem ich zuhörte, war Adolf Arndt, der sich inzwischen telefonisch über den Stand der Maßnahmen erkundigt hatte und seine juristischen Zweifel äußerte. Kluge führte mich zu seinen Eltern, feinen alten Leuten, die Unterhaltung mit ihnen beruhigte mich. Sie wollten meine Meinung über ›Lebensläufe‹, das eben erschienene Buch ihres Sohnes wissen. Hildegard Grosche hatte mir das Manuskript zur Prüfung gegeben. Vielleicht traute sie ihrem Lektor Hans-Dieter Müller nicht, der mit Kluge gut bekannt war. Wie beim ersten Lesen der ›Kombinationen‹ Heißenbüttels musste ich auch hier den Widerstand der Sätze brechen, ihre »Fremde« akzeptieren. Die Erzählung der Anita G. prägte sich mir Satz für Satz ein. Zu meinem Erstaunen fügte sie meinem Misstrauen gegen Geschichte eine misstrauische Pointe hinzu: Mit der Zeit gehen die Bilder, die uns gemacht werden, in die Bilder auf, die wir uns zu machen glauben. Habe ich das den beiden alten Leuten nahe zu bringen versucht? Ich hielt mich zum ersten Mal in den Räumen der Akademie am Hanseatenweg auf, in diesem Haus, in dem ich viel Zeit (nicht nur als

Mitglied) verbringen sollte, das bis heute mein »Berliner Zuhause« ist. Wie stets, wenn Ereignisse in ihrer Bodenlosigkeit kaum zu begreifen sind, sie uns aber schon physisch attackieren, suchen wir Gleichgesinnte, bekannte oder unbekannte, die imstande sind, das Chaos zu erklären, oder wenigstens zu trösten. Reinhard Lettau, der Erfinder von ›Manig‹, schaffte das nicht. Er selbst ähnelte seiner intellektuellen Spielfigur, freute sich am Absurden, verstand unter »links« die minimale, aber schmerzliche Abweichung der Gerechtigkeit von der Norm. Er spielte listig, provokant und gedankenreich die Rolle des Spinners. An seiner Seite überstand ich den Abend, am Ende betrunken, todmüde. Seine Angst vor dem Dritten Weltkrieg schlug um in rasende Hoffnung. Uns verbinde doch die zukünftige Vaterschaft. Von Jürgen Becker hatte er gehört, dass Mechthild ein Kind erwarte. Die seine sei ebenfalls schwanger. Und, als sei er auf ein Schleppseil gesprungen, verwickelte er mich zwischen Kuba-Krise und ›Spiegel‹-Affäre in einen Dialog, genauer einen Monolog über Babynahrung:

Kannst du mir sagen? – Ja? – Ob ihr euch schon zu einem Produkt entschlossen habt? – Produkt? – Trockenmilch oder so was. – Ja, Pomil. – Taugt das was? – Vielleicht solltest du den Doktor fragen, mein Lieber. –

Arm in Arm schlenderten wir zwischen den Leuten, vertieft in ein Gespräch, das schnurrend und schwappend seinen Sinn suchte, bis uns Hans Werner Richter freundlich und bestimmt in die allgemeine Ratlosigkeit zurückrief und uns bat, einen Aufruf gegen die Verhaftung Augsteins zu unterschreiben.

Ich habe unterschrieben. Nicht nur diesen Aufruf. Doch jener Abend bestätigte meinen Verdacht, dass die Generation der Eltern Demokratie zwar blitzschnell für sich in Anspruch genommen hatte, angeleitet nicht zuletzt von den Amerikanern, dass dies jedoch bei vielen eine große Geste geblieben war, sie sich und der Demokratie nie ganz trauten.

Strauß, dessen Intelligenz und Bildung gerühmt wurden, war und blieb mir unheimlich. Nun hatte er in der Attacke gegen den ›Spiegel‹ die Regeln gesprengt. Ich sah ihn einige Jahre später ein einziges Mal in einer für uns beide ungewöhnlichen Umgebung. Hans Marquardt, der Leiter von Reclam in Leipzig, hatte mich eingeladen, aus dem ›Niembsch‹, der in einer DDR-Lizenz erschienen war, im Gohliser Schlösschen zu lesen. Mechthild und ich wohnten im Hotel »International«, offenbar einem gefürchteten Stasi-Nest. Der Geschäftsführer begleitete uns auf das Zimmer, wunderbar altmodisch eingerichtet, und beteuerte, dass es bald modernisiert werde. Ich versuchte ihm das auszureden. Am nächsten Morgen überfiel er uns beim Frühstück, fuchtelnd und schnaubend: Reclam könnte die Pressekonferenz leider nicht wie vorgesehen im Grünen Salon veranstalten. Alle Pläne seien leider über den Haufen geworfen worden. In dem Salon werde nun, sagte er mit einer Verbeugung gegen niemanden, Ihr Herr Strauß der Presse zur Verfügung stehen. Ich stotterte nicht, als ich ihm antwortete: Vielleicht Ihr Herr Strauß, meiner ist es nicht. Strauß kam in eigener Maschine angeflogen, um die DDR mit Millionen zu beschenken. Wir standen zufällig in der Lobby, als er das Hotel betrat, begleitet von einem Riesen, Herrn Schalck-Golodkowski. Ich sah ihn, klein, rund und fest, etwas erhitzt, mit einem stark geröteten Gesicht. Er lachte, redete, seine Entourage stand in einem Kreis um ihn, ein Hof von Macht.

In der langen Akademie-Nacht ahnten wir noch nichts von seinem Rücktritt. Wir wünschten ihn.

Zum ersten Mal stritt ich mich mit meinen Kollegen, als sie im ›Monat‹ eine Diskussion über den Konservatismus mit einem Aufsatz von Armin Mohler, dem Sekretär Ernst

Jüngers, eröffnen wollten. Das hielt ich für den denkbar schlechtesten Anfang, geschrieben von einem, der als Schweizer den Nationalsozialisten angehangen hatte. Gerade darum, meinte Allemann, der Schweizer, er werde provozieren. Sie überzeugten mich nicht, sie überstimmten mich. Immerhin formulierte Allemann in einem redaktionellen Vorspruch, worauf ich gedrungen hatte, unsere Neutralität: »Wenn wir den Konservativen auf diese Weise Gelegenheit zu einer Aussprache über ihre gegenwärtige Position und ihr Weltbild geben, identifizieren wir uns selbstverständlich so wenig mit ihrem politischen Standort (und mit den einzelnen Versuchen zu dessen Definition), wie wir uns mit der vorangegangenen Debatte in den Reihen der Linken engagiert haben. Unser Bestreben ist auch hier einfach, der geistigen Auseinandersetzung eine Plattform einzuräumen.« Die folgenden Beiträge von Golo Mann, Klaus Harpprecht, Caspar Freiherr von Schrenck-Notzing, Eugen Gerstenmaier, Hans Zehrer, Peter Dürrenmatt (dem damaligen Chefredakteur der ›Basler Nachrichten‹), Robert Hepp und Kurt Sontheimer versorgten mich mit Sätzen, gegen die ich aufbegehrte, und Einsichten, die ich ohne ihren ideologischen Anspruch hätte akzeptieren können. Jedes einzelne Heft sorgte in seiner Vielstimmigkeit, die mich beim Wiederlesen beeindruckt und die ich heute schlicht als unbekümmert bezeichnen würde, für den notwendigen Ausgleich. Während die Konservativen klug oder platt ihre Politik entwarfen, veröffentlichten wir Auszüge aus den Tagebüchern von Camus, Aufsätze von Adolf Portmann, Gerhard Zwerenz, François Bondy, Ekkehart Krippendorff, Richard Löwenthal, Peter Szondi, Otto F. Walter, John Strachey, Reinhard Baumgart, Heinz Trökes, Ludwig Marcuse, Martin Walser, Ivan Nagel und Hubert Fichte. Der Fiorio, den ich ihm in Köln abgekauft hatte, öffnete nun in der Goethestraße sein Zauberfenster. Ich wollte das Bild beglaubigt haben und bat

Fichte um einen Aufsatz über seinen provenzalischen Arbeitgeber, den Hirten und Maler.

Ich müsste, überlegte der durchreisende Melvin J. Lasky, mich den Lesern der Zeitschrift vorstellen. Nicht als Autor, vielmehr als Redakteur. Mit einem »besonderen Heft«. Es kann sein, dass mir der Einfall auf einem der Spaziergänge auf dem Mittelstreifen kam, zwischen Breitenbachplatz und Podbielskiallee. Wieder, auch in dieser Redaktion, mehr noch als in der ›Deutschen Zeitung‹, umgaben mich die »Väter«, bildeten mich, bildeten mich aus, und fortwährend auf Eigenständigkeit pochen, Gegenfragen stellen strengte an. Noch war ich nicht dreißig. Ich kannte nicht wenige, die sich auf dem Sprung befanden, Anfänge und Aufbrüche schon hinter sich hatten wie ich. Wie wäre es, wenn ich Autoren, Künstler für ein Heft zur Mitarbeit einlüde, »Alle unter dreißig«. Die beiden Herausgeber stimmten, allerdings ihre Zweifel anmeldend, zu. Selbst den Umschlag änderte ich. Auf ihm wurden, entgegen der Regel, die Namen aller Beiträger genannt. Den politischen Aufsatz steuerte der Älteste unter den Noch-nicht-Dreißigern, Arnulf Baring, bei. Er setzte »patriotische Fragezeichen«. Nach vierzig Jahren würde er sie nicht mehr so setzen, selbst wenn die Mauer nicht gefallen wäre: »Jede Wiederannäherung in Deutschland setzt die Anerkennung der Spaltung voraus. Das klingt widerspruchsvoll. Aber es gibt heute noch keinen anderen Weg.« Inzwischen ruft der Siebzigjährige aus einem anders gefärbten Patriotismus das Volk auf die Barrikaden, gegen die regierenden Achtundsechziger. Womit er vermutlich eines der wenigen Resümees aus »meinem« ›Monat‹ zieht. Jaesrich bezeichnete uns alle etwas verächtlich als »Twens«. Wir waren um ein Jahrzehnt älter als die kommenden Achtundsechziger. Ich hatte zwei meiner Kollegen aus Heidenheim und Köln zur Mitarbeit aufgefordert, zwei Freunde: Ulrich Renz porträtierte einen Pflichtbewussten, den Gestapo-Regierungsrat Hunsche, Wolfgang Werth porträtierte unter dem Titel »Republikflüchtling L.« sich selbst. Sie hielten sich an *unsere* Themen. Die bildenden Künstler – Arwed D. Gorella, Jens Böttcher, Sigurd Kuschnerus, Wolf Vostell – überraschten mit einem Realismus, der sie von den herrschenden Abstrakten abgrenzte.

Am 1. Februar 1963 saßen Mechthild und ich im Konzertsaal der Musikhochschule an der Hardenbergstraße und lauschten den Philharmonikern unter Carl Schuricht. Ich brauche keinen Konzertzettel, um dieses Datum zu bestimmen. Dafür sorgt Fabian. Der hinfällige alte Mann wurde ans Pult geführt und mit einem Wink seines Taktstocks öffnete sich Mozarts Himmel. Mit dem Doppeldeckerbus fuhren wir danach Richtung Steglitz, erfüllt von Musik erklommen wir das obere Deck und wurden kräftig durchgerüttelt. Bei Mechthild hatte das Folgen. Am nächsten Tag fuhren wir mit dem Taxi nach Neukölln zur Frauenklinik. Die Schwester schickte mich wieder nach Hause. Undenkbar, dass ich Mechthild in den Kreißsaal begleitet hätte. Die Wohnung dehnte sich ins Unendliche und schrumpfte auf einen Punkt: den vorm Telefon. Ich lief auf und ab, versuchte zu lesen. Als ich mich kaum mehr wach halten konnte, das Radio eingeschaltet hatte, klingelte das Telefon. Ich sprang auf, stolperte über sämtliche Gegenstände, über die nicht zu stolpern ich mir eben noch vorgenommen hatte, stand im dunklen Vorraum, tastete nach dem Hörer.

Ja? – Hast du geschlafen?, fragte sie. Nein. – Es ist ein Junge, sagte sie. – Geht es dir gut? – Das hörst du doch. Ich bin müde. – Und der Junge? – Gerade hat ihn mir die Schwester auf die Brust gelegt. Er ist furchtbar winzig, aber es ist alles an ihm dran. – Kann ich nachher kommen? – Wann du willst. Komm!

Diesen Widerhall eines morgendlichen Telefongesprächs

im Flur spreche ich nach – in ein paar Tagen feiern wir Fabians vierzigsten Geburtstag.

Zwei Jahre später kam Friederike zur Welt.

Ein Jahr darauf Clemens.

Und vier Jahre nach Clemens wurde Sophie geboren, schon in Frankfurt.

Jedes Mal, wenn ich in die Klinik eilte, um Mechthild zu umarmen und das Baby in Augenschein zu nehmen, wurde ich für einen Moment scheu. Sobald Mechthild mich aufforderte, dieses noch kümmerliche, knitterige Geschöpf auf den Arm zu nehmen, weigerte ich mich. Ich fürchtete, es zu zerdrücken. Es musste mir in die Arme wachsen, und das brauchte seine Zeit.

Die Wohnung schrumpfte vor lauter Leben. Wir kauften ein Auto für Mechthild, eine Waschmaschine für die Windeln. Unter dem Dach wurde ein Zimmer frei. Ich mietete es als Arbeitsraum, malte es weiß aus, bekam dabei einen Schwächeanfall und heimste für meine Leistung nur Spott ein.

Don Giovanni hatte mich aus Köln begleitet. Ich las Kierkegaards ›Entweder-Oder‹. Ich las mich wund. Diese manischen Ausbrüche in Leben und Lieben, die von Depressionen erstickt oder verzweifelt zurechtgerückt wurden, brachten mich meinem Plan, einen ›Giovanni‹ zu schreiben, wenig näher. So schien es mir. Sie setzten auf alle Fälle keine Figuren in Bewegung. Ich notierte mir zwei Sätze, die eine suchende und gleichwohl eindeutige Erzählbewegung wiedergaben: »Wiederholung und Erinnerung sind dieselbe Bewegung, nur in entgegengesetzter Richtung. Denn was da erinnert wird, ist gewesen, wohingegen die eigentliche Wiederholung nach vorwärts erinnert wird.« Oft verließ ich die Redaktion schon am frühen Nachmittag, fuhr zum Halleschen Ufer, zur Amerika-Gedenkbibliothek, auf der Fährte Don Giovannis, ließ mir die Versionen von Tirso de Molina und Byron, das Libretto da Pontes, Max Frischs ›Don Juan‹ und Lenaus ›Don Juan‹ bringen, las nebeneinander, las quer, verglich und hörte abends Mozart, leise, oben in meiner Schreibstube. Übrig blieben Lenau und Kierkegaard. In Kierkegaards Briefen wiederum fand ich eine Stelle, die mir eine mögliche Erzählhaltung nahe legte: »Zum Heiraten habe ich keine Zeit. Hier in Berlin gibt es indessen eine Sängerin aus Wien, eine Demoiselle Schulze, sie spielt die Elvira. Wenn mein wilder Sinn über mich kommt, bin ich fast versucht, mich ihr zu nähern, nicht just mit den ›reellsten‹ Absichten. An einer Sängerin ist ja im Allgemeinen nicht groß was verloren, und sie gleicht ihr. Es könnte eine kleine Zerstreuung sein, wenn ich zu müde bin zu grübeln, oder es leid bin, an dieses und jenes zu denken. Sie wohnt in meiner Nähe. Nun, dabei wird es wohl bleiben. Du kennst meine Gespräche so gut, daß du weißt, was dergleichen bedeutet, mehr hat es auch nicht auf sich, wenn ich schreibe. Ich möchte indessen nicht, daß du irgendeinem Menschen gegenüber erwähnst, daß eine solche Sängerin in Berlin ist oder daß sie die Elvira spielt, etc.«

So Giovanni sehen, dachte ich mir, aus einer gebrochenen Distanz, über eine Person, in diesem Fall Donna Elvira, die ihm folgt und ihn zugleich verfolgt. Kierkegaard erwähnt in seinem Brief nicht einmal Don Juan, er übernimmt seine Rolle, die aber gar nicht die seine sein will. Mit dem ›Don Juan‹ Lenaus konnte ich hingegen nicht viel anfangen. Ungleich mehr fesselte mich der Dichter selbst, und zufällig – wenn es ein Zufall war – fand ich in einem Antiquariat ein kurioses, dennoch aufschlussreiches Buch. Unter dem Titel ›Lenau – ein Kampf ums Licht‹ hatte 1911 ein gewisser Leo Greiner Briefe und Dichtungen als Lebenslauf kompiliert. Aus dem Stimmengewirr löste sich ein Motiv: der auf sein Unglück pochende Poet, dieser sich in Pose setzende Melancholiker wünscht sich nichts als ein Innehalten, einen Stillstand der Zeit, eine bewusste Abwesenheit aus der ihn plagenden Gegenwart. Was ihm gelingt. Freilich nicht so, wie er es vorhat. Die letzten sechs Jahre seines Lebens in den Irrenanstalten Winnenden und Oberdöbling trennen ihn von der Gesellschaft, deren sprunghafter Held er gewesen war. Ich hörte wieder Mozart, stieg abends unters Dach, fing an zu schreiben. Nicht Lenau, nicht Don Juan, sondern Niembsch, den ich erfand und auf die Spur Giovannis setzte. Das Ganze sollte als »Suite« geschrieben sein, im Tanzschritt. Jaesrich empfahl mir eine alte Dame, die die Reinschrift besorgte.

Habel am Roseneck: Dort traf sich eine kleine, feine Runde zum wöchentlichen Stammtisch. Das wusste ich von Jaesrich, der dazugehörte. Ob er von den Herren beauftragt war, mich zu prüfen, oder ob er nach eigenem Gutdünken wartete, bis er mich einlud? Die Stimmung dieses Wirtsgartens, beherrscht von einer mächtigen Buche und dem Flüstern der Blätter, das jedes Gespräch begleitete, hat sich mir bewahrt. Dazu ein Licht, das mit den Schatten spielte. Wir trafen uns jeden Mittwoch, länger als ein Jahr. Ich fühlte mich ausgezeichnet. Da bündelten sich Wissen und Lebenserfahrung. Die Köpfe hätten auch auf einem Gelehrtengemälde Rembrandts Aufmerksamkeit gefunden. Peter Szondi, der gerade seinen Lehrstuhl für Komparatistik an der Freien Universität antrat, Kenner Hölderlins, Benjamins, Celans, den der Furor packte, wenn Dummheit prahlte – ein ausdrucksvolles Jungengesicht, über dem sich eine weiße Mähne sträubte. Jacob Taubes, Philosoph und Religionswissenschaftler an der Freien Universität, ein kleiner Mann, bewegt von einer lauschenden Unruh, schwarz gelockt; wenn er Aufbrüche beschwor, sich an seine Kindheit als Rabbinersohn in Zürich erinnerte, wendete er sich meistens an Szondi. Sie kannten sich aus dieser Zeit. Rainer Gruenter, Germanist an der

Freien Universität, sah ich als Kontrapart zu den beiden: stets in Tweed, das Gesicht wettergewöhnt, gebräunt, wirkte er, als komme er eben von der Jagd, ein gebildeter Gutsherr, der nicht aus dem neunzehnten Jahrhundert fand. Mit seinen Vorlieben für dieses Milieu half er mir, als ich für S. Fischer die Werke Eduard von Keyserlings erwarb. Er gab eine Auswahl heraus. Neue Themen brachten die Gäste mit. Ich erinnere mich an George Grosz, der, verwundert und dröhnend, seine Erfahrungen mit dem neuen Berlin schilderte und ein paar Tage darauf starb. Oder an Walter Laqueur, der, wie François Bondy, unser auf Berlin konzentriertes Gespräch durch Weitblick, der Weltblick bedeutete, aufbrach. Zwei Geladene machten mich zu einem staunenden, mit offenem Mund lauschenden Kind. Sie traten lebendig aus Märchen, die mir oft erzählt wurden, wunderbare Geschöpfe, mächtige alte Löwen, Löwenkönige: Ernst Bloch und Gershom Scholem. Auch sie wanderten auf verschwundenen Spuren, die in ihren Anekdoten wieder sichtbar wurden: das Berlin der zwanziger Jahre, in dem Walter Benjamin ein Typ wie andere war, ein Intellektueller, ein Freund, mit dem es sich geübt streiten ließ.

Taubes wohnte mit seiner Lebensgefährtin in einer Etage der einstigen Wertheimer-Villa im Grunewald. Ich habe ihm nie gestanden, dass mich seine Umgebung fast noch mehr anzog als er. Sie erinnerte mich an Brünn, an die Wohnung der Babitschka. Ging es um Politik, wurde Taubes streitbar, empfindlich. Die Zustände und Veränderungen verfolgte er wach und bereit, sich da und dort zu engagieren. Szondi und ich sprangen ihm oft bei. Jaesrich und Gruenter hingegen widersprachen heftig. Trete ich in Gedanken in die Taubessche Wohnung, durch den Vorsaal in das große Wohnzimmer, höre ich ihn, der nie laut wurde, psalmodierend reden und sehe Szondi und mich, in unserer Mitte, in einem bequemeren Sessel, Ingeborg Bachmann. Wir hatten durcheinander geredet, uns gefragt, wie weit Erinnerung reiche, ob sie uns in Besitz nehmen könne, ohne dass sie uns bewusst bleibe, ob sich auch der Leib erinnere, nicht der Verstand. Ich habe es erlebt! Taubes lehnte sich zurück und schloss die Augen. Er sah, wovon er erzählte. Er habe unlängst mit einer Gruppe von Religionswissenschaftlern, im Übrigen als einziger Judaist, an einem Kongress in Spanien teilgenommen. Die andalusische Landschaft sei ihm nahe gegangen, spröde, Afrika schon spürbar, wie auch die Städte mit ihrer einzigartigen maurischen Architektur. Ein einziges Mal sei er zu einem Abendessen eingeladen gewesen, von einem Juristen und seiner Frau, die er bei einer der offiziellen Veranstaltungen kennen und schätzen gelernt habe. Ältere, zurückhaltende und aufgeschlossene Leute. Ehe sie das Abendessen auftrug, holte die Dame des Hauses eine Menora, einen Leuchter, von der Konsole, stellte sie auf den Tisch und zündete die Kerzen an.

Ich sah verwundert zu – Taubes stockte, schüttelte den Kopf. Mir fiel ein, dass Freitagabend war, Beginn des Schabbes. Meine Gastgeber, das wusste ich, waren gläubige Katholiken. Währenddem wir aßen, blickte ich immer wieder zum Leuchter. Irgendwann fragte ich die Dame, woher sie das schöne alte Stück habe. Der Leuchter befinde sich seit Ewigkeiten im Besitz der Familie. Von ihrer Mutter habe sie den Brauch übernommen, jede Woche einmal, am Freitagabend, die Lichter anzuzünden. Die Ewigkeit, die sie ansprach, sagte Taubes, begann 1492, als Ferdinand und Isabella, die katholischen Könige, die Juden zur Taufe zwangen oder aus dem Land trieben. Sie mussten vergessen, was sie gewesen waren. Sie verloren ihr jüdisches Gedächtnis und bewahrten es dennoch. In einer über Generationen tradierten und sogar auf einen Tag, auf einen Abend festgelegten rituellen Handlung. Das zur Erinnerung, schloss er. Szondi fand, es sei eine typische Taubes-Geschichte. Noch auf den

Barrikaden werde sein Freund Geschichten zum Besten geben, kleine Gleichnisse. Ingeborg Bachmann unterhielt uns mit den Verrücktheiten von Witold Gombrowicz, den sie regelmäßig traf. Wir sind zwei Fremde dieser Stadt, sagte sie, und überraschte Szondi und mich mit der Bitte, sie nach Hause zu begleiten. Aber gleich, drängte sie. Sie habe die Tabletten zu früh genommen und danach zu viel Wein getrunken. Das eine vertrage sie nur ohne das andere. Wir brachen auf. Es muss im Frühling 1964 gewesen sein. Frau Bachmann trug ein loses, graues Musselinkleid. Es sei nicht weit, beruhigte sie uns und hakte sich bei uns ein. Wir gingen mitten auf der Straße. Auf diesen Grunewaldalleen fuhren nach Mitternacht kaum Autos. Außerdem brauchten wir Platz. Szondi und ich hatten zuhörend und diskutierend dem Wein kräftig zugesprochen. Das Straßenpflaster glänzte im Licht der Lampen. Wir gingen schweigend. Plötzlich sagte sie: Ihr müssts mich jetzt tragen. Ich schlaf ein. Schon ging sie in die Knie, und wir konnten sie nur mühsam halten. Schwer war sie nicht. Szondi schlug vor, unsere Arme zu verschränken und die schlafende Dichterin zu tragen wie auf einem Sitzchen. Er sagte Sitzchen, und wir schauten uns lächelnd an. Wir schafften es, sie in diese Schaukel zu setzen, fassten jeder mit der freien Hand nach ihrer Hand und legten ihre Arme um unseren Hals. So wankten wir, sie manchmal absetzend, zu dem kleinen Flachdachbungalow, den Szondi gottlob kannte, standen ratlos vor der Tür, beugten uns beide nach vorn, damit sie weiter an unseren Schultern hängen konnte, und Szondi sagte: Nun brauchen wir den Schlüssel, liebe Frau Bachmann. Sie schlief. Er öffnete ihre Handtasche, kramte kurz darin, fischte einen Schlüsselbund heraus. Das alles war ihm sichtlich unangenehm. Einer der Schlüssel passte, noch einmal setzten wir sie auf die »Schaukel«, drangen in ihr Schlafzimmer vor, legten sie aufs Bett, standen heftig atmend und starrten auf die Reglose.

Wir überlegten uns, ob wir sie zudecken sollten, ließen es bleiben, aber ehe wir verschwanden, zog ihr Szondi die Schuhe aus, eine Geste, die ich nicht vergaß: Der lange, schlaksige Mann stellte die Pumps ordentlich neben das Bett. Diese verhaltene Freundlichkeit fiel mir immer wieder an ihm auf. Einmal aßen wir mit Günter Eich im Hotel »Schweizer Hof« zu Mittag. Eich war von seinem Leberleiden gezeichnet, aß wie ein Vögelchen. Zum krönenden Abschluss, wie er sagte, bestellte er einen Whisky. Ich wagte es nicht, ihn zu warnen. Der Ober brachte das Gewünschte, Szondi und ich beobachteten entsetzt, wie er einen großen Schluck trank. Wie in Gedanken zog Szondi danach das Glas zu sich und sagte einen in seiner Hilflosigkeit wunderbar verqueren Satz: Den Rest übernehme ich. Als er Mechthild und mich zum ersten Mal zu sich einlud, stellte er uns Alexandra vor, Alexander Kluges Schwester. Sie spielte die Hauptrolle in ›Abschied von gestern‹. Liebevoll und schützend legte er die Hand auf ihre Schulter. Als Szondi und ich in die Westberliner Akademie der Künste gewählt wurden, gingen wir oft im Park am Schloss Bellevue spazieren. Ich konnte kaum mithalten, so heftig trieben ihn Gedanken voran. Er brachte sich um, ging ins Wasser. Man fand ihn lange nicht. Er ist einer von jenen Gefährten, die mich weiter begleiten, mit denen ich rede, wenn ich sie brauche.

Im Frühjahr 1964 schrieb ich die letzten Seiten des ›Niembsch‹, meine Antwort auf Giovanni. Hildegard Grosche versicherte mir, das Buch werde noch im frühen Herbst erscheinen. Ich flog nach Stuttgart, Britta Titel, meine Lektorin, überraschte mich, sie habe nur drei winzige Anmerkungen, mehr nicht. Über die waren wir uns rasch einig, und danach unterhielten wir uns über Musik. Sie spielte Geige.

Die abendliche Arbeit im Dachzimmer lag hinter mir. Ich fühlte mich wieder auf dem Sprung. Meine grundlose, doch übermächtige Ungeduld zu dämpfen, nahm ich Urlaub. Ich wünschte, das Buch wäre endlich da. Fabian, gerade eineinhalb, sah zum ersten Mal das Meer. Zwei Jahre zuvor hatten wir Scharbeutz an der Ostsee entdeckt, in einem Hotel logiert, das Schiff in den Dünen spielte, mit Schlafkojen und Anker im Garten. Ich hatte Mechthild gedrängt, Albert Vigoleis Thelens ›Die Insel des zweiten Gesichts‹ zu lesen, sich in die bizarre Mallorca-Welt zu stürzen, wie ich es Wochen vorher getan hatte. Sie verließ kaum mehr den Strandkorb. Von einem runden, kreglen Herrn, der in unserem Hotel logierte, wurde sie beim Frühstück gefragt, was sie denn so intensiv lese, und versetzte ihn mit ihrer Antwort in den Zustand eines Derwischs. Er drehte sich mehrfach um seine eigene Achse, rühmte den Geschmack der jungen Dame, rühmte den Dichter und sauste an den Strand. Am späten Nachmittag, als wir vom Meer zurückkehrten, sonnenmüd und sandig, ging ich ins Bad, um mich zu duschen, und traf ihn, lesend in der Badewanne. Verdattert schauten wir uns an. Wie kommen Sie?, fragte er. Und Sie?, fragte ich. Ich bade, wie Sie sehen, gab er trotzig zurück. Allerdings in unserem Bad. Sein Bademantel und seine Badehose lagen auf dem Schemel neben der Wanne. Ich reichte ihm beides. Die Hose brauche er nicht, der Mantel genüge. Er steckte die Hose in die Manteltasche, startete durch und rannte mit einem gemurmelten Gruß an Mechthild vorüber aus dem Zimmer. Am nächsten Tag entschuldigte er sich für dieses Versehen, die vertauschten Wannen, und nannte seinen Namen: Wolfgang Krüger. Der Verleger?, fragte ich. Er nickte und verabschiedete sich mit einer knappen Verbeugung.

Dieses Mal wohnten wir in einem anderen Hotel, hielten anfangs dennoch Ausschau nach dem Verleger Krüger. Vergeblich. Nach ein paar Tagen stießen Gisela und Wolfgang Werth zu uns. Zu fünft – der Zwerg fast immer im Mittelpunkt – benötigten wir kaum mehr literarische Ablenkung.

Wir planten, dachten voraus. Ich wollte Wolfgang meinen Kollegen als Redakteur vorschlagen. Da ließe sich fortsetzen, was in Köln begonnen hatte, die gemeinsame Tätigkeit, die Freundschaft, das Vergnügen an unserer Viererbande.

Auf einem Ausflug nach Timmendorf zog mich, wie stets, ein Zeitungskiosk an. Ich blätterte in Zeitschriften und stieß im ›Twen‹ in der auf grünem Papier gedruckten Kulturschau auf eine Kritik über den ›Niembsch‹, die erste, verfasst von Ludwig Marcuse. Ich kaufte die Zeitschrift, traute mich nicht, die Rezension sofort zu lesen. Marcuse! Und mein ›Niembsch‹! Unterwegs sorgte ich dafür, dass Wolfgang und ich zurückfielen. Ich bat ihn, das Stück zu lesen. Ich läse es nur, wenn er es für tauglich befinde. Du kannst dich freuen, sagte er schließlich. »In den Details, in vielen subtilen Liebesszenen ist ›Niembsch‹ ein kostbares, köstliches Buch: gefüllt mit Prägungen und Reflexionen, die aus einer ungewöhnlichen Sensitivität kommen.« Nun war ich von einem der bewunderten Alten gesegnet. Mir konnte nichts mehr passieren. Am letzten Ferientag wollten wir zu viert feiern, Wolfgangs geplanten Eintritt in den ›Monat‹, den Aufbruch meines Buches in die Öffentlichkeit, und Mechthild bat ein junges Ehepaar im Hotel, auf Fabian aufzupassen. Er ließ uns wenig Zeit. Schreiend saß er im Auto, das vor unserem Restaurant hielt. Er sei, hörten wir, aus dem Bett und aus dem Zimmer und weinend durchs Hotel gerannt. Die anwesenden Gäste hinter ihm her. Da sei er nun. Wir aßen rascher und trugen das Kind auf wechselnden Schultern ins Hotel.

Schon nach kurzer Zeit kann ich mich an Hotelzimmer nicht mehr erinnern. An das unseres zweiten Scharbeutzer Aufenthaltes denke ich mit dem ganzen Körper. Ich spüre die Enge, sehe mich zwischen Kinderbett und Doppelbett im schmalen Gang balancieren, setze mich an den winzigen Schreibtisch, nehme die schützende Haube von der »Hermes«, werde ein wenig geblendet von dem durchs Fenster

einfallenden Licht, das wiederum vom Blattwerk der großen
Linde davor gefiltert wird. Ich lege die Hand auf ein Buch,
das ich zum zweiten Mal gelesen habe, das ich nur dann
aufschlagen muss, wenn ich zitieren möchte. Ich fange an zu
tippen. Der Aufsatz muss spätestens am Abend zur Post.
Denn ich erfülle einen Auftrag, den ich noch im Frühjahr
verabredete. Georg Ramseger und Jost Nolte, die gemeinsam die ›Welt der Literatur‹ redigierten, hatten mich eingeladen, sie in Hamburg zu besuchen. Sie erhofften sich Vorschläge für ihr Blatt. Einen, der in seiner Fülle den ›Monat‹
gesprengt hätte, brachte ich: wöchentlich über ein Buch zu
schreiben, das vergessen zu werden drohte oder schon ganz
und gar vergessen war: ›Vergessene Bücher‹. Meine Liste
verlängerte sich von Tag zu Tag, Inhaltsverzeichnis einer
Literaturgeschichte der Quer- und Einzelgänger, der Auf-
rührer und Unterdrückten, der Blasierten und der Schatten-
läufer. Willy Haas, der viele Autoren auf meiner Liste noch
gekannt hatte, mit ihnen befreundet gewesen war, mischte
sich ein. Er saß in einem kleinen Zimmer für sich, in einem
ehrenvollen Abseits. Ich eröffnete die Serie mit einem Artikel über Georg K. Glasers Lebensbericht ›Geheimnis und
Gewalt‹, auf den mich der ›Monat‹ durch den Abdruck einiger Auszüge aufmerksam gemacht hatte. Nun saß ich in
den Scharbeutzer Ferien und erzählte wieder von einer Autobiographie, Fritz Alexander Kauffmanns ›Leonhard‹, wanderte schreibend zwischen Ostsee und Schwaben, Scharbeutz und dem einstigen Kloster Denkendorf, in dem die
Familie Kauffmann eine Senffabrik betrieb. Die Linde vorm
Fenster hier wurde zur Ulme im Klosterhof dort.

Die Serie ging über eineinhalb Jahre, sechsundvierzig Mal
schickte ich ein Manuskript nach Hamburg. Ich entdeckte,
sammelte ein, hortete. Und erschrak über die allgemeine
Vergesslichkeit. Eben noch gerühmt und geschätzt und jetzt
kaum mehr einer Fußnote wert. Die zwölf Jahre unter Hitler

sorgten für den übelsten Gedächtnisschwund. Tausende von Schriftstellern mussten fliehen, in die Emigration gehen. Einige namhafte setzten sich durch. Die weniger bekannten hörten häufig auf zu schreiben, eingeschnürt von Existenzangst. Längst nicht alle kehrten zurück. Das geteilte Deutschland reagierte ohnehin parteiisch. Im Kalten Krieg hätte sich ein kommunistischer Autor auf die Dauer im Westen nicht halten können und ein bürgerlicher erst recht nicht im Osten. Wie lange und wie viele Anläufe hat es gebraucht, einen der großen Romane des vergangenen Jahrhunderts, Paul Kornfelds ›Blanche oder Das Atelier im Garten‹, wieder ins Gespräch zu bringen. Ständig bedrängte ich Ledig-Rowohlt, der unbezweifelbar zu den Hellhörigen zählte, ihn als Taschenbuch zu veröffentlichen. Das Buch liest kein Schwein, bremste er mich, und es hat keinen Zweck, Schweine vor die Perlen zu werfen. Er schaffte es, dass ich ihn für Bemerkungen, die mich traurig stimmten, umarmte.

Und ich? Ich versuche, mir den Zweiunddreißigjährigen vorzustellen, der mit dem ›Niembsch‹ und in seinem Beruf Erfolg hat, der zum zweiten Mal Vater wird, zunehmend reist, zu Kongressen und Lesungen geladen wird, und ich staune, wie er das alles, was ihn zufrieden und stolz stimmen könnte, zwar zur Kenntnis nimmt, aber zugleich unterläuft, indem er die immer wieder aufbrechenden Kinderängste nicht unterdrückt, im Umgang mit den Vergessenen die eigene Position relativiert und ein neues Buch beginnt, ›Janek‹, in dem er zum ersten Mal das Sterben der Mutter zu erzählen und zu erfinden versucht und sich selber wieder in die Fremde stößt, die ihn, das lernte er allmählich, vor falschen Vorstellungen und Schlüssen bewahrt.

Die vier von der Ford-Foundation (womöglich auf Anregung vom CIA) unterstützten Zeitschriften regten sich gegenseitig an, unterschieden sich jedoch sehr durch das Temperament ihrer Herausgeber und durch Eigenheiten der Länder, in denen sie erschienen. François Bondy gab ›Preuves‹ einen europäischen Hintergrund, er konnte gar nicht anders, ein in der Wolle gefärbter Europäer, in Prag geborenes Kind einer jüdischen Familie, das in der Schweiz aufwuchs, spielerisch begabt, wissbegierig, ohne Mühe in mehreren Sprachen zu Hause, beseelt von einer Neugier auf alles Neue, gestärkt durch ein phänomenales Gedächtnis. Ich bewunderte ihn, freute mich auf seine Besuche, bei denen er uns jedes Mal mit einem Feuerwerk von haltbaren und unmöglichen Anregungen bescherte. Das konnte auch Melvin J. Lasky, der als junger amerikanischer Soldat mit seinem deutschen Partner Jaesrich den ›Monat‹ gründete. Ein einziger Auftritt genügte ihm, als politischer Publizist für alle (geteilte) Welt sichtbar zu werden: Als er beim ersten deutschen Schriftstellerkongress den sowjetischen Schriftstellern ein Bekenntnis zur Freiheit abforderte, die dann prompt aus dem Saal stürmten und einen Skandal hinterließen. Mel (wie er von seinen Freunden gerufen wurde) redigierte Zeitschriften, wie andere Romane schreiben, erst den ›Monat‹, danach den ›Encounter‹. Er bündelte sein Wissen, seine Vorsätze, Visionen in den Beiträgen, zu denen er andere anregte. Natürlich schrieb er auch selbst. Ich wehrte mich mitunter gegen seinen rigiden Antikommunismus und die ebenso rigide Verteidigung »unseres Systems«. Er bestand auf »unserer Freiheit« und meinte nicht die Freiheit. Es wurde behauptet, er habe in seinen frühen Jahren, ein junger brillant begabter und aufsässiger Jude aus der Bronx, dem Trotzkismus angehangen und sich in einer anderen Freiheit vertan. An seinem Feuer, wie auch immer er zündelte, wärmte ich mich. Auf dem ersten »Kongress für die Freiheit der Kultur«, den er 1949 zusammenrief, fand sein Freund Arthur Koestler Sätze, die ich damals, im ›Monat‹ zurückblätternd, las, abschrieb und die ein Stück meines politischen

Credos geworden sind, über alle Jahre bestätigt: »Keine politische Ideologie, keine ökonomische Theorie kann sich das allgemeine Recht anmaßen, den Begriff der Freiheit zu bestimmen. Vielmehr muss der Wert aller Ideologien und Theorien nach dem Ausmaß der praktischen Freiheit beurteilt werden, die sie dem Einzelnen gewähren. Wir glauben ferner, daß keine Rasse, Nation, Klasse oder Glaubensgemeinschaft das ausschließliche Recht beanspruchen darf, die Idee der Freiheit zu verkörpern oder irgendeiner Gruppe von Menschen im Namen einer noch so edlen Theorie die Freiheit vorzuenthalten.« Womit Koestler allen künftigen Macht- und Rechthabern, allen Dogmatikern und Fundamentalisten eine Warn- und Denktafel hinterließ. Friedrich Torberg, der Herausgeber des Wiener ›Forum‹, und ich begründeten unsere Freundschaft mit einem blödsinnigen Streit. Auch er hatte mit Kommunismus, Antikommunismus und Dichtung zu tun. Torberg verfocht heftig und auf seinen Witz verzichtend die These, dass Brechts Theaterstücke in Westdeutschland und Österreich nicht aufgeführt werden dürften. Die Diskussion, die er auslöste, war gewaltig und närrisch. Tatsächlich folgten die meisten Theater seiner Aufforderung. Ich verstand ihn nicht. Er war, wie Brecht, im amerikanischen Exil gewesen. Anscheinend trennte sie diese gemeinsame und doch nicht gleiche Erfahrung, und selbstverständlich das Gesetz des Kalten Krieges. Bei aller Polemik verlor er allerdings nie den Witz. Er berief sich auf Karl Kraus, wiederholte in seinem Leben und in seiner Arbeit eine Zeit, die längst vergangen war: das Wien vor dem Faschismus, die Stadt der konkurrierenden Caféhäuser. Nur in einem seiner Bücher gelingt es ihm, die vergangene Wirklichkeit in seine pointierte, bildgenaue Wörterwelt zu übertragen, in ›Tante Jolesch‹, einem Standardwerk für Alltagshistoriker. Lese ich darin, werden Begegnungen wieder lebendig: im Café Hawelka, auf einem Spaziergang im Graben, in seinem Wiener Garten mit Marietta, seiner Frau, in der Lobby eines Frankfurter Hotels und im »Speisezimmer« des ›Monat‹. Jaesrich und ich widersetzten uns seinem Verdikt, indem wir während einer Buchmesse in Frankfurt ›Mahagonny‹ anschauten und anhörten, in der Inszenierung von Harry Buckwitz, und uns einig über Präsenz von Text und Musik waren.

Nach dem Sonntagsfrühstück am Nachmittag mischten sich oft weitere Gäste in die Unterhaltung: Der junge Dichter F. C. Delius, der mir seine Gedichte, lakonische Kalenderblätter, zu lesen gab, oder Günter Herburger mit seiner Frau, der seinen Zorn an irgendeiner Bemerkung entzündete und uns mit harschen Monologen erschreckte. Da Mechthild wieder ein Kind erwartete und es vorzog, im Kiez zu bleiben, meldete sich öfter Frau Jaesrich, die sie mit Neuigkeiten aus der Stadt unterhielt, lustvoll geschmückten Kurzromanen. Ihr Temperament überrumpelte uns jedes Mal. Sie stammte aus baltischem Adel, eine hoch gewachsene Rothaarige, mit einer auffallend jähen Gestikulation, ließ nichts auf ihre Kinder und ihren Mann kommen, was dazu führte, dass sie vorsorglich verteidigte und austeilte. Um sie herum gab es lauter Luftwirbel.

Der ›Niembsch‹ hatte Erfolg. Übersetzungen standen bevor. Die Anrufe meiner Verlegerin häuften sich. Sie schlug vor, eine Auswahl aus ›Vergessene Bücher‹ zu veröffentlichen. Die ersten Preise, die ich bekam, setzten sich in Geschichten fort. In der Akademie am Hanseatenweg wurde mir der Preis des Kritikerverbandes verliehen. In kleiner Runde saßen wir noch zusammen, dann klemmte ich die Urkunde unter den Arm und fuhr mit der U-Bahn Richtung Steglitz. Auf der Bank gegenüber saß, zwischen anderen Passagieren, ein alter Mann, den ich wiedererkannte. Ich hatte ihn vor ein paar Tagen in dem Stück ›Der zehnte Mann‹ gesehen, einem

Spiel in der Synagoge. So beharrlich ich auch mein Gedächtnis bemühe – ich habe seinen Namen vergessen. Ein alter
Jude. Er kam vermutlich von der Vorstellung. In dem auffallend kleinen Gesicht unter dem Hut bildeten die Falten
Stege und Wirbel. Seine Einsamkeit ging mir nahe. Er hatte
seine Rolle verlassen und fiel nun allmählich zurück in seine
tägliche Existenz, die eines alten, allein mit der Endlosigkeit
seiner Erinnerungen lebenden Mannes. Und da saß ich und
hielt die Mappe mit dem Preis wie ein Schild vor die Brust,
fing gerade an. Karl Krolow, den ich in Hannover kennen
lernte, als er den Niedersächsischen Literaturpreis und ich
ein Stipendium erhielt, hatte in einer ausführlichen Kritik
schon den ›YAMIN‹ begrüßt. Wir blieben bis zu seinem Tod
literarische Gefährten, aufmerksam füreinander und ausdauernd herzlich. Die Preise oder Ehrengaben des Kulturkreises
im Bundesverband der deutschen Industrie wurden in Fulda
vergeben. Selbstverständlich bei weitem festlicher und auf-
wendiger. Meine Vorfreude mischte sich mit Angst. Mit mir
wurden Marieluise Fleißer, Carl Orff und Arno Schmidt
ausgezeichnet, und das gab mir die Gelegenheit, endlich
Schmidt kennen zu lernen, dessen Bücher ich ausnahmslos
gelesen hatte und sammelte; Marieluise Fleißers Erzählung
›Avantgarde‹ hatte ich ein paar Monate zuvor gelesen und
Orffs ›Astutuli‹ hallte mir im Ohr; seine ›Kluge‹ lief mir
einst auf dem Bernstein nach, und fast alle seine Stücke
hatten Mechthild und ich in Stuttgart in der Regie von
Wieland Wagner erlebt. Außerdem freute ich mich, Hans
Bender wiederzusehen. Er gehörte zur Jury, zum literarischen Beraterstab des »Kulturkreises«. Von der Preisverlei-
hung habe ich nichts behalten. Wir rannten zwischen Sälen,
über Plätze. Entweder wölbte sich ein Barockhimmel über
uns, oder es regnete aus realen Wolken. Ich weiß nicht, welche Befehle uns von einem Ort zum anderen bewegten.
Zufällig fand ich Begleiter, einer redete sich in mein Ge-

dächtnis mit nicht enden wollenden, verwickelten Überlegungen zur Übersetzung von Reymonts ›Die Bauern‹ aus
dem Polnischen ins Deutsche. Bei einem kurzen Aufenthalt
in einer nahen Kneipe hörte ich, der Meister, Arno Schmidt
also, werde noch erwartet, sei noch unterwegs, werde chauf-
fiert von einem Bekannten, Kohlenhändler aus Celle. Den
Herrn, der seinen Meister erwartete und ankündigte, kannte
ich aus Stuttgart: Ernst Krawehl. Er war beteiligt am Verlag
Inge Stahlbergs (der später mit Goverts und Krüger zusam-
mengelegt wurde), Fabrikant in Essen, studierter Romanist
und glühender Verehrer Arno Schmidts, dessen Werk er bei
Stahlberg betreute. Wir versammelten uns zum Festakt. Das
Auditorium wurde durch einen breiten Mittelgang geteilt.
Jenseits von der Fleißerin, Bender und mir saßen die Großen, Schmidt und Orff. Schmidts Platz war noch nicht besetzt. In ungebührlicher Erregung kam Krawehl durch den
Gang gelaufen und rief: Der Meister! Ein Herold. Schmidt
nahm Platz. Nachdem musiziert worden war, trat eine un-
geplante Pause ein. Wir unterhielten uns. Krawehl, fortwährend unterwegs, trat erst vor die Fleißerin, danach vor Bender und am Schluss vor mich und lud uns, einen nach dem
andern, ein: Der Meister wünsche uns zu sehen. Ich trat vor
ihn. Er trug einen braunen Zweireiher, Nachkriegsware,
weit geschnitten, die Hosen mit großem Schlag. Er gab mir
die Hand, erinnerte sich, dass ich seinen Aufsatz über Leo-
pold Schefer in der ›Deutschen Zeitung‹ gebracht hatte,
nahm die Brille ab, und ich sah in zwei schwimmende blaue
Augen. Schmidt habe irgendwo geschrieben, fiel Hans Bender noch an diesem Abend ein, dass er ohne Brille alle Köpfe
wie Eier sähe. Am Abend spielte der sehr junge Pianist
Christoph Eschenbach, der vom Kulturkreis mit einem Stipendium ausgezeichnet worden war, Schubert. Und weil ich
sie hätte hören wollen, souffliere ich mir jetzt: die sechs
Moments musicaux.

Die Einladungen häuften sich. Hermann Glaser, der Nürnberger Kulturdezernent, veranstaltete regelmäßig Podiumsgespräche zu aktuellen Themen wie Kirche und Politik, Literatur und Politik, Antisemitismus, die neue Linke, und ich versuchte, halbwegs vernünftig über die Rederunden zu kommen. Wieder zu Hause, konnte ich Mechthild von Menschen erzählen, die mir, manchmal nur durch eine einzige Begegnung am Rande, ein flüchtiges Gespräch, wichtig geworden waren. Einmal fuhr ich im Auto in Gesellschaft des hessischen Generalstaatsanwaltes Fritz Bauer und des von mir verehrten Schriftstellers Jean Améry, dessen Bücher mir Helmut Heißenbüttel empfohlen hatte. Zwei Davongekommene. Zwei zurückgekehrte Juden. Bauers Schwäbisch befreite mich aus meiner Beklommenheit. Er stand unter Druck, stieß die Sätze aus sich heraus, erzählte, wie schwierig es sei, den Prozess gegen die Auschwitz-Mörder vorzubereiten, diese Aufseher, die mit wenig Intelligenz über furchtbar viel Macht verfügt hätten. Er litt, denn das Recht war durch die Unbegreifbarkeit der Verbrechen außer Kraft gesetzt. Die Richter wiederum, wenigstens die älteren, versuchten, ihrer Vergangenheit zu entkommen, und schafften es doch nicht, da sie sich mit den Angeklagten auf rätselhafte Weise mental verbunden fühlten. Améry sprach sehr leise, sehr schnell, sodass die Wörter ineinander stießen. Er zeigte sich den Unvereinbarkeiten, die Bauer erzürnten, gewachsen in einer Philosophie, die Distanz zwischen Tätern und Opfern herstellte, die Opfer allein durch ihr Bewusstsein überlegen sein ließ. Als er auf der Fahrt eine Tablette schluckte, erklärte er leise und hastig, er sei Epileptiker. Anfälle ließen sich durch Medikamente verhindern. Aber die Aura trete auf, und vor diesem Zustand, aus dem er nicht erlöst werde, fürchte er sich noch mehr als vor einem Anfall. Wir blieben in Verbindung, verabredeten uns nie, trafen uns zufällig. Als er in einem Aufsatz mich einen »radikalen Humanisten« nannte, sagte ich mir, dass er aus Sympathie übertrieb, mir eine Nähe gestand, die eine Formel brauchte. 1978, auf der Buchmesse, erfuhr ich, dass er sich in Salzburg das Leben genommen habe. Ein paar Wochen zuvor hatte ich sein Buch über den Suizid ›Hand an sich legen‹ gelesen, bestürzt, mit welcher Entschiedenheit er für den »Weg ins Freie« argumentierte. Ich hatte mir vorgenommen, ihm zu schreiben – von der Ohnmacht, die mich wie ein Bitterstoff ausfüllt, seit ich als Kind meiner Mutter bei ihrem dreitägigen Sterben zusah. Sie nahm sich die »Freiheit«, sie wählte den Weg ins Freie, doch ich hätte mich ihr in den Weg geworfen, hätte ich nur gewusst, wie. Damals, auf der Buchmesse, wiederholte sich die Hilflosigkeit. Ich spürte seine Aura wie die Reglosigkeit meiner Mutter, ging vom Messegelände zum Bahnhof, lief zwischen Leuten umher, die abreisen wollten oder ankamen, und ihre Unruhe versetzte mich allmählich in einen Zustand, in dem ich ohne Widerstand trauern konnte.

Neben Lichterfelde und Dahlem wurde Friedenau als dritter Kiez wichtig. Wolfgang und Gisela zogen aus Dahlem an die Bundesallee. Eine Kneipe, das »Bundeseck«, wurde zum Treffpunkt der Poeten, die ihre Bleibe zwischen Bundesplatz und Friedrich-Wilhelm-Platz gefunden hatten. Manchen wurde dabei geholfen von Uwe Johnson, der offenkundig nicht nur mit kundigem Blick die Gegend durchstreifte, sondern Lust am Makeln und Unterbringen hatte. Wenn ich mich nicht täusche, hat er auch Günter Grass auf die sich malerisch in eine Häuserreihe zwängende Villa hingewiesen, die einmal einem Marinemaler gehört hatte. Herburger wohnte hier, Günter Grass, Nicolas Born, Hans Christoph Buch, Klaus Roehler. Ins »Bundeseck« ging ich nur, wenn einer der Stammgäste mich aufforderte. Ich merkte bei manchen Misstrauen, fühlte mich etwas fremd, ich kam aus einem anderen Kreis. Selbst wenn die Jüngeren wie Peter Schneider, Born und Buch mitunter für den ›Monat‹ schrieben – die Zeitschrift gehörte schon einer anderen Epoche an. Mein Umgang mit Lasky, Löwenthal, Laqueur, Torberg, Bondy, Harpprecht färbte mich falsch ein.

Schließlich wurde ich aufgefordert, mich einzumischen. Der Ort der Wandlung hatte eine Adresse: Niedstraße 13, das Haus von Günter Grass. Seit dem Welterfolg der ›Blechtrommel‹ genoss er es, Einfluss zu üben, und es war gleich, ob auf Politiker oder Kollegen. Er bohrte mit Metaphern, und seine kaschubische Schläue, seine herzliche Heftigkeit sorgten dafür, dass nur jene beleidigt gingen, die partout nicht seiner Meinung sein konnten. Ich bin nicht mehr sicher, wann er mich zum ersten Mal nach Hause mitnahm. Es kann sein, nach dem ersten Berliner Treffen der Gruppe 47. Die Tür öffnete uns, an der Klinke hängend, seine kleine Tochter Laura, die wortlos ihrer Mutter Anna den Platz räumte. Auch wenn eine große Gesellschaft die beiden Räume im Erdgeschoss füllte, besetzten die Kinder nach Laune und Lust ihre Lieblingsecken, hörten ein paar Augenblicke zu, suchten nach Bekannten, um sie zu begrüßen, schleppten Stühle herum oder spielten irgendwo. Die Eltern griffen erst dann ein, wenn es zu spät war, oder eine Diskussionsrunde nicht gestört werden wollte, oder wenn Bruno, der Jüngste, die Treppe herunterpurzelte und steinerweichend klagte. Ohne den belebenden Wirbel der Kinder kann ich mir die Besuche in der Niedstraße nicht vorstellen. Es wurde nicht nur über die Politik Adenauers, mögliche Veränderungen, über die Aussichten Willy Brandts, über den neuen Roman von Grass oder über die zu erwartenden Mahlzeiten geredet und nachgedacht, sondern auch über die Eigenheiten und Streiche der Kinder. Die Zwillinge Raoul und Franz marschierten, keineswegs zum Vergnügen ihrer Schweizer Mutter Anna, mit einer großen Schweizer Fahne durchs Viertel und beschossen Häuserfassaden und offene Fenster als wahre Tellschüler mit Pfeilen. Wer die Romane von Grass kennt, ahnt, mit welcher Hingabe er kocht. Der ›Butt‹ kann einen auf den Geschmack bringen. Ich habe immer vorzüglich bei ihm gegessen, wobei er an den Abenden, da er 1965 politische Verschwörer zusammenrief, nur geringfügig variierte: Eine Stunde vor Mitternacht wurde seine legendäre Linsensuppe aufgetragen, in der allein die Beilagen wechselten, Zunge, Fasan, Bauchspeck, so gut wie nie Würstchen. Da ich selber gerne koche, ebenfalls Suppen oder Suppiges, verfielen wir, wenn auch selten, in Küchengrübeleien, was ich in jeder Hinsicht genoss. Einmal bat er mich zum Mittagessen. Er kannte meine Vorliebe für Kutteln und teilte sie, machte mir in Beschreibungen und Ankündigungen den Mund wässrig. Was er dann auftischte, eine Danziger oder kaschubische klare Kuttelsuppe, übertraf meine Erwartungen. Nix Dickes, nix Mehliges, wie er, zufrieden löffelnd, betonte. Mit einer der delikatesten Mahlzeiten, die er aufbot, gelang es mir, mich zu vergiften. An zwei der Gäste erinnere ich mich, François Bondy und Ingeborg Bachmann. Auch daran, dass Anna Grass auf flacher Hand eine exotische Frucht vorzeigte, die sie aus Paris mitgebracht hatte, die ich nicht kannte, und die sie hernach als Salat servierte – eine Avocado. Davor gab es Karpfen. Nicht polnisch, mit süßer Sahne, mit Zwiebeln. Nein, in Bierteig gewickelt, selbst die Milch und der Rogen. Auf diese Innereien bin ich seit je besonders scharf. Und da sie von fast allen verschmäht wurden, lud sie mir Grass fürsorglich auf den Teller. Sie schmeckten köstlich. Ich sprach dem Wein zu, genoss den Avocado-Salat und nahm mir vor, Anna Grass nach dem Rezept zu fragen. Dann zerstreuten wir uns in kleine Gruppen. Mich ergriff vom Scheitel bis zur Sohle ein unerklärliches Ungemach. Was man mir offenbar ansah, denn Anna Grass bot mir »zur Erholung« einen Espresso an. In diesem

Zustand konnte ich nicht bleiben. Ich verabschiedete mich bei den Gastgebern, rannte zur Tür hinaus, dem Schauspieler Rolf Henniger in die Arme, erwiderte winkend seinen Gruß, lief zum Friedrich-Wilhelm-Platz, bestieg ein Taxi und erreichte die Goethe-Straße, ohne mich zu übergeben. Mechthild nahm mich erschrocken in Empfang. Ob ich zu viel getrunken hätte? Ich wollte nur ins Bett, obwohl ich mich davor fürchtete. Würde ich liegen, könnte ich sterben. Ich drückte das Kopfkissen in meinen Rücken und blieb sitzen. Mir wurde nicht besser. Mechthild rief einen Arzt, der tatsächlich erschien, mich in Augenschein nahm, ebenfalls fragte, ob ich zu viel getrunken hätte, schließlich wissen wollte, was es zum Abendessen gab. Ich schilderte es ihm. Er nickte, maß meinen Blutdruck, gab mir eine Spritze. Es handle sich um einen veritablen Eiweißschock. Ich hätte mir doch denken können, dass sich das ganze Eiweiß unterm Teig versammle, in solcher Konzentration Gift. Meinem kochenden Freund konnte ich keinen Vorwurf machen, allein meinem Heißhunger.

Schon im Frühjahr 65 verschärfte sich der Ton. Die Auseinandersetzungen zwischen Regierung und Opposition wurden heftiger. Wir im ›Monat‹ gingen, nachdem wir ein paar Mal aneinandergeraten waren, vorsichtiger miteinander um. Die Intellektuellen begannen, Marx zu lesen. Es gab Annäherungen und Gespräche zwischen Ost und West, häufig geführt an der Grenze zum Scheitern. An der Freien Universität mehrten sich Podiumsdiskussionen. In einer bewies Melvin, Marx-Kenner und Kalter Krieger, den Witz, der half, wachsende Unversöhnlichkeiten zu bestehen. Einer der Diskutanten wies emphatisch auf die beste Marx-Biographie hin, verfasst von Isaiah Berlin. Er hatte keine Ahnung, wie gut Lasky Berlin kannte. Lasky nickte und fragte dann in seinem krausen Deutsch: Und wer, wissen Sie, ist zweiter Bester?

In der Akademie am Hanseatenweg trafen sich zum ersten Mal Lyriker aus beiden Stadtteilen. Die Lesung und das Gespräch sollte der Romancier Uwe Johnson leiten. Friederike war seit ein paar Stunden auf der Welt, und ich sagte es jedem, ließ mir gratulieren. Bis Johnson mich zur Seite nahm und mit seiner sonoren Stimme, die von Rührung eingefärbt wurde, gestand, dass er den Abend kaum werde aushalten können, da seine Frau in den nächsten Stunden niederkommen werde. Außerdem sei ihm bisher nicht eingefallen, wie er die unguten Kürzel BRD und DDR in seiner Einleitung umgehen könne. Die Zeit drängte. Im Studio wartete das Publikum. Die Poeten saßen oben auf der Bühne auf zwei aufeinander zulaufenden Bänken, ostwestgemischt, und an der Spitze nahm auf einem Stuhl unser Moderator Platz, der mir gefasst schien und den Abend auf seine Weise eröffnete: Ich begrüße die Teilnehmer aus den Währungsgebieten Ost und West. Worauf das Publikum dem ernst bleibenden Vorsitzenden applaudierte und die Dichter beginnen konnten. Mir gegenüber saß Johannes Bobrowski, schwergewichtig und überredend lächelnd, Wärme und Ruhe verströmend. Er vertrat den Osten, wie der neben mir sitzende Paul Wiens, der Gegentyp zu Bobrowski, dünn und spillerig. Er bebte derart, dass die ganze Bank mitzitterte. Ob das Lampenfieber ihn plage, fragte ich ihn. Nee, der Westen, er sei zum ersten Mal im Westen. Jedes Mal, wenn ich mir ein solches Treffen in Erinnerung rufe, kann ich in aller Regel die äußeren Umstände rekonstruieren, seltener schon alle Teilnehmer nennen, was aber geredet wurde, ist geschwunden wie der Alkohol aus einer offen gebliebenen Schnapsflasche. Worüber immer auch nachgedacht und debattiert wurde, über die unterschiedlichen lyrischen Traditionen, über parteiisches oder parteiliches Gedicht – nachdem schon andere eines ihrer Gedichte vorgetragen hatten, las ein Poet, den ich vorher nur dem Namen nach gekannt hatte, Karl

Mickel. Er las ein Gedicht, das, für alle unerwartet, in einer stürmischen Gebärde jegliche West-Ost-Problematik vergessen ließ, sich gleichsam in großen und gewagten Bildern über uns ergoss. Es hieß: ›Der See‹.

So fass ich die Bäume (»hoffentlich halten die
    Wurzeln!«)
Und reiße die Mulde empor, schräg in die Wolkenwand
Zerr ich den See. Ich saufe, die Lippen zerspringen
Ich saufe, ich saufe, ich sauf – wohin mit den
    Abwässern!
See, schartige Schüssel, gefüllt mit Fischleibern:
Durch mich durch jetzt Fluss inmitten eurer
    Behausungen!
Ich lieg und verdaue den Fisch.

Ich bat Mickel nach der Veranstaltung um das Manuskript und schrieb es mir ab. Wir standen, bedrängt vom Publikum, an der Bar vor dem Studio und redeten, was wir eben erfahren hatten, uns noch einmal vor. Bis die Zeit drängte. Der Ostteil machte pünktlich um zwölf selbst für privilegierte Grenzgänger zu.

Grass trug an jenem Abend sein Gedicht von den begabten Polen vor: »Sind begabt, sind zu begabt.« Sicher nicht ohne politischen Hintersinn. Wer ihn lesen, wer ihn reden hört, ahnt, mit welcher Besessenheit er einer Idee, einem Vorhaben folgt. Es gelingt ihm, Energien zu bündeln, Feuerchen anzuzünden. Ich habe es immer wieder erlebt, mich entweder mitreißen lassen oder gegen alle Überredung gestemmt, ob in der Niedstraße oder später, als er Präsident der Akademie der Künste war. Im Politischen stimmten wir nicht selten überein. Und das bis auf den Tag. Er kann, wie ich, die Ideologen und die Fundamentalisten, die um sich beißenden Besserwisser nicht leiden. Vielleicht bin ich um eine Spur konservativer als er. Mit konservativ meine ich: beständig und ausdauernd.

In der Niedstraße wurde im Frühjahr 65 vorausgedacht. Auf Willy Brandt setzten wir alle Hoffnungen, nach den langen Jahren unter Adenauer hielten wir eine neue Regierung und eine veränderte, verändernde Politik für notwendig. Wir – es gelang Grass, seine Tafelrunde neu zu mischen: Willy Brandt erschien gelegentlich. Karl Schiller und Horst Ehmke hingegen verstanden sich als seine Botschafter in der Niedstraße, beide mit Eigenschaften, die der Hausherr schätzte. Karl Schiller kannte sich in der zeitgenössischen Literatur aus, er las viel und durchaus kritisch. Ich lernte ihn »im Gespräch« mit Saul Bellow kennen. Horst Ehmke stammte aus Danzig, und zum Lesen musste er nicht überredet werden. Dazu kamen die Professoren und die Gelehrten. Die beiden Jäckels, Eberhard und Hartmut, und Günter Gaus, der mir aus der Stuttgarter Zeit in lebhafter Erinnerung war. Er trat in die Redaktion der ›Deutschen Zeitung‹ ein, als sie schon den Umzug nach Köln plante. Er trat auch gleich auf. Mich störte das nicht. Denn er war eben prononciert gescheit. Einige der älteren Kollegen nannten ihn, keineswegs wohlwollend, den Professor. Hier, in der Niedstraße, in der auch junge Schriftsteller nach Grass'schem Verständnis politisiert werden sollten, half seine Fähigkeit, schlüssig zu formulieren, mit Thesen zu glanzen, aber auch auf mögliche Schwierigkeiten aufmerksam zu machen. Alles, was ihn einmal als Abgesandten der Bundesrepublik in Ostberlin auszeichnen sollte. Grass verfolgte von Anfang an, erst nur in Andeutungen, bald aber deutlich fordernd, einen Plan, der zwar Schiller, Ehmke und Brandt einleuchtete, aber nicht wenige Sozialdemokraten einschüchterte. In einem Büro, einem Kontor, sollten sich die Schriftsteller, die sich dazu bereit fanden, für die Wahl Willy Brandts und der Sozialdemokraten betätigen, Reden schreiben, Slogans ausdenken und auf Wahlkundgebungen reden. Dem Zweifel wurde der Garaus gemacht, indem der eine oder andere sich verabschiedete und die Beilagen zu den nächtlichen Linsensuppen uns stimulierten. Allein schon die Ochsenzunge, die mich, Stunden bevor sie uns fein und klein geschnitten mundete, an der Haustür begrüßte. Der kleine Bruno schleppte sie an einem Haken hinter sich her.

Das Wahlkontor wurde gegründet. Die Gewerkschaft stellte in der Nähe des Bahnhofs Zoo Räume zur Verfügung. Als Bürochef bestimmte Grass seinen Lektor, Klaus Roehler. Ihm müsste ich nun ein paar Seiten widmen, dem schwierigen Freund, der sich mit einigen Erzählungen auswies, Texte anderer mit einem gnadenlosen Feingefühl las, vor dem man sich, war er betrunken, in Acht nehmen musste, da er dann als »ehemaliger Porzellandreher« auftrat und zu jeder Schlägerei bereit war. Ich lasse ihn sitzen mit seiner vertrackten Aufgabe hinterm ungewohnt großen Schreibtisch.

Die Baracke, Zentrale der Sozialdemokraten, wünschte eine Abordnung des Wahlkontors zu sehen. Grass, Lettau, Wagenbach und ich flogen, begleitet von Karl Schiller, nach Bonn. Wir erlebten inmitten einer Geschäftigkeit, die einstudiert wirkte, einen sonderbar irrealen Tag. Wenn auch darauf eingestellt, mussten wir, weil es das Ritual offenbar verlangte, erst einmal in der Lobby warten. Ständig eilten uns bekannte Größen vorbei. Manche begrüßten uns, andere hasteten wie in einem Wachtraum vorüber. Nach kurzer Zeit fiel uns jedoch auf, dass die Frauen in der Baracke ausgesucht hübsch waren, was unsere beunruhigten Blicke ein wenig tröstete. Auch Karl Schiller hatte sich dem Betrieb untergeordnet, schnürte einige Male, Akten unter Arm, an uns vorüber, wie vor ihm Carlo Schmid, Willy Brandt, Fritz Erler, Helmut Schmidt und andere. Endlich wurden wir von

Ehmke oder Schiller abgeholt, in ein Konferenzzimmer geführt, in dem Willy Brandt, Helmut Schmidt und weitere Parteiriesen uns erwarteten. Grass erläuterte, in welcher Weise Wahlkontor und Partei zusammenarbeiten könnten, Wagenbach kam auf die Idee, jeweils einen Wahlhelfer einem Politiker zuzuordnen. Ich wies für meine Person darauf hin, mich zu beteiligen, ohne Mitglied der Partei sein zu wollen. Tatsächlich kam es dazu, dass jeder sich seinen Politiker wählte. Grass selbstverständlich Brandt, Wagenbach zu meinem Erstaunen Helmut Schmidt, ich Fritz Erler, der mich jedes Mal in den Bundestagsdebatten als Redner beeindruckt hatte, ein feuriger Asket. Für wen Lettau sich entschied, weiß ich nicht mehr. Ehe uns Herbert Wehner in seinem Büro empfing, wurden wir von Karl Schiller präpariert, denn Wehners Einspruch konnte noch immer das Unternehmen Wahlkontor gefährden. Vor allem sollten wir jeden Hinweis auf Unruhen am äußersten linken Rand, auf den SDS, unterlassen. Vor Wehners Büro saß auf einem Stühlchen Greta, seine Pflegetochter und spätere Frau, und hielt ein Essgeschirr auf dem Schoß. Diese Szene blieb als Bild stehen: Fremd und rührend zugleich, voller Abwehr gegen die allgemeine Umtriebigkeit. Schiller erklärte mir danach, dass Wehner als Diabetiker regelmäßig Mahlzeiten brauche. Wehner glich, im Gegensatz zu anderen, denen wir im Lauf des Tages begegneten, ganz und gar dem, dessen Bild uns im Fernsehen und in den Zeitungen gemacht wurde. Anscheinend konnte er nicht verfälscht werden. In diesem Gesicht gab es keine Kerbe, keine Falte, die sich grundlos eingegraben hatte. Der Mund hing schief, wohl nicht nur von der Pfeife, auch von der Verachtung heruntergezogen. Wir sollten nebeneinander auf einem Sofa Platz nehmen. So verwandelte er uns durchtrieben in eine Schülerdelegation. Mit wem wir gesprochen hätten, wollte er von uns wissen. Nacheinander antworteten wir ihm, sogar Grass holte zu keiner längeren Rede aus. Dann erklärte er uns die Lage der Partei vor der Wahl. Ohne einen Anflug von Zuversicht, wie die andern. Er kritisierte Disziplinlosigkeiten, Gedankenlosigkeiten, klagte, dass es an zündenden Parolen fehle und das Volk sich an die Schwarzen gewöhnt habe. Die treffende Sprache zu finden, das sei unsere Aufgabe. An wen wir uns denn wenden wollten? Grass zählte die Stationen seiner Wahlreise auf, die er mit wechselnden Begleitern aus der Partei vorhabe. Wagenbach setzte uns doch außer Gefecht. Er schlug Schillers Mahnung in den Wind und forderte von dem grantigen Vorsitzenden: Wir dürfen auf keinen Fall das linke Vorfeld aus dem Blick verlieren. Noch während er sprach, traten wir ihn unterm Tisch. Zu spät. Wehner starrte vor sich hin, zog merklich heftiger an der Pfeife, riss sie aus dem Mundwinkel und klopfte mit ihr auf den Tisch: Ein linkes Vorfeld gibt es nicht. Dieser Satz läuft mir über die letzten Jahrzehnte nach. Ein falscher Satz. Ein starrsinniger Satz. Einer, der schlimme Wirkungen hatte, da die äußerste Linke wegbrach, sich nicht nur außerhalb des Parlaments stellte, sondern aus einem selbst gewählten, mit entsetzlichen Phrasen erklärten Untergrund die Gesellschaft angriff. Wehner verabschiedete uns rasch und unwillig, und wir flogen bedrückt zurück nach Berlin.

Das Kontor ließ sich nicht beirren. Wir schrieben Reden, dachten Formeln und Parolen aus. Als mir Erler Unterlagen für einen Redeentwurf gab, wurde mir erst klar, dass ich an den Militärfachmann der SPD geraten war. Ich sagte ihm meine Bedenken. Ich sei als gebranntes Kind Pazifist geworden. Er fand das eher günstig.

Roehler sammelte die Entwürfe ein und verteilte neue Aufgaben. F. C. Delius, Nicolas Born, Hans Christoph Buch, Peter Schneider – viele der Jüngeren traf ich im Kontor, auch Gudrun Ensslin half. An Wochenenden nahm ich manchmal den zweijährigen Fabian mit. Ihm gelang es, den wahrhaft herben »Porzellanarbeiter« zu verwandeln. Aus Roehler wurde der »Röder«. Ihm traute das Kind alles zu. Der Röder ging mit den Leuten um wie ein König. Er gab Befehle, er schimpfte und lobte. Doch nicht nur das. Fabian entdeckte ihn in Bilderbüchern. Er wanderte durch seine Träume. Er trat aus der Wand und verschwand wieder. Mir wurde »der Röder« allmählich unheimlich. Einmal begegneten sich die Väter auf dem Kudamm, beide ihre Zwerge an der Hand. Fabian schockierte die Begegnung mit dem Königssohn Oskar. Der Röder verlor, wenn auch nur eine Spur, von seinem Zauber.

Wir formulierten kühn und hofften. Die Wahl ging dennoch verloren. Die große Koalition nach Erhards Rücktritt trieb uns auseinander. Als Willy Brandt schließlich die Wahl gewann, vier Jahre danach, hatte das »linke Vorfeld« dem System bereits den Kampf angesagt.

Fritz René Allemann verabschiedete sich vom ›Monat‹. Mehr denn je wanderten Hellmut Jaesrich und ich auf dem Grünstreifen, manchmal begleitete uns Wolfgang Werth. Wir planten mit gekappter Zuversicht. Die Ford Foundation kürzte ihre Zuschüsse. Die Temperaturen im Kalten Krieg waren um ein paar Grad lauer geworden. Gespräche wurden versucht. Die Konfrontationen bekamen andere Vorzeichen. Die Auflage der Zeitschrift sank. Wahrscheinlich konnten die Jüngeren mit der Weltläufigkeit vieler Beiträge nichts mehr anfangen. Wenn schon, wollten sie sich anders engagieren. Es waren die Wochen, in denen gesammelt wurde für Schreibmaschinen, die den kämpfenden Vietcong dienen sollten. Und es begann die Diskussion, ob Gewalt an Sachen von Nutzen für die Revolution sei. In die wurde ich verwickelt, als ich im Buchhändler-Keller in Friedenau aus dem ›Familienfest« lesen sollte, jedoch nicht dazu kam, da das Publikum von vornherein zu diskutieren wünschte. Literatur spiele jetzt keine Rolle. Andreas Wolff, der Vater Katharina Wagenbachs, dessen Buchhandlung an der Bundesallee dennoch ein Treffpunkt für Literaturfreunde blieb, stand eingekeilt zwischen Revolutionsrhythmikern. Ein junger Mann hielt als Antwort auf unsere bürgerliche Literatur das kleine rote Buch Maos in die Höhe. Mit ihm hätten Millionen lesen und schreiben gelernt. Das konnte ich nicht bestreiten, fragte aber nach, ob auf die Dauer ein Buch genüge. Immer wieder rissen ein paar die Arme hoch, andere lachten oder pfiffen ohne Grund. Kaputtmachen, was uns kaputtmacht, das war ihre Parole, und es gab so gut wie keinen Widerspruch, als Gewalt gegen Sachen gefordert und für nützlich erklärt wurde. Ich wehrte mich. Ich antwortete den Aufgebrachten ebenfalls mit einer Parole, nur schien sie mir von der Geschichte, unserer Geschichte, beglaubigt: Wer Gewalt gegen Sachen begehe, sei auch bereit zur Gewalt gegen Menschen. Womit für mich die Diskussion endete.

Gerd Bucerius, der Herausgeber der ›Zeit‹, lud Jaesrich, Klaus Harpprecht und mich nach Hamburg ein in sein elegantes, von Licht geweitetes Haus. Er erwog, den ›Monat‹ zu übernehmen. Den Zahlen, die wir ihm vorlegten, half auch kein rhetorischer Begleitschutz. Nur die Tradition des ›Monat‹, seine Autoren, seine intellektuelle Offenheit bestachen ihn. Das genügte nicht.

Klaus Harpprecht sprang für Allemann ein, ohne dessen Position gleich zu übernehmen. Mechthilds Kindernachbar, der Sohn des Nürtinger Dekans. Ein Feuerkopf, wie viele Rothaarige, dünnhäutig und sommersprossig, der mit seinem Ehrgeiz Kollegen nicht überrannte, sondern zu Freunden warb. Er steckte voller Ideen, war immer daran, ein Stück Welt zu stemmen. Seine Frau Renate arbeitete ebenfalls als Journalistin, kühl und gescheit wärmte sie Gespräche mit ihrem Lachen. Auf ihrem Arm sah ich, wie bei

Bronka, die Häftlingsnummer von Auschwitz. Sie hatte das Lager mit ihrer Schwester überlebt.

Ehe Clemens Ende Mai 66 zur Welt kam, wir inzwischen ein Kindermädchen, Else, angestellt hatten, saßen wir in der Frühstücksrunde und sagten mögliche Namen auf. Wolfgang Werth kam auf Clemens. Gisela Werth kündigte sich als hilfreicher Hausgeist an, und Else kochte, wenn ich mich nicht täusche, zum ersten Mal Kabuschkenreis, einen Eintopf aus Wirsing, Reis, Hackfleisch und Bouillon. Kabuschken? Ob es sich bei den Erfindern dieser Speise nicht um Kaschuben handle, fragte ich. Das Mädchen ließ sich nicht beirren. Ihre Großmutter väterlicherseits habe das Gericht in die Familie gebracht. Und die komme aus dem Stamm der Kabuschken?, insistierte ich. Sie schlug mich mit der Feststellung, dass es einen Stamm der Kabuschken nicht gebe, aber einen Kabuschkenreis.

Nie bin ich so viel spazieren gegangen, wie in unserem letzten Berliner Winter. Es schneite. Der Schnee hielt. Clemens schlief im Kinderwagen im Garteneck und holte sich im Frost rote Backen. Mechthilds Pulk war im Kiez bekannt. Clemens im Wagen, Friederike auf der Kante sitzend und Fabian mit einem Händchen am »Steuer«. Oder Clemens auf dem Schlitten gebettet, von drei »Pferden« gezogen. Fabian bestand darauf, einen Berg hinunterzurodeln. Doch zum Kreuzberg war's zu weit, zur Sternwarte auch. Immerhin fand sich ein kläglicher Hügel im Bäkepark, um dessen Bahn die kleinen Rodler Kämpfe austrugen. Den Ostpreußendamm lang bis zur Mauer. Zur Giesensdorfer Kirche, im 14. Jahrhundert aus Feldsteinen geschichtet, eine richtige Gemeindeglucke, in der Fabian, Friederike und Clemens getauft wurden. Oder zum Kanoldtplatz, zum S-Bahnhof Lichterfelde-Ost, da fängt schon Lankwitz an. Und alles unterm Schnee.

Ich nahm Abschied. Der begann schon vor dem Winter.

Harpprecht, seit einiger Zeit Leiter des S. Fischer Verlags in Frankfurt, fragte mich, ob ich nicht Cheflektor werden wolle. Ich überlegte nicht lange. In der Erdener Straße, im Haus Sami Fischers, wohnten neuerdings Hans Werner und Toni Richter, luden ein, gaben dem Fernsehen des Senders Freies Berlin die Gelegenheit, hier eine monatliche Gesprächsrunde zu drehen, »open end«, Ernst Schnabel leitete sie ein und aus. Der große Garten, von dem ich gelesen hatte, war freilich geschrumpft, doch die Gäste von ehemals konnte ich hersagen: Gerhart Hauptmann, Thomas Mann, Wassermann, Schickele, Heinrich Mann, Annette Kolb, und die beiden Lektoren Moritz Heimann und Oskar Loerke. Welch eine Stimmenfülle und welch ein Sturz in die Zeit. Ich lernte Bermann Fischer und seine Frau Tutti kennen, denen das Haus noch gehörte, die aber in Camaiore lebten, an der ligurischen Küste. Georg von Holtzbrinck hatte den Verlag gekauft.

Im Januar 1967 sollte ich mit meiner Arbeit in Frankfurt beginnen, ohne meine Stellung als Mitherausgeber des ›Monat‹ aufzugeben. Nur das Gehalt müsste die arm gewordene Zeitschrift nicht mehr zahlen.

Unsere beiden alten Sekretärinnen verschwanden. Wir suchten einen Ersatz, prüften eine Reihe von Damen und entschieden uns für Marlene, die uns nicht nur mit Steno und Maschine überzeugte, auch mit rascher Intelligenz und Eigensinn.

Mit Jaesrich flog ich zur Buchmesse nach Frankfurt. Am Goverts-Stand warteten Hildegard Grosche und mein eben erschienener ›Janek‹. Wir feierten.

Einige Wochen vorher hatte ich mich im Norden Frankfurts, im Taunus, nach einer Wohnung oder einem Haus für uns fünf umgesehen. Die verlangten Mieten erschreckten mich. Das hatte ich meinem Anwalt erzählt, meinem ersten. Vorher ging es ohne juristische Hilfe. Klaus Harpprecht empfahl ihn mir. Aus der Empfehlung wurde ein Geschenk. Der kleine, zarte, ältere Herr empfing mich in seiner Kanzlei in der Taunusstraße in Frankfurt: Alexander Besser, preußischer Jude, Anwalt, Kabarettist und Rundfunkkommentator. Ein Menschenfänger, der sich mit ironischer Grobheit vor allzu geglückten Fängen schützte. Gibt es das: Verehrung auf den ersten Blick? Ja, sage ich mir. Ich saß ihm gegenüber an dem alten Schreibtisch, den er nach seiner Rückkehr aus Tel Aviv werweißwo in Frankfurt auftrieb, hörte ihm zu, antwortete auf seine Fragen. Er verhandelte für mich mit S. Fischer, sprich: dem Konzern in Stuttgart. Und er schlug mir vor, in seine Nachbarschaft zu ziehen, nach Walldorf, da habe Richard Neutra eine Siedlung gebaut, die Nachbarn geradezu fordere. Kennste überhaupt Neutra, weißte, welche Bedeutung der hat, so zwischen Loos und Bauhaus? Nur noch vier Häuser stünden zum Verkauf. Nun unterbrach ich ihn: Aber ich will nicht kaufen, nur mieten. Ist mir gleich. Er winkte ungeduldig ab. Er duzte und siezte in undurchschaubarem Wechsel.

Die Bummelbahn brachte mich und Jaesrich, der unbedingt an meiner Hausbeschau teilnehmen wollte, nach Walldorf. Das Haus, ein einstöckiger Flachdachbau, kubisch, streng, die Fassade zum Garten gläsern, überzeugte mich: Wir fünf passten da hinein, und das Licht draußen und drinnen würde den Kindern gut tun. Die Miete war erschwinglich, der kleine, strenge, ältere Freund würde mein Nachbar sein. Mit Jaesrich stand ich auf dem Bahnsteig 11 und wartete auf den Zug nach Frankfurt. Wir wechselten lauter Abschiedssätze, die keine sein sollten. Jaesrich würde mir fehlen, seine Melancholie, seine gescheite Insistenz. Aber noch war es nicht so weit. In ein paar Monaten sollte ich wieder hier stehen, auf den Zug nach Frankfurt warten, zur Arbeit.

An den Wochenenden rückten wir zusammen. Gisela,

Wolfgang, Mechthild und ich. Die alten Wege wurden abgegangen und nacherzählt, um sie dem Gedächtnis zu überlassen. Es half auch nicht, dass ich mir einredete, eine neue Freiheit gegen die rundum eingemauerte Stadt einzutauschen. Im Gegenteil, ich schämte mich, die Freunde im Stich zu lassen.

Die letzten Tage jedoch vergällten mir Berlin, sogar unseren Kiez. Mechthild flog mit den Kindern nach Nürtingen zu ihrer Schwester. Alles, was für den Umzug nötig war, wieder die verdammten Bücherlisten auszufüllen, hatte sie erledigt. Nun war ich gefordert. Else, die schusslige Kabuschkin, sollte mir helfen. Die Möbelpacker rückten an. Alles nach Plan. Jetzt setzten, in Gestalt unseres Vermieters, Turbulenzen ein: Volz junior, Sohn des Hauseigentümers, Bauunternehmer, Berliner Meister im Mittelgewichtsboxen. Er stellte sich mir in den Weg. Wie ick mir det denke? Das war eine Frage, auf die ich, obwohl es um meine Gedanken ging, keine Antwort wusste: Wie? – Sehen Se mal det Parkett an. – Ja. – Det is wie in nem Schweinestall. – Worum geht es denn?, fragte ich. – Darum, dat Se det Parkett zahlen müssen. Abschleifen, versiegeln. – Aber ... Er hielt den nächsten Packer am Ärmel fest und befahl, mit der Arbeit aufzuhören. Da gibt's noch 'n Problem.

Wir lösten es in einem ausdauernden Palaver, an dessen Schluss ich meine Zahlungswilligkeit erklärte.

Ich übernachtete in einer Pension in der Nachbarschaft, weit weg vom Hotel Berlin, von wo aus wir die ersten Schritte in die Stadt gewagt hatten und bis Lichterfelde gekommen waren. Am andern Tag brachte mich ein Taxi zum Flughafen. Der Fahrer versetzte mich in Panik mit der Feststellung, bei dem Orkan werde der Flugverkehr eingestellt.

Er hatte recht. Die Flugzeuge standen, die Passagiere saßen und liefen in den Warteräumen herum. Der Möbelwagen würde in Walldorf vorfahren und kein Mensch ihn erwarten. Ich ging auf und ab. Ein Bekannter hielt mich auf. Ich erklärte ihm kurzatmig meine Not, worauf er mir zwei Valium in die Hand drückte und mich aufforderte, sie zu schlucken. Sie halfen, ließen die Sorge schrumpfen. Unerwartet wurde eine Maschine aufgerufen, meine! Der Sturm riss die alte DC wütend in die Höhe.

9

Söhne und Väter

Vor sechsunddreißig Jahren zogen wir ein in das Haus am Finkenweg. Drei Monate lang hatte ich es vorgewärmt, da gab es im ersten Stock ein Zimmer mit Bett und sonst nirgendwo ein Möbel. Ich hielt mich nur zum Schlafen auf, blieb tagsüber im Verlag in Frankfurt, bis ich spätabends, wenn ich nicht einschlafen konnte, ins Haus lauschte, auf das Knarren der Treppe, das Ächzen in den Betonwänden, und das besonders eindrucksvolle Wimmern der Stahlstreben. Um gegen alle zu erwartenden Einbrecher und unsichtbaren Gegner gewappnet zu sein, kaufte ich mir ein Pfefferfässchen und stellte es neben das Bett. Nachdem ich ein paar Mal darüber stolperte, ich mit Mühe den Pfeffer unters Bett pustete, entschloss ich mich, dem Frieden zu trauen und unbewaffnet zu schlafen. Bei Bessers, den Nachbarn im Meisenweg, durfte ich mich, kam ich vor zehn Uhr abends, vorwärmen, Alexander Besser aus dem Verlag berichten, ein oder zwei Whisky mit ihm trinken, wobei er störrisch meine größere Vorliebe für einen feinen Weißwein nicht zur Kenntnis nahm, ich aber einsah, dass der Whisky rascher wärmte und mich fürs Bett schwer machte.

Im März kam ich mit den Möbeln aus Berlin, noch flugkrank, begleitet von der altklugen, vom Sturmflug noch mehr ermatteten Else und aufgefangen von meiner Sekretärin bei S. Fischer, Karin Wiesmann. Else steuerte die Möbelträger mit einer Konsequenz zu falschen Plätzen, die Kisten mit dem Geschirr und den Kochtöpfen zum Beispiel hinunter in den Keller, dass ich am Abend, als wir den Einzug in der »Krone«, die es schon lange nicht mehr gibt, begossen, dem blonden, aufgeschossenen und blutarmen Geschöpf mit der restlichen Energie eines Erschöpften erklärte, sie könne schon am nächsten Tag zurück nach Berlin. Die Kisten mit den unzähligen, von der DDR registrierten Büchern türmten sich noch ein paar Tage im Wohnzimmer, dienten den Kindern als Verstecke; die Bücher kamen in vorläufiger Ordnung in die Regale, die sich jedoch als haltbar erwies, bis die Regale sich vom Keller bis unters Dach vermehrten, die Angelsachsen, die Franzosen, die Russen, die bildende Kunst, die Musik etc. zueinander fanden. Die deutsche Literatur herrscht im Parterre.

Das Haus wurde uns eng und wieder weit. Der Kinderlärm nahm fürchterlich zu und ebbte nach Jahren wieder ab. Die Enkel schaffen es nicht, ihn mit dieser Intensität zu wiederholen.

An diesem Schreibtisch, der kein Schreibtisch ist, vielmehr eine auf zwei Böcken liegende große Zeichenplatte, arbeite ich seit einem halben Leben. In den ersten Jahren nur abends, nachts, danach oft den ganzen Tag und immer das Bild vor Augen, das mir Fritz Ruoff »fürs Leben« schenkte, diese Tafel, auf der die Ölfarben zu Asche werden, in der ein Rest von Glut Figuren zeichnet, oder Erinnerungen an sie. Wenn ich eine Pause mache, schaue ich auf das Bild, in dem sich der Nachkrieg verfestigt hat, und nun, da die Müdigkeiten sich häufiger wiederholen, die Erinnerung manchmal stolpernd ihre Sprache sucht, nun, bevor ich wieder zurücklaufe in den unübersichtlichen Gedächtnisraum, denke ich so heftig an ihn, dass sich unser Abschied wiederholt: wie Clemens mich mit seinem klapprigen »Daimler« nach Nürtingen fuhr, in die Schellingstraße, Ruoff mich im Bett erwartet, ausgemergelt; der große, von Eigensinn geformte Kopf scheint noch mächtiger und schöner. Bloß koi Geschwätz. Ich sitze neben ihm, höre ihn atmen. Wir sehen uns an, und sein Blick macht mich wieder sehr jung und unsicher. Ich fange an zu erzählen, was wir beide nur zu gut kennen: Als ich zum ersten Mal kam. Wie ich von ihm gehen lernte und im Gehen sehen. Er legt sich tiefer ins Kissen, zieht plötzlich die Decke von den Beinen: Da isch nix me dran. Er lacht, deckt sich wieder zu, legt seine Hand auf meine: Ade. Hildegard brachte mich vors Haus, wo Clemens wartete. Wir umarmten uns. Ade, sagte auch sie. Ein paar Tage später starb mein großer Freund, mein zweiter Vater. Jetzt kehre ich zurück und das Bild ebenso: Ich nehme es wieder während der Arbeit wahr, eine Tafel, deren Zeichen ich kenne, die zu lesen ich noch immer lerne.

Das Haus, in dem der Fischer-Verlag damals untergebracht war, ehemals eine Bank, steht bis auf den Tag in der Mainzer Landstraße, mittlerweile ein Unikat, ein rührender Witz inmitten hochragender und hochtrabender Architektur. Vom Gehweg führte eine kleine Freitreppe zum Treppenaufgang im Haus, der im Vestibül endete, in dem sich früher wahrscheinlich die Kassenhalle befand und nun, hinterm mächtigen Empfangstisch, eine strenge ältere Dame die Gäste aufhielt, die sie nach Laune freundlich oder als Eindringlinge behandelte. Im ersten Stock residierte, neben der Lizenzabteilung und dem Bühnenverlag, die Verlagsleitung. Mich steckte man in ein fünfeckiges Gelass, den ehemaligen Tresor. Gottfried Bermann Fischer, der noch ein provisorisches Büro im größten Raum der Hauses, im »Rittersaal«, unterhielt, bat mich gleich zu sich. Und schon mit dem ersten Gespräch geriet ich in ein Spannungsfeld zwischen Vergangenheit und Zukunft. Aus der Vergangenheit redeten, argumentierten neben Gottfried Bermann die ehemaligen Verlagsleiter Rudolf Hirsch und Janko von Musulin. In die Zukunft stürmte, leidenschaftlich für sie werbend, Klaus Harpprecht, mitunter assistiert von Hans Altenhein, dem Leiter der Taschenbuch-Abteilung, und Werner Schoenicke, der den neuen Eigentümer, den Stuttgarter Holtzbrinck-Konzern, vertrat. Mit Musulin konferierte ich in seinem

Lieblingsrestaurant, beim Italiener am Goetheplatz, mit Rudolf Hirsch in einem winzigen Büro im Hochstift, mit Altenhein im Tresor und mit Klaus Harpprecht in seinem Büro, doch vorzugsweise unterwegs im Auto. Musulin, von Haus aus Journalist, schrieb für die ›Salzburger Nachrichten‹, schaute beleidigt auf die Zeit bei S. Fischer zurück, er habe nicht zum Zuge kommen können, weil Tutti Fischer unberechenbar Vorschläge aufnahm oder verwarf; Rudolf Hirsch erinnerte sich an seine Arbeit an der ›Neuen Rundschau‹ und prüfte mich in Hofmannsthal; Hans Altenhein gab praktische Ratschläge; Gottfried Bermann Fischer schwor mich auf die Tradition des Hauses ein, was er, wie er bald einsah, gar nicht musste; und Klaus Harpprecht, der mit Lust, doch auch bis zur Erschöpfung Wirbel erzeugte, nahm mich in Beschlag mit ausufernden Erwägungen von Vorschüssen und Vorauszahlungen. Mit ihm zu reisen genoss ich: Er wurde ruhiger, gab nicht mehr dem Zeitdruck nach, erzählte von Nürtingen, seinem Vater, dem Herrn Dekan, wir besuchten seine Mutter im Schwarzwald, eine alte Dame, die für Kirchenblätter schrieb, und manchmal kam es zu einem Treffen, einem Abendessen mit Renate, seiner Frau, die nicht ohne Ironie unseren Eifer dämpfte, unsere Pläne korrigierend festigte. Zur Buchmesse – es war meine zwölfte, und die erste, auf der ich an einem Verlagsstand zu finden war – musste ich kein Hotel mehr nehmen, konnte auch noch spätnachts nach Hause fahren, hatte zwar viele Verabredungen, doch mit den Entscheidungen musste sich Harpprecht plagen, der allerdings oft genug mich in seine raschen, ungeduldigen Überlegungen einbezog. Auf den Empfängen wurde ich vorgeführt, spielte eine Rolle, die noch nicht saß: Ich lachte zu oft und widersprach nur wenig. Auf zwei Einladungen freute ich mich: Der von Walter Boehlich folgte ich nicht zum ersten Mal. Hellmut Jaesrich hatte mich in die Runde eingeführt, in der man sich natürlich auch dem Messeklatsch hingab, der aber nicht genügte. Häufig wurde über einzelne Bücher, die Qualität von Übersetzungen, über philosophische Thesen debattiert. Boehlich war damals noch Lektor bei Suhrkamp, anregender und anstrengender Kontrapart Siegfried Unselds. Klaus Nonnenmann, der in seine weitläufige Dachwohnung an der Bockenheimer Anlage bat, kannte ich, seit ›Die sieben Briefe des Doktor Wambach‹ erschienen waren. In einer Kritik hatte ich dem Autor und seinem Buch meine Liebe erklärt. Wambach und Nonnenmann gingen ineinander auf. In einem wuchernden Briefwechsel redete ich ihn mit Meister No an, und er wiederum verwandelte mich in PeLing, der ich zu anderer Zeit schon einmal gewesen war. Ich hätte ihn auch Meister Zwirn rufen können, der Krieg hatte ihn ausgemergelt und geschwächt entlassen, mit einer halben Lunge, und die langen Abende überstand er nur auf eine Couch gebettet inmitten des Trubels. Seine Frau schien der feste Grund seiner Existenz zu sein, kräftig und schön. Das täuschte, die Depressionen trieben sie in den Tod. Das Treiben rund um Meister No förderte meinen Übermut. Mit Herbert Heckmann machte ich mich über den Musikschrank aus den Fünfzigern lustig. Der Gastgeber stimmte uns zu, das Ding spiele nur noch die Caprifischer, sonst nichts. Schmeißt es aus dem Fenster, forderte er uns auf. Was wir, unter dem Gejohl aller, taten. Das Vordach über dem Hauseingang fing den Apparat ab, niemand kam zu Schaden. Nur mit meinem Gewissen stritt ich noch tagelang. Mit Otto F. Walter zog ich mich in die Küche zurück. Die Schüchternheit trieb ihm die Röte ins Gesicht und den Schweiß auf die Oberlippe. Damals leitete er noch den Walter-Verlag, war noch nicht mit seinen Autoren zu Luchterhand gegangen. Wo immer ich ihn traf, suchte ich seine Nähe; der scheue Mann wurde ein leiser und verlässlicher Freund. Er fragte mich, ob ich mit Goverts, meinem Verlag, zufrieden sei; ich rühmte meine Verlegerin, Hildegard Grosche, was er lächelnd akzeptierte. Nur, fügte er hinzu, wenn es dir einmal nicht mehr passt, wann auch immer, dann denke an mich. Ich habe seine Aufforderung ernst genommen, später. Bei S. Fischer arbeitete ich mich ein, Frau Wiesmann, meine Sekretärin, half, kundig in den Stimmungen und gegenwärtigen Strömungen; ich profitierte vom Wissen der Frauen in der Rechte- und Lizenzabteilung, blätterte in alten oder noch »lebenden« Verträgen, entsann mich vergessener Poeten, las Moritz Heimanns Schriften und stapelte die Romane Eduard von Keyserlings auf meinem Schreibtisch. Das Fischerboot nahm, hatte ich den Eindruck, Fahrt auf. Einer, von zarter Konstitution, half Wind in die Segel zu blasen: J. Hellmut Freund, schon länger Lektor im Haus, den ich, nach dem ersten Erfahrungsaustausch, als das Gedächtnis und Gewissen des Verlags erkannte. Die jüdische Familie Freund – sein Vater war Chefredakteur einer Berliner Zeitung gewesen – hatte nach Hitlers Machtantritt fliehen müssen, fand Exil in Südamerika, wo Hellmut Freund am Radio sich der Musik und der Literatur widmete. Er lernte Exilanten wie Fritz Busch kennen, die ganze Musikerfamilie Busch, er bewegte sich im Umkreis der Freunde Hofmannsthals und war und ist ein Leser, der das Glück hat, aus der Fülle des »Repertoires«, vergleichend zu lesen. Als Diabetiker achtete er auf die so genannten »Zwischenmahlzeiten«. Kam er vormittags aus der Kantine, fing ich ihn ab, und wir tauschten unsere Lieben und Vorlieben aus, riefen uns Namen zu, um uns zu erinnern, an die Grümmer, Lisa della Casa, an Sena Jurinac, mit der ihn eine enge Freundschaft verband, die Busch-Brüder natürlich und Thomas Mann, immer wieder Thomas Mann. Ob Mozart, Verdi oder Schubert – ihre Werke breiteten wir aus und hörten redend. Von allen »Fischern« habe ich ihm am meisten zu verdanken.

Meine journalistische Tätigkeit gab ich nicht auf. Kurt Zimmermann, der das Fernsehmagazin ›Titel, Thesen, Temperamente‹ leitete, entdeckte meine Fähigkeit, frei zu reden. In seinen Messesendungen trat ich als Kritiker auf, danach nicht immer glücklich über das, was ich geäußert hatte. Manchmal gab es ein Zusammenspiel mit Marcel Reich-Ranicki, der mich später in die Klagenfurter Jury für den Ingeborg-Bachmann-Preis holte, in der ich sieben Mal zuhörte, redete und litt – eine lange Geschichte, die ihn und mich verbindet, auch wenn ihr ein böses Missverständnis einen Schlusspunkt setzte. Ein paar Monate lang moderierte ich im Funkhaus am Dornbusch das Kulturmagazin »Frankfurter Studio«, ohne immer die Filme zu kennen, eben meiner Phantasie und den Auskünften der Autoren vertrauend, was mir nicht schwer fiel, denn die waren von ihrer Arbeit beseelt: Eva Demski, Klaus Bednarz, Jürgen Rosenbauer.

Klaus Harpprechts Arbeit fing an mit einem großen Erfolg: Carl Zuckmayers Memoiren ›Als wär's ein Stück von mir‹. Nicht zuletzt sie gaben mir den Anstoß, mich mit den lebenden und toten Autoren des Hauses näher zu beschäftigen. Viele von ihnen, das wusste ich inzwischen, hatten Sami Fischer noch gekannt. Den kleinen Mann mit dem runden Kopf, dessen Porträtbüste über den Rittersaal wachte, der 1934 in Berlin auf dem Jüdischen Friedhof von Weißensee begraben wurde, verstand ich von Tag zu Tag mehr als Ratgeber und guten Geist. Alle, denen ich im Lauf der sechs Jahre begegnete, mit denen ich zusammen arbeitete, sprachen mit zärtlichem Respekt von ihm: Manfred Hausmann und Albrecht Goes, die beide an seinem Begräbnis teilnahmen, während die Verleger und Buchhändler fernblieben und die meisten Autoren des Hauses das Land schon verlassen hatten. Oft staunte ich über die Präsenz des Gründervaters. Als ich in Berlin zwei alte Damen aus dem Verlag in den Ruhestand verabschiedete, bei einem Kaffeeklatsch mit süßen Stückchen, berichtete ich von der Umrüstung des Verlags auf elektronische Datenverarbeitung, den riesigen Spulenwerken, die unter der Anleitung eines Systementwicklers im Souterrain aufgestellt wurden. Die beiden hörten skeptisch zu und schlugen den Fortschritt mit einer einzigen Frage: Legt der Herr Ihnen auch jeden Morgen die neuesten Strichlisten auf den Tisch, wie wir es bei Herrn Fischer getan haben? Kleinlaut musste ich zugeben, dass die morgendlichen Computerdaten über den Buchabsatz drei Tage alt seien. Worauf die Damen in die Hände klatschten, mich mit meiner technischen Ausrüstung bedauerten und die eine von ihnen mir einen zierlichen Satz schenkte, an den ich, wann immer ich die Listen durchsah, dachte: Aber da sind Sie ja überhaupt nicht à jour!

Berlin besuchte und besuche ich immer wieder. Die Gründe dafür mehrten sich. 1967 wurde ich in die »Akademie der Künste« gewählt. Das von Werner Düttmann menschenfreundlich gebaute Haus im Tiergarten kannte ich, aber nun wurde es zu einem Berliner Ersatz-Zuhause. Das blieb es bis auf den Tag. Meistens logiere ich in einem der Apartments, muss nur mit dem Aufzug hinunterfahren, um an einer Senatssitzung oder der halbjährlichen Vollversammlung teilzunehmen. Oder an einem der Feste, die ich mit dem Alter höchstens um zwei Stunden verkürze. Lauter Geschichten nahm ich mit, vergaß sie, und sie kehrten wieder zurück, kaum hatte ich den Schlüssel für mein Apartment und schaute bei dem »Sekretär« der Abteilung Literatur, Karin Kiwus, vorbei. Die langen Nächte mit Jürgen Becker und Helmut Heißenbüttel, die stets einer von uns als Letzter abschloss; wie Heißenbüttel dann, Jahre danach, stumm und im Rollstuhl zu einem Mittelpunkt des Abends wurde, umringt von Freunden, die auf ihn einredeten und sich seine Antworten dachten; wie Zbigniew Herbert, den ich als

Dichter bewunderte, als Schelm aber fürchtete, mit mir wettete, dass ich es nicht schaffte, eine bestimmte sehr schöne Dame, auf die er wies, im Gespräch so weit zu bringen, dass sie sich für ihn, nur noch für ihn interessiere. Es gelang mir. Wie Elias Canetti, so groß wie ein Knabe und mit dem Kopf eines Weisen, mitten im Rummel und ihn vergessend, seine Theorie von Kafkas Liebe zu Felice darlegte, atemlos und mit heller, monotoner Stimme. Wie Rolf Gutbrod und ich den schwer kranken Ernst Schnabel Schrittchen für Schrittchen zum Abteilungszimmer führten und Schnabel, schon auf der Schwelle, unser Gelächter mit dem mürrischen Kommentar auslöste: Ein bisschen schneller könntet ihr schon machen. Wie ich lang nach Mitternacht auf dem Hof eine schwarze Masse liegen sah, die ich als schlafenden Uwe Johnson identifizierte; als es mir nicht gelang, ihn aus seinem Rausch zu wecken, ich ihn mithilfe des Hausmeisters ins Haus zurückbrachte, auf einen Stuhl setzte, beschlossen Karin Kiwus und ich, ihn im Taxi mitzunehmen, was er tatsächlich zur Kenntnis nahm, mehr noch: Er machte Karin ein Kompliment, stand auf, wurde immer größer, immer schwerer und schwärzer, drückte mich zur Seite und bestand darauf, als wir ins Taxi stiegen, im Fond neben Karin zu sitzen, während ich vorn neben dem Fahrer Platz zu nehmen hatte. Als ich Johnson fragte, wohin wir ihn denn bringen sollten, beugte er sich nach vorn und erklärte dem Fahrer mit drohendem Bass: Bringen Sie erst einmal diesen Herrn zu seinem Hotel! Wogegen Karin Kiwus Einspruch erhob: Nein, nein, das auf keinen Fall!, und Johnson damit verdross, der nun knapp verfügte: Fahren Sie erst mal los. Was auch geschah. Allerdings fragte der Fahrer nach einiger Zeit, in welche Richtung, die Johnson nicht angab, bis Karin Kiwus ihn fragte, wo, in welchem Hotel, er wohne, und er nach einer langen Pause endlich antwortete: Nach Friedenau! Wo er, wie wir beide wussten, seit langem nicht mehr ansässig war, nur wagten wir beide nicht, ihn zu korrigieren, und, als wolle er uns noch mehr verwirren, gab er seine einstige Adresse an. Wir schwiegen, angestrengt und ängstlich, der Wagen hielt, Johnson wälzte sich aus dem Taxi, reckte sich, lief um das Auto herum, klopfte an das Fahrerfenster, wartete, bis der Chauffeur es heruntergedreht hatte, und sagte mit einer Stimme, die auf einmal hell und frisch klang: Fahren Sie diesen brasilianischen Kaffeeplantagenbesitzer und seine Sekretärin zu ihrem Hotel! Ein paar Wochen bevor er starb, lasen wir zusammen mit Grass und Peter Bichsel für den Buchhändler Cordes in Kiel. Im Hotel gab mir der Portier Bescheid, Johnson warte auf mich. Wir fuhren zusammen in die Stadt, setzten uns in eine Kneipe. Erinnern Sie sich?, fragte ich ihn und erzählte die Geschichte. Er sog an der Pfeife und begann zu strahlen. Wem zuliebe, fragte er, haben Sie das jetzt erfunden?

S. Fischer wurde in Berlin von Leo Domzalski vertreten, einem wahren Wächter des Hauses. Seine Kenntnisse und sein behutsames Urteil halfen mir sehr. Er und seine Frau Dorothea wurden meine Freunde, sind es. Die Unruhen im Haus und außerhalb nahmen zu. Die Ideen und Vorsätze der Studenten begannen die Taschenbuch-Lektorate zu beschäftigen. Im Juni 1967 wurde Benno Ohnesorg in Berlin erschossen. Die jungen Lektoren unterm Dach, fast alle mehr oder weniger frisch von der Hochschule, suchten den Aufbruch, den Ausbruch und sahen sich als »Handlanger« eines Konzernverlags. Werner Schoenickes Besuche häuften sich, die Fahrten nach Stuttgart, zur Konzernleitung, ebenso. Wir fingen an, zwei Sprachen zu sprechen. Die Verständigung gelang oft nur mühsam. Klaus Harpprecht versuchte temperamentvoll und hochfahrend, das Misstrauen auszuräumen. Er warb für den Eigensinn des Hauses. Kam ich nach Hause, fing mich Alexander Besser ab, hieß mich reden, fand uns alle zu aufgeregt und stärkte mich mit seinen

Kanzleiweisheiten: Junge, du hast deinen Kopf. Leih ihn nicht aus.

Ich – dieses Ich, das sich mit dem Konzernherrn, dem Verleger Harpprecht, den jungen Kollegen im Verlag auseinandersetzt – ist vierunddreißig, kaum älter als die »Jungen«. Die Position, die es übernahm, auch seine Vorstellung von Geschichte, sein Gedächtnis trennen es von ihnen, machen es älter. Erzähle ich von ihm, von mir, hüte ich mich, schnell zu werden, zu hasten. Lese ich jedoch, was mich damals umtrieb, zum Beispiel die ersten Titel, die ich fürs »Fischernetz« auswählte, Fritz Mauthners ›Prager Jugendjahre‹ oder Keyserlings ›Wellen‹, komme ich mir wieder näher.

Es ist eine Geschichte, die sich anders erzählt. Sie hat nichts mit dem Verlag zu tun, aber mit den häufigen Fahrten nach Stuttgart und mit jemandem, der mich vor Jahren in meinen Anfängen bestärkte. Der Zufall wollte es, dass wir uns über den Weg liefen, KuLe und PeLing einen Abend lang uns von YAMIN gefangen nehmen ließen und dabei angefeuert wurden von einer jungen Buchhändlerin, die KuLe begleitete. Wir redeten, um nicht auf die Gedanken des jeweils anderen zu kommen. Das Mädchen zog alle meine Aufmerksamkeit auf sich, spielerisch und mit einer inneren Heftigkeit, die sich übertrug. Ich wendete mich betont meinem alten Mentor zu, da ich fürchtete, er könnte eifersüchtig werden. Er zitierte seine Dante-Übersetzung, spielte damit wohl auf die Situation an, wurde dabei noch kleiner und behender: ein Freund der Poeten und des frühen Morgens, ein Kuppler, der sich selbst, gut gelaunt, Schmerz zufügt. Nachdem wir das Lokal verlassen hatten, auf der menschenleeren Straße standen, plötzlich wieder befangen und auf einen raschen Abschied gefasst, lachte KuLe auf, packte das Mädchen und mich an den Armen und schob uns von sich weg mit einem Adieu und der Aufforderung, uns die Nacht nicht zu verderben. Ich fragte sie, sie fragte mich: Aber wohin? Ich könnte sie begleiten, sagte sie, sie wohne in Möhringen, es fahre keine Bahn mehr dorthin, wir müssten ein Taxi nehmen. Sie hieß Birgit. Sie versprach einen Anfang, der mit mir nicht gelingen konnte. Nicht, dass ich ein schlechtes Gewissen hatte, weil ich Mechthild in dieser Nacht und in ein paar Nächten mehr betrog – ich begriff rasch, dass mein Anfang mit Mechthild unwiederholbar war und ich glücklich war mit dem, was sich aus ihm fortgesetzt hatte. Birgits Wohnung befand sich im Souterrain, ein Apartment mit Küche und Bad. Das Zimmer wurde von einem Schrank beherrscht, den sie blau angestrichen hatte. Ich mochte ihre abwartende Ruhe. Wir redeten über Bücher. Sie wehrte sich, Weißwein für mich zu kaufen, ich sei ein Typ für Roten, das wisse sie. Das müsse so sein. Wenn wir uns umarmten, gaben wir unsere Fremde nicht auf. Dann nannte sie mich alter Mann, den ich auch zu spielen hatte. Sie war zehn Jahre jünger als ich. Die Verhandlungen bei der Konzernleitung nutzte ich, sie zu besuchen. In jenem Sommer reisten wir mit den Kindern und den Tanten nach Holland in die Ferien, nach Walcheren, in die Bungalow-Siedlung Banjaard. Der Wind wehte uns die Paravents weg, und Friederike, das kleine Fräulein, fiel, als das Wasser ihr bis ans Knie stieg, in Ohnmacht. Die Familie fing mich ein mit ihren wechselnden Aufregungen, ihrem Lärm, ihren Spielen, den Schleichwegen zwischen Strand und Frittenbude, den Drachen, die nicht steigen wollten. Ich ließ keinen Spaß aus und war mir sicher, dass Mechthild über »die andere« Bescheid wusste. Mitten im Urlaub flog ich nach Stuttgart, schob einen Termin bei Herrn von Holtzbrinck vor, überraschte Birgit und nahm von ihr Abschied. Ich erschreckte sie und schleppte ihren Schrecken eine Zeitlang mit. Viel später hörte ich, sie sei gestorben, sehr jung noch. Ich dachte an den blauen Schrank, an ihren ruhigen Atem.

Die beiden schnellen ersten Jahre in Frankfurt bringen die Erinnerung durcheinander. Die Ereignisse kennen keine Chronologie, brauchen sie auch nicht, denn ich bin auf alles das, was die Zeit mit mir anstellen wird, vorbereitet. Die Gespräche mit Klaus Harpprecht rissen kaum mehr ab. Oft brachte mich ein Fahrer nach Wiesbaden zu ihm nach Hause, oder er wartete auf mich in der Klinik, in die es ihn nach dem Genuss einer verdorbenen Muschel verschlagen hatte. Immer plante er groß und kostete seine Verbindungen aus. Eines Tages legte er mir ein Manuskript auf den Tisch, eine Übersetzung aus dem Tschechischen: ›Das Café an der Straße zum Friedhof‹ von Ota Filip. Das war eine Musik, gegen die ich mich nicht wehren konnte, mährischer Sound. Der Autor wolle sein Land verlassen. Der Verlag werde ihm dabei helfen. Das gelang. Ota Filip wohnte mit seiner Frau und seinen zwei Kindern ein paar Tage bei uns. Ich genoss es, mit einem Mährer durch den schütteren Wald zum Flughafen zu laufen und ihm zuzuhören, seinen Geschichten aus Ostrau und Prag. In München fanden sie eine Wohnung. Bald schrieb er für Zeitungen. Noch immer ärgere ich mich, dass ich für eine Fernsehsendung, in der über seine Geheimdienstverwicklungen spekuliert wurde, ein »Statement« abgab, zwar nicht verurteilend, doch abwartend. Viel lieber hörte ich ihn fröhlich und erfreut »Petr« rufen, mitten in Prag, und wir laufen aufeinander zu.

Mein fürsorglicher Nachbar Besser war der Erste, der mich auf einem Abendspaziergang auf eine Veränderung vorbereitete, doch nichts verriet. Sie spielte sich an einem einzigen langen Tag ab. Schauplatz war der »Frankfurter Hof«, eine wahrhaft gediegene Kulisse. Ich wartete in einem Salon. Ständig gingen Türen auf und zu, traten Personen ein und ab wie in einem Stück von Marivaux. Es fehlten bloß Tapetentüren für unerwartete Auftritte. Werner Schoenicke hatte mich aus dem Verlag gerufen und mir knapp mitgeteilt, der Konzern habe vor, sich von Klaus Harpprecht zu trennen, oder, nachdem er durch eine Tapetentür getreten ist: Klaus Harpprecht werde sich vom Konzern verabschieden. Dass ich diese Entscheidung ganz und gar falsch fand, wurde offenbar nicht debattiert. Im Übrigen fragte ich mich, weshalb ich in das Auge des Orkans geholt wurde. Hinter den Türen wurde verhandelt, gestritten, geschlichtet zwischen den Herren Holtzbrinck, Schoenicke, Bermann Fischer und Harpprecht, und mich schienen sie als eine Art stille Reserve eingesetzt zu haben. Was zutraf. Einen halben Tag wartete ich, achtete darauf, mich nicht mit Kognak zu betrinken, las Zeitungen und vergaß alles gleich wieder, wonach am Nachmittag alle Türen gleichzeitig aufgingen, die Akteure eintraten und ich, erschrocken oder erwartungsvoll, aufsprang. Klaus Harpprecht umarmte mich, stürmte aus dem Salon, Georg von Holtzbrinck sah ihm nach, nickte gleichsam bestätigend und wendete sich an mich: Ich möchte Sie bitten, Harpprechts Nachfolger zu werden. Damit hatte ich nicht gerechnet. Schoenicke drückte mir ein Sektglas in die Hand. Ich wünschte eine Bedenkzeit. Die Ungeduld des Alten drängte sie zusammen bis zum Abendessen. Nicht länger. Es sei ein Angebot, das er nicht wiederholen werde. Der Fahrer brachte mich nach Walldorf. Wir verabredeten, dass er mich am Abend wieder abhole. Wie sollte ich Mechthild von einem Aufstieg erzählen, der mir Angst machte, von einer Arbeit, die mir die Zeit zum Schreiben rauben würde, von der Lust, einem alten Verlag wenigstens etwas von seinem Gedächtnis zurückzugeben, von der Vorfreude, mit Menschen zusammenzuarbeiten, die ich im Laufe des Jahres schätzen gelernt hatte. Die Kinder spielten. Fabian war gerade fünf, Friederike drei, der winzige dicke Clemens saß in seiner ungewöhnlichen Rutschhaltung im Zimmer, das eine Bein wie eine Flosse zur Seite gekrümmt. Bewegte er es hin und her, kam er enorm schnell voran. Ich gab

Mechthild in aller Kürze wieder, was passiert war, was der Alte von mir wünschte. Sie fragte, was sie in solchen Situationen stets fragte: ob ich mir nicht zu viel zumute, ob ich nicht unglücklich sein werde, wenn ich nicht mehr zum Schreiben käme. Sie fragte, was ich mich schon gefragt hatte. Ich konnte ihr und mir keine sichere Antwort geben. Mit einem Satz jedoch half sie mir: Du kannst es ja bleiben lassen, wenn du nicht mehr magst. Allein, darauf bestand ich, wollte ich die Leitung des Verlags nicht übernehmen. Mir fehlte es an kaufmännischer Erfahrung. Als Mitstreiter wählte ich Wolfgang Mertz, Hans Altenhein und Edgar Willhöft. Eine kollegiale Leitung, als deren Sprecher ich auftreten würde. Georg von Holtzbrinck akzeptierte und teilte die Veränderung dem Verlag in einer Betriebsversammlung mit. Wir ahnten beide nicht, wie schwer die See sein würde, durch die ich das Fischerboot zu steuern hatte. Die Zeit wurde unruhig; die Zeit-Genossen führten eine andere Sprache als der Konzernherr. Es gelang, selbst wenn es prekär wurde, uns immer zu verständigen; manchmal sekundierte Werner Schoenicke. Jochen Greven, der Nachfolger Hans Altenheins im Taschenbuchverlag, fand, der Alte habe einen Narren an mir gefressen. Manchmal sah ich mich auch genötigt, mich wie ein Narr aufzuführen. Ich mochte Georg von Holtzbrinck. Er war ein Kapitalist wie aus dem Wörterbuch der Marxisten, in der Tat, trocken und erpicht auf erträgliche Bilanzen, auf Reputation bedacht, nicht übermäßig sensibel im Umgang mit Mitarbeitern, und doch besaß er eine »zweite« Feinfühligkeit, war imstande, Schärfe mit Behutsamkeit zu tauschen und vorurteilslos zuzuhören.

Ich veranlasste, dass sich im Haus ein Betriebsrat bildete, der bis dahin fehlte. Das geschah vorsorglich, denn ich merkte, wie es im Hause brummte und brodelte, die Jüngeren sich politisierten, Gruppen bildeten, an Demonstrationen teilnahmen. Wo immer sie die Geschichte und das Schweigen ihrer Väter und Großväter befragten und attackierten, sympathisierte ich mit ihnen. Gewalt aber erschreckte mich. Gewalt hatte meine Kindheit zerstört. Ich dachte nicht daran, über Gewalt und Gegengewalt zu philosophieren, da sie nach meiner Erfahrung nicht zu trennen waren. Ich stellte mich auf andere Weise auf die Probe und hatte wieder einen Roman zu schreiben begonnen, eine schwäbische Pietistengeschichte: ›Das Familienfest‹. Der Roman entstand nachts, mit langen Pausen zwischen den einzelnen Stücken, und immer wieder musste ich ansetzen, den Tonfall finden. Da ich bis heute keinen Führerschein besitze und nicht Auto fahren kann, gestand der Konzern mir Wagen und Fahrer zu, und eine zweite Vergünstigung hatte Besser, wenn auch widerwillig, für mich ausgehandelt: Ich trat meine Arbeit morgens erst um halb zehn an. Karin Wiesmann verabschiedete sich, es gelang mir, Marlene von Sobbe zu überreden, nach Frankfurt umzusiedeln. Sie assistierte mir, trieb die morgendlichen Diktate durch gescheite Zwischenrufe voran, horchte aufmerksam ins Haus, sodass ich selten von Überfällen und Einfällen überrascht wurde. Draußen auf der Straße wurde zwischen Universität und Alter Oper die Zukunft ausgerufen; im Haus konnte davon die Rede nicht sein. Neben Ilse Aichinger und Paul Celan, den wir an Suhrkamp verloren, verlegten wir kaum jüngere deutschsprachige Autoren, verließen uns auf den Erfolg angelsächsischer Erzähler oder auf die Anziehungskraft der »Klassiker«, wie Thomas Mann, Stefan Zweig, Franz Werfel, Carl Zuckmayer, Sigmund Freud, Franz Kafka. Die jungen Poeten zogen Suhrkamp uns vor. Also kam mir eine Einladung Siegfried Unselds wie gerufen, bei einer feinen Mahlzeit und bestem Wein »die Welt zu teilen«, wie er schrieb. Er sprach die Einladung ohne Ironie aus, ich nahm sie mit Ironie an, da es ja schon einmal eine Teilung gegeben hatte, als Bermann Fischer und Peter Suhrkamp sich trennten und die Fischer-Autoren sich für einen der beiden Verlage entscheiden mussten. Hesse dort, Mann da. Wir Spätlinge teilten nicht. Wir tauschten ein bisschen. Er bekam für seine »Bibliothek« einen Freud, wir fürs Taschenbuch einen Hesse. Immerhin gelang es mir, dem Taschenbuch-Lektorat auszureden, mit schwarzer Fahne vor dem Verlag aus Solidarität mit den Suhrkamp-Lektoren, die ihren Verlag verlassen hatten, zu demonstrieren. Franz Greno (wieder eine Geschichte für sich: Aus einem brillanten Hersteller und rigiden Revoluzzer entwickelte sich ein eigensinniger Unternehmer, der sich schließlich überhob, weil er Qualität und Maßlosigkeit verquickte) entpuppte sich als Wortführer, heimlicher Fahnenschwenker – ein Glück, denn wir hatten Spaß daran, einander zu messen, Macht auszuspielen und nicht übermäßig ernst zu nehmen, zu drohen und nachzugeben. Dieses Spiel beherrschten wir nach kurzer Übung. Es fiel mir ja nicht schwer, manchen der aufrührerischen Argumente zuzustimmen, nur die Ausschließlichkeit, mit der sie vorgetragen und den Gegnern um die Ohren gehauen wurden, stieß mich ab. Manchmal hatte ich das Gefühl, wie ein Kunstreiter auf den Rücken zweier galoppierender Pferde zu balancieren. Zum einen unterstützte ich die Taschenbuch-Lektoren, die den »roten Großvater« zum Erzählen animierten, Arbeiterliteratur sammelten, zum andern versuchte ich mit der Reihe »Im Fischernetz«, sorgfältig ausgestatteten Bänden, Interesse für die bürgerliche Literatur wachzurufen. Zum einen plädierte ich in abendlichen Versammlungen gemeinsam mit Pädagogen und Politikern für die Einrichtung der Gesamtschule, zum andern polemisierte ich gegen die vom hessischen Kultusministerium erteilten Rahmenrichtlinien Deutsch, die der Literatur kaum mehr Raum einräumten; zum einen beobachtete ich zustimmend die Soziologisierung und Politisierung des Taschenbuchs, zum andern hielt ich es für eine böse Büberei, als im Kursbuch die »bürgerliche Literatur« totgesagt wurde.

Ich schaffte es, ›Das Familienfest‹, das mir nun wie ein »Widerstandswerk« gegen den literarischen Trend und gegen die Anforderungen des Verlages vorkam, zur Buchmesse 1968 fertig zu stellen. Die Messe befand sich in wilder Bewegung. Vor ihr und auf ihr wurde demonstriert, palavert, handgreiflich gestritten. Ein Messerat wurde einberufen, »das Schlimmste zu verhüten«. Wer sich keine Angst einreden ließ, konnte sich aber unbehelligt tummeln. Zum ersten Mal stand ich als »Chef« da, verhandelte, versteckte mich, wenn's nottat, und empfing.

Das Haus, in das wir zur Messeparty einluden, verschwand, als die Wolkenkratzer sich gegen die Hausbesetzer durchsetzten. Es stand unmittelbar neben dem Verlag in der Mainzer Landstraße, wurde jedes Frühjahr von einem blühenden Magnolienbaum geschmückt. An seiner Stelle ragen heute die beiden Türme der Deutschen Bank. Ich rechnete mit Turbulenzen. Nicht zuletzt würde der Autor, der an diesem Abend las, die Revoluzzer anziehen. Klaus Harpprecht hatte Rudolf Augstein überredet, ein Buch über den Alten Fritz, Friedrich den Großen, zu schreiben. Nun war's herausgekommen. Der Saal füllte sich mit Geladenen und Ungeladenen. Wir hatten vor, das Buffet erst nach der Lesung zu eröffnen. Was schon einmal nicht gelang: Ein Trupp junger Männer brach lärmend in die Gesellschaft ein, schaffte es sofort, da und dort zu zündeln, kleine Streitigkeiten auszulösen, worauf ich lauthals um Ruhe bat und Augstein gelassen vorzulesen begann. Die Revoluzzer hörten nicht zu, wurden aber auch nicht lauter. Zu spät fiel mir auf, dass sie strategisch günstige Plätze besetzten. Die einen am Buffet, die anderen rund um den Vortragenden, der sich hinter seinem Pult verschanzte. Das half ihm wenig. Einer der ungebetenen Gäste, der unmittelbar hinter ihm stand, hackte mit der Schuhspitze gegen Augsteins Waden, und die Bande am Buffet begann, Gäste mit Cocktail-Würstchen zu bewerfen. Meine Wut über diese kindische Renitenz machte mich mutig. Raus!, schrie ich. Raus! Sie verschwanden zu meiner Verblüffung und Erleichterung tatsächlich. Augstein konnte seine Lesung fortsetzen.

Zur selben Messe brachte ich, neben dem ›Familienfest‹, eine Anthologie heraus, die durch ungezählte, oft kontroverse Unterhaltungen im Verlag vorbereitet wurde. Mir war die Idee gekommen, junge und ältere Autoren nach ihren Vätern zu fragen, Porträts zu schreiben, von Beziehungen, Trennungen, Brüchen zu erzählen. Vielleicht, sagte ich mir, könnte durch die Vielfalt der Auskünfte ein differenziertes Bild entstehen, auch von den Töchtern und Söhnen. Fast alle, die ich anfragte, schickten ein Manuskript. Die Alten: Arnold Zweig, Johannes Urzidil, Carl Zuckmayer, Alexander Lernet-Holenia, Peter Huchel, Hilde Domin, Hans Keilson und Marie Luise Kaschnitz, und die Jüngeren: Gabriele Wohmann, Klaus Harpprecht, Ror Wolf, Nicolas Born, Rolf Haufs. Das Buch ist längst vergriffen. Die Anthologie überraschte. Im Schreiben brachen da Wunden auf, wurde offen von Verlusten und Nähe gesprochen, sogar, wenn auch mitunter wütend oder ängstlich, von Liebe.

Obwohl die revolutionierenden Studenten zu jeder besseren Gelegenheit die Schuld und Enge der Väter beklagten, ging es ihnen gar nicht um sie. Sie wollten mit aller Macht deren Geschichte lossein und erklärten zum zweiten Mal nach 1945 einen radikalen Anfang, eine »Stunde Null«. Sie betrogen sich, wie es ihre Väter schon nach dem Krieg taten, indem sie, ähnlich wie die Alten, fragten, doch überhaupt nicht erpicht waren, Antworten zu bekommen, sondern zu verurteilen. Ihre Rebellion wirkte auf die Gesellschaft wie eine Serie von unkontrollierten Befreiungsschlägen. Die hatten Folgen.

Sogar jene, deren Lehre von den Söhnen in Anspruch genommen wurde, verstanden die Welt nicht mehr, fühlten sich verletzt und wehrten sich: Max Horkheimer, dessen Werke bei uns erschienen, der mich offenbar schätzte, weil ich seinem Schwäbisch angemessen auf Schwäbisch antwortete, kündigte mir eines Tages den Besuch von Teddy, von Theodor W. Adorno, an. Er werde ihn begleiten, denn es handle sich um einen gemeinsamen Ärger. Ich machte mich in meinem Tresor, vieles schon gewohnt, auf alles gefasst. Die beiden Herren klagten, kaum saßen sie, es entgehe ihnen eine Menge Geld. Der Verlag rühre sich überhaupt nicht. Ich hatte kein schlechtes Gewissen und hoffte, die Honorarabteilung auch nicht. Adorno bezog seine Honorare ohnehin von Suhrkamp. Auf mein vorsichtig tastendes »Wieso« kam ein zweistimmiges Echo: Dieser Unfug der Raubdrucke! Von fliegenden Händlern würden sie in der Universität schamlos angeboten. Und die Räuber strichen das ganze Geld ein, verdienten ohne Verdienst. Die ›Dialektik der Aufklärung‹ sei ihr gemeinsames Werk, 1947 erschienen in Amsterdam, und sie seien sich bisher einig gewesen, das Werk noch nicht wieder zu veröffentlichen. Aber nun! Der Verlag müsste unverzüglich rechtlich gegen die Raubdrucker vorgehen. Das alles werde geschehen, versicherte ich. Ein Neudruck und die rechtliche Verfolgung. Um sie versöhnlich zu stimmen, versuchte ich ihnen zu schmeicheln: In gewissem Sinn sei ein Raubdruck auch eine Ehre für die Autoren. Er beweise, wie heftig nach dem Buch verlangt werde. Womit ich wenig Erfolg hatte. Sie stritten eine Weile, wer den größeren Anteil an der ›Dialektik‹ habe, und ich fragte nach dem alten Vertrag. Der sei verloren gegangen. Horkheimer schaute des Öfteren bei mir vorbei und fragte, ob die Kerle schon erwischt worden seien. Tatsächlich kam man ihnen auf die Spur, legte ihnen ihr Handwerk, das sie an einem andern Ort wieder aufnahmen.

Ein neuer Lektor, Hans-Jürgen Schmitt, sollte nach meinem Wunsch dem Verlag mit neuer Literatur auf die Beine helfen. Wir erfanden eine Reihe in einem auffallend kleinen und schmalen Format. Einer der ersten Dichter, den Schmitt für sie entdeckte, zählte nicht zu den Jungen, gehörte zu den vergessenen modernen Klassikern, ein wunderbarer Russe, Daniil Charms. Eben wird er von neuem entdeckt, und ich hoffe, auf Dauer.

Die großen Alten hielten das Zentrum des Hauses besetzt, die Toten und die Lebenden. Ihre Werke bedurften ständiger Aufmerksamkeit, für Ruhm und Nachruhm musste in wechselnden Editionen gesorgt werden, Briefwechsel standen an, mit Herausgebern musste verhandelt, weitgespannte Pläne mussten formuliert werden. Werfel, Beer-Hofmann, Zweig, Zuckmayer, Thomas Mann, Sigmund Freud und Kafka. Seinetwegen hatte mich Max Brod aufgesucht, in Begleitung von Esther Hoffe, die nach Brods Tod dessen Nachlass verwalten werde. Er las mir Gedichte seiner Gefährtin vor und versetzte mich in die Verlegenheit, ein paar Sätze zu finden, die sie und ihn nicht verletzten. Wenn es um Kafka ging, darauf hatte ich mich eingestellt, geriet man unverzüglich in ein Labyrinth. Als ich auf Einladung der Kulturabteilung der Deutschen Botschaft (ein Goethe-Institut gab es nicht) nach Israel reiste, lebte Max Brod nicht mehr, und ich verhandelte brieflich und telefonisch mit Frau Hoffe über kritische Editionen der Schriften Kafkas, die sich nun in ihrem Besitz befanden: ›Der Prozeß‹ und ›Beschreibung eines Kampfes‹. Alexander Besser schlug mir einen Cicerone vor: Moshe Tavor, Korrespondent der ›Frankfurter Allgemeinen Zeitung‹ in Israel, den ich bei ihm kennen gelernt hatte. Er übersetzte für S. Fischer die Memoiren Ben Gurions, und seine von Witz begleitete Freundlichkeit zog mich an. Kulturreferent an der Botschaft in Jerusalem war ein Schriftsteller, Kai Hoff, der sich nicht vordrängte, mich aber im Auge behielt. Moshe Tavor wich mir in Jerusalem nicht von der Seite, zeigte mir die noch geteilte Stadt; wir standen vor dem Mandelbaumtor und er schilderte mir die Stadtteile dahinter so, dass ich sie, als ich später dort spazierte, schon zu kennen glaubte. Tel Aviv und Haifa erschloss mir das Ehepaar Suchodoller. Er vertrat S. Fischer in Israel, und sie betätigte sich schon vor der Mandatszeit als Ärztin, ritt auf dem Esel (oft unter dem Beschuss der Engländer oder Araber) zu ihren Patienten. In allen drei Lesungen wurde ich zu Beginn von einem älteren Zuhörer nach meinem Alter gefragt und mit der Bemerkung »Da sind Sie also noch ein Kind gewesen« gleichsam freigesprochen. In Diskussionen war das Buch so gut wie nie Gegenstand, sondern ich, meine Meinung, meine Haltung. Ich dachte an Besser, es verdross mich, ihn nicht nach seiner Adresse in Tel Aviv gefragt zu haben, doch ich lernte eine seiner Freundinnen zufällig kennen, und die alte Dame führte mich in die Straße, zum Haus. Wie so oft musste ich korrigieren, was ich mir ausgedacht hatte: Das ansehnliche Mietshaus schrumpfte zu einem armen, brüchigen Gebäude, das als Wohnwabe in Jahrzehnten abgenutzt worden war. Nur der Himmel darüber entsprach den Besserschen Erzählungen und dem Foto, das er von der Gründung Tel Avivs in der Wüste besaß. Ein paar Herren in Frack und Zylinder, von denen sich einer auf einen Spaten stützt. Suchodoller riet mir, mit dem Sherut-Taxi nach Jerusalem zu reisen, eine Erfahrung, die zu dem Land gehöre: eine eng zusammengepferchte, zufällig zusammengewürfelte Reisegesellschaft mehr als eine Stunde auszuhalten. Die auf sieben Sitze verlängerten Autos, die aber keineswegs den New Yorker Stretchlimousinen gleichen, starteten alle von einem Platz am Rande der Stadt. Die Chauffeure warteten, bis sich genügend Passagiere gemeldet hatten. Nach Jerusalem füllte sich die Karre schnell. Vor mir saß ein alter Herr, ein orthodoxer Jude, der, obwohl das

Wetter ihn nicht verlangte, mit einem Regenschirm ausgerüstet war, den er geschultert trug. Ich musste den Kopf zur Seite legen, damit er mir die Augen nicht ausstach. Eine jüngere Dame machte ihn darauf aufmerksam; er reagierte nicht. Die Dame und ich unterhielten uns kurze Zeit, schwiegen über längere Strecken, und dann und wann machte sie mich auf Besonderheiten aufmerksam, zum Beispiel, dass wir durch ein Gebiet fuhren, das noch kürzlich von den Jordaniern kontrolliert wurde. Nach einer Bodenwelle lag vor unseren Blicken Jerusalem schwerelos in der Sonne, die Kuppeln und Türme blitzend, eine Spiegelung seiner selbst. Der Rabbi vor mir zog den Schirm ein, drehte den Kopf mir zu und sagte auf Deutsch: Jeruschalaim, die hochgebaute Stadt, mein junger Herr! In Jerusalem besuchte ich in einem Viertel, das eine Exklave von Berlin-Dahlem hätte sein können, den Dichter Werner Kraft. Ich kannte seine Biographien über Karl Kraus und Rudolf Borchardt, seinen Roman ›Der Wirrwarr‹. Seine Frau führte mich in die Bibliothek. Sie lag im Parterre. Die Fenster zwischen den deckenhohen Bücherregalen boten Ausblicke in den Garten, und für einen Augenblick vereinigten sich bewegte Blätter und Blumengruppen mit bunten Bücherrücken. Ich stand, verzaubert, in einer der erlesensten Bibliotheken: alle deutschen Romantiker in Erstausgaben, in Gesamtausgaben. Eine Kostbarkeit neben der andern: Brentano, von Arnim, Eichendorff, Kleist, Hölderlin in Jerusalem. Ich fragte mich, ob es ein Kabinett des Heimwehs sei. Das Gespräch ließ einen anderen Schluss zu: Die Nazis hatten Kraft aus seiner Stellung als Bibliotheksrat in Braunschweig entlassen, und vor Hitlers Schergen floh er nach Palästina. Das bedeutete aber nicht, dass er auch nur etwas von dem aufgab, was er brauchte: nicht seine Bücher, nicht seine Sprache, nicht seine Erinnerung. Seine Frau lachte: Er habe gerade so viel Hebräisch gelernt, dass er ein Taxi bestellen und etwas einkaufen könne. Mit seinem

Sohn, der als Diplomat Israel diene, könne er sich noch unterhalten, mit seinen Enkeln kaum mehr. Immer wieder musste ich den alten Mann ansehen: Wie alle Hochgewachsenen beugte ihn das Alter. Er wehrte sich merklich dagegen, lehnte sich im Sessel zurück, sodass sein grandioser Kopf besonders zur Geltung kam. So stellte ich mir einen Propheten vor. Stirn, Nase, Lippen, Kinn um eine Spur zu mächtig, zu kantig und im Ganzen von einer großen Schönheit, der die Augen einen besonderen Akzent gaben: Sie schauten kindlich und vertrauensvoll. (Fritz Landshoff, der Querido-Verleger, jüdischer Herkunft und Emigrant wie Kraft, kam auch von den Propheten her, ein ebensolcher Kopf von ebensolcher schönen Unschuld, die offenbar den Zorn verbirgt.) Wir redeten über Karl Kraus und kamen auf S. Fischer, auf meinen Auftrag, mit Frau Hoffe zu verhandeln. Er wusste über die Kafka-Manuskripte Bescheid, welche noch in Jerusalem lagen, welche in London oder Oxford. Er wird es Ihnen nicht leicht machen, prophezeite er. Ich wollte wissen, wen er meine. Kafka, sagte er. Unvermittelt verabschiedete er mich, müde oder in Gedanken woanders, und Frau Kraft brachte mich zur Tür.

Nun musste ich als Verleger auftreten, Frau Hoffe erwartete es so. Moshe Tavor hatte uns telefonisch angekündigt. Es war ausgemacht, dass wir uns nicht bei ihr, sondern bei Brod träfen. Tavor hatte die Adresse aufgeschrieben, sie aber nicht zu fragen gewagt, was das mit Brod zu tun habe. Es klärte sich. Frau Hoffe hatte in einer Souterrain-Wohnung, die sie in der Nähe ihrer Wohnung mietete, die Brodsche Wohnung rekonstruiert. Zugleich diente sie ihr als Archiv. In zwei Räumen drängten sich Schränke, Kommoden, Tische, Kästen und Schachteln. Als sie eine Schranktür aufriss, fielen uns Kartons entgegen, aus denen wiederum Papiere aller Art, Briefe, Postkarten, Notizen – von Brod, Kafka, Baum, Werfel. Sie ließ nicht zu, dass Tavor und ich sie, nachdem wir sie aufgehoben hatten, genauer anschauten. Wir mussten sie sofort in den Karton mit der Aufschrift »1912« zurücklegen. Vorsichtig erkundigte sich Tavor, ob das Archiv nach Jahren und nicht nach Personen geordnet sei, worauf er von Frau Hoffe gelobt wurde, das archivale Prinzip so rasch durchschaut zu haben. Ich wollte die Kafka-Manuskripte sehen. Das sei nicht möglich, sie befänden sich in einem Tresor auf der Bank. Sie möchte erst einmal vertraglich festgelegt haben, wer an der Kafka-Ausgabe mitarbeite und wie sie daran beteiligt werde. Falls die Papiere gefilmt würden, möchte sie für jede Seite ein Honorar. Darüber sei noch zu befinden. Ich gab auf. Sie merkte meine Verstimmung und versuchte mich damit zu trösten, dass sie einen Schrank aufriss, in dem große, gebundene Bände lagen, offenbar Partituren. Ich weiß nicht, ob Sie von Musik etwas verstehen, sagte sie, schlug einen Band auf und gleich wieder zu. Janáček, sagte ich. Schauen Sie, sagte sie. Brod hat seine Libretti übersetzt. Und die Partitur, wollte ich noch wissen, ist in Janáčeks Handschrift? Was denken Sie, bekam ich zur Antwort. Ich musste ihr versprechen, mit ihrem Zürcher Anwalt weiterzuverhandeln. Es solle alles seine Ordnung haben, deswegen müsse ich mich jetzt unter die Büste Max Brods setzen, sie wolle mit einem Foto meinen Besuch dokumentieren. So geschah es. Kaum hatten wir uns verabschiedet, meinte Moshe Tavor kichernd: Warten Sie, bis Sie das Foto bekommen haben. Der Brod wird Ihnen nicht mehr vom Kopf gehen. Auf dem Foto wächst Max Brods Kopf tatsächlich aus meinem heraus.

Kafka ließ mich nicht los. Ich brauchte einen unabhängigen, nicht schon in die wissenschaftliche Kafka-Hierarchie eingeordneten Berater und fand ihn im damaligen Leiter der Wolfenbütteler Bibliothek, Paul Raabe. Ein Herrscher über eine Gelehrtenrepublik und zugleich ein souveräner Verhandler. Mit ihm, dem Kafka-Herausgeber Malcolm Pasley, und dem Inhaber der Kafka-Rechte, Ted Schocken, traf ich mich in Basel, in Zürich, in Frankfurt, in Wolfenbüttel. Der Zürcher Anwalt schob die Verhandlungen verhandelnd hinaus, wir saßen in einem Zimmer über der Bahnhofstraße in Zürich, rund um einen Verhandlungstisch, bekamen Kaffee und in einem silbernen Schüsselchen Kekse gereicht, die allerdings abgezählt waren, was sich erst offenbarte, als der Advokat Raabe auf die Hand schlug: Er habe seine Ration bereits vertilgt. An der Universität Wuppertal wurde auf Betreiben Raabes eine Arbeitsstelle für Prager Literatur eingerichtet, die vielleicht als unerklärtes Kafka-Zentrum dienen könnte. Kafka verfolgte mich in meine Träume. Weniger als Dichter, als Schöpfer des Gregor Samsa, sondern ordinär eingeschmolzen in Rechnungen, Zahlenreihen, Verboten, Kalkulationen. Ein einziges Mal mischte ich mich aktiv in die Arbeit an und um Kafka ein. Hartmut Binder und Klaus Wagenbach, ein so hochkarätiges wie eigenwilliges Doppel im großen Kafka-Spiel, gaben die Briefe Kafkas an seine Schwester Ottla und an seine Familie heraus. Ich war schon daran, mich vom Verlag zu verabschieden, als die Manuskripte von den beiden Editoren kamen und eins werden sollten. Abende lang saß ich zu Hause, kollagierte, schnitt aus und klebte auf, zählte Anmerkungen, zählte sie neu und kam mir wie der Balljunge vor, den die beiden in ihrem Spiel gar nicht bemerkt hatten. Die kritische Kafka-Ausgabe kam zustande, Jahre danach.

Und ich? Ich habe den Eindruck, ich gehe mir verloren. Ich folge Zurufen, werde in Pläne eingespannt, spiele eine Rolle, deren Texte ich oft erst im letzten Augenblick lerne, schreibe, um wenigstens diesem oder jenem Buch wieder nah zu sein, Nachworte oder Rezensionen, trete in Fernsehdebatten auf und hole mir, oberflächlich, Kraft zurück, indem ich mit den Kollegen feiere, die Nächte zum Tag mache.

Im Herbst 1969 meldeten sich Günter Grass und das Wahlkontor. Die Ostpolitik Willy Brandts leuchtete mir ein, ich musste nicht überredet werden, auf Wahlreisen zu gehen, in Kneipen, Sälen und auf Kundgebungen zu sprechen. Nicht unbedingt zum Gefallen des Konzernherrn. Aber er verübelte mir nicht einmal, dass ich den Verlagswagen und den Fahrer beanspruchte. In Furtwangen, einer Stadt, in der die Christdemokraten herrschten, stand mein Koffer vor der geschlossenen Hoteltür. Peter Weimar, mein Fahrer, durfte sich immerhin ein Zimmer nehmen und erfuhr beim Frühstück, dass sein Chef als roter Propagandist auftrete und deswegen aus dem Hotel gewiesen worden sei. Ich bekam von einem Redakteur der Lokalzeitung eine Couch in der Redaktion angeboten mit dem Trost, das Hotel sei auch nicht erstklassig und wir könnten noch ein Viertele miteinander trinken. Dieses Mal wurde Willy Brandt Kanzler. Georg von Holtzbrinck erklärte mir bei einem Abendessen nebenbei, es sei ihm schwer gefallen, mich gewähren zu lassen, aber, fügte er trotzig hinzu, die Stimmung werde sich sowieso wieder wenden.

Golo Mann hatte begonnen, den ›Wallenstein‹ zu schreiben. Er kündigte die Arbeit in Andeutungen an. Hielt er sich länger in Frankfurt auf, wohnte er meistens auf Schloss Wolfsgarten bei Langen, Gast der Prinzessin von Hessen, Margret. Bei Abendeinladungen dort hatten wir Gelegenheit, uns länger zu unterhalten, und da wurde, nachdem Golo mehrere Rückert-Gedichte rezitiert hatte, plötzlich Wallenstein sichtbar. Ich kam auf den ›Dreißigjährigen Krieg‹ Ricarda Huchs, den er anerkannte, es gehe ihm aber um ein Charakterbild von Person und Zeit. Seit der ersten Begegnung empfand ich für Golo Respekt und Zuneigung zugleich. Er glich seinem Vater, mit dem er manchmal haderte. Wenn er gesprochen hatte, zog er sich zusammen, schrumpfte gleichsam in sich zurück, lauschte, wartete ab und sog an der Pfeife. Eine Kränkung durch den großen Vater offenbarte er mir bald: Alle seine Geschwister spielten in »Unordnung und frühes Leid« ihre Rolle. Bis auf ihn. Er fehle. Für die Arbeit am ›Wallenstein‹ brauche er einen konstanten Gegenleser. Wir fanden ihn in einem jungen Redakteur im Taschenbuch-Verlag, einem ausgebildeten Historiker, Klaus Schulz. Seine Offenheit, seine »erstaunliche Bildung« gefielen Golo. Bis zum letzten Satz hielt er, fragend und um Vorschläge nie verlegen, durch. Später ging Schulz zum Sender Freies Berlin, wo wir uns manchmal im Studio trafen. Schon vor Jahren starb er, noch sehr jung.

Die Arbeit an dem Buch führte mich öfter nach Kilchberg, in das Haus, in dem der Rückkehrer Thomas Mann seine letzten Jahre verbrachte. Frau Katia lernte ich allerdings schon vor den Besprechungen mit Golo kennen. Sie wünschte den Besuch des neuen Verlagsleiters, den sie in einem knappen Telefongespräch bereits in den Senkel gestellt hatte. Und das in ihrem unverwechselbaren tiefen Alt, der eher als Bariton zu bezeichnen war. Sie mahnte die halbjährliche Abrechnung an; Edgar Willhöft, der Herr der Zahlen, bat mich, sie zu beruhigen. Der Scheck sei unterwegs. Ach, rief sie, reden Sie sich nicht heraus, Sie sind ja in der Sache noch nicht geübt. Schon Sami Fischer hat uns da immer beschummelt. J. Hellmut Freund, zu dem Frau Katia Vertrauen gefasst hatte, fuhr mit. Der Schrecken begann mit der Begrüßung. Kaum öffnete sich die Haustür, schossen zwei Hunde heraus, ein belgischer schwarzer Schäferhund und eine Boxerhündin. Der Schwarze gehörte Frau Katia, die Boxerhündin Golo. Frau Katia bestärkte mich in meiner Angst, indem sie dem Schwarzen eine schwere Neurose attestierte. Sehr klein, sehr zierlich, aber keineswegs gebrechlich, vielmehr gespannt wie ein Federchen stand sie vor mir, die ich von vielen Fotografien kannte und die mich alle Fotografien vergessen ließ: Das blasse Katzengesicht wurde beherrscht von großen, schwarzen, staunenden und weltverschlingenden Augen. Die Siebenundachtzigjährige war an Zauber, fand ich, dem »Zauberer« ebenbürtig. Ohne es zu ahnen, führte ich mich gut ein: Ich gab Marie, der Haushälterin, die Hand. Wir waren zum Tee geladen, der wurde im Erker eingenommen, mit dem Blick auf den See. Sie fragte mich unverhohlen aus und ab, wollte wissen, wo ich vorher gearbeitet habe, und wusste wiederum selbst, dass ihr Sohn Klaus auf den Titel ›Monat‹ gekommen sei. Freund erwähnte, dass ich auch Bücher schreibe, was sie nicht weiter erstaunte. Sie bestand darauf, selber den Tee einzuschenken. Ich bewunderte ihre ruhige Hand. Dann straffte sie sich, lächelte in sich hinein, und ihre Augen wurden noch um eine Spur größer: Wer ist Ihnen lieber, fragte sie, TM (sie sprach von ihrem Mann stets von TM) oder Heinrich? Ich klammerte mich an die Erkerbank, hielt den Atem an, fragte mich mit ihr, wusste aber, welche Antwort ich geben sollte, wollte ich nicht aus Höflichkeit schwindeln. Sie musterte mich ernst und erwartungsvoll, ein Kind in einer Greisin. Thomas Mann sei bedeutender, doch für Heinrich hätte ich eine Schwäche, für ›Die kleine Stadt‹ oder den ›Henry Quatre‹, auch für Heinrichs Mut, seinen politischen Mut. Worauf sie, noch immer ernst, nickte und das Gespräch mit einem einzigen Satz beendete: Ach, der Heinrich, der mit seinen schrecklichen Weibers. Sie fragte uns, ob wir noch etwas von TMs Lieblingsmusik hören wollten, und bat uns, ohne unsere Antwort abzuwarten, doch zwei Stühle neben den Sessel zu stellen, der vor dem Lautsprecher stehe. Sie kündigte ein Stück aus dem Tristan an, legte die Platte auf, bediente routiniert den Arm mit der Nadel, setzte sich zwischen uns und wir hörten Wagner. Dessen Freund ich nicht bin. Aber dieses »Stück« Tristan schmuggelte Frau Katia in meinen beständigen Musikvorrat, und ich bin ihr dankbar dafür.

Meistens öffnete sie, wenn ich mit Golo verabredet war. Die Angst vor den Hunden legte sich nicht. Den schwarzen Neurotiker hielt sie in Schach. Immer erkundigte sie sich, wie es mit Golos Arbeit stehe, als spräche sie nicht mit ihm. Golo erwartete mich in der Bibliothek. Manchmal las er vor, ein andermal gab er mir ein Kapitel zu lesen und verschwand. Das Haus wurde still. Ich wünschte mir, ich könnte Gespräche »von früher« hören. Das geschah auf andere Weise: Frau Katia lud mich zum Mittagessen ein. Sie habe auch noch ihren Bruder Klaus zu Gast. Klaus Pringsheim, der Zwillingsbruder! Golo schien von dieser Aussicht nicht sonderlich angetan. Er knurrte, biss auf die Pfeife und schnurrte in sich zusammen. Frau Katia holte uns ins Esszimmer ab. Der fein gedeckte Tisch stand mitten im Raum. Klaus Pringsheim sah uns entgegen, nicht größer als seine Schwester. Er verbeugte sich. Ich wusste, dass er als Dirigent in Japan lebte. Wir nahmen an dem runden Tisch Platz. Golo saß zur Rechten von Frau Katia, ich zur Linken, ihr Bruder ihr gegenüber. Um Marie, die Haushälterin, zu rufen, bediente sie sich eines silbernen Glöckchens. Marie trug auf. Das Gespräch wollte keines werden, bis Marie, nachdem sie die Suppenteller entfernt hatte und den Hauptgang hereinbrachte, ihm einen Anstoß gab. Sie sagte, als sie den Teller vor Klaus Pringsheim stellte: Als Nachtisch gibt es wieder die Mousse au chocolat, Herr Professor, die Ihnen so schmeckte, als Sie im vorigen März hier waren. Wir saßen stumm, Frau Katia betrachtete ihren Bruder und sagte: Im vorigen März bist du gar nicht hier gewesen. Klaus Pringsheim legte das Besteck auf den Teller, setzte sich aufrecht, erwiderte den Blick seiner Schwester und glich ihr nun schon sehr: Natürlich bin ich hier gewesen, wie käme Marie sonst darauf. Frau Katia legte ebenfalls das Besteck ab. Nein, stellte sie fest, das kann nicht sein. Darauf stampfte Pringsheim mit dem Fuß auf: Doch! Golo erhob sich, holte die

Pfeife aus der Jackentasche, schob den Stuhl an den Tisch und verließ uns. Die Schiebetür zur Bibliothek zog er mit wütendem Schwung zu. Ich saß allein zwischen den uralten Zwillingen. Frau Katia gab nicht nach: Nein, sagte sie, nein. Und er antwortete ebenso knapp: Doch! Ich hatte hier gewiss nichts zu sagen, begann jedoch wieder, wie die Zwillinge, zu essen. Dann, erklärte Frau Katia, nach einer nachdenklichen Pause, dann wollen wir Marie entscheiden lassen. Sie betätigte das Glöckchen. Marie erschien unverzüglich. Sagen Sie, Marie, ist der Herr Professor tatsächlich im März hier gewesen? Vielleicht hatte Marie die Auseinandersetzung geahnt. Vielleicht hatte sie den Wortwechsel bis in die Küche gehört, denn Pringsheims Schwerhörigkeit nötigte seine Schwester, sehr laut mit ihm zu reden. Sie nahm sich Zeit, um bei der Wahrheit zu bleiben. Ja, Frau Professor, erwiderte sie, der Herr Professor ist im vorigen März hier gewesen. Frau Katia beugte sich etwas nach vorn, musterte den Bruder mit ihren großen Augen ungläubig, schüttelte den Kopf: Dann habe ich dich damals nicht bemerkt. Die Mousse au chocolat nahmen wir wortlos zu uns. Sie war, nahm ich an, auch für Pringsheim kein solcher Genuss mehr wie im vorigen März.

Die Konzernpolitik, hinter vorgehaltener Hand von Werner Schoenicke vorgetragen, nahm allmählich auch mich in Anspruch. Wenn in München eine Zusammenarbeit von Rowohlt, Droemer und S. Fischer geplant wurde, war ich dabei, stets darauf bedacht, dass dem Fischer-Haus kein Schaden zugefügt werde. Zusammenarbeit bedeutete genau genommen, dass Holtzbrinck die Verlage kaufte oder sich an ihnen beteiligte. Mit einem in der Runde, Heinrich Maria Ledig-Rowohlt, kam ich rasch und übermütig zurecht. Solange ich ihm nicht vorwarf, dass er Kornfelds ›Blanche‹ vernachlässige, deckten sich unsere literarischen Vorlieben; wenn's darum ging, ein Glas Wein zu viel zu trinken, genügte ein Blick, sogar die wuchtigen Zigarren, die er bevorzugte, rauchte ich ihm zuliebe, nur seine Einladung ins Puff schlug ich aus, was er nicht verstand, er warf mir sogar vor, allerdings nur einmal, meiner Literatur fehle deswegen eine Substanz, von der der »olle Wedekind« eine Prise zu viel genommen habe. Über die Güte von Übersetzungen konnte er ausdauernd streiten. Lange bevor wir uns kennen lernten, kannte ich ihn aus ›Schau heimwärts, Engel!‹ von Thomas Wolfe, den er im Auftrag des alten Rowohlt durch das olympische Berlin begleitete. Die beiden, ein Riese und ein Knirps, zogen randalierend zwischen einem Spalier von Fahnen, wurden bestaunt und beschimpft, waren die Attraktion einer Gesellschaft, in der die Mörder und die Todgeweihten für ein paar Tage lang miteinander feierten. Für den ›Monat‹ schrieb Ledig zu dieser Episode einen fulminanten Nachtrag. Ganz unvermittelt konnte ihn die Melancholie umstimmen. Dann gab es keinen Lärm, keine Purzelbäume mehr, aber auch keine gescheiten und sensiblen Anmerkungen zu Menschen und Büchern. Dann wendete er sich einfach ab. An einem Sommerabend in München im Garten des Droemer-Verlags, bei einem Licht, das leichtsinnig stimmte und jeder Entscheidung das Gewicht nahm, wurde der Zusammenschluss der drei Verlage beschlossen. Selbstverständlich sollte jedem Haus die Freiheit bleiben, allerdings, um mit Ledig fortzufahren, nur unter der Voraussetzung, dass die Penunzen stimmten. In die Verhandlung über Anteile und Kauf wurde ich nicht einbezogen. S. Fischer gehörte ja bereits dem Konzern. Die Neuigkeit müsse der Presse auf der nächsten Messe bekannt gegeben werden. Ich solle ins Verlagshaus an der Mainzer Landstraße einladen, und wir alle würden Rede und Antwort stehen. Gleich am ersten Messetag füllte sich der Rittersaal. Alle großen Zeitungen waren vertreten. Die Versammlung summte vor Erwartung. Die Herren meldeten sich nicht. Sie hatten ihre Hotels verlassen. Noch zehn Minuten, vertröstete ich Wolfgang Mertz, der die Journalisten zu beruhigen versuchte. Der Konzernherr und die beiden Verleger erschienen nicht, ließen mich im Stich. Mir war klar: Ich konnte, wenn ich den Gerüchten nicht noch Futter geben wollte, die Konferenz nicht abblasen. Wir – Mertz, Altenhein, Willhöft und ich – bahnten uns den Weg nach vorn, bauten uns auf, und ich redete. Ich habe keine Ahnung mehr, was. Ich redete mich nicht heraus. Ich erzählte wahrscheinlich naiv, was ich wusste, und was ich mir für den Verlag wünschte. In dieser Situation wurden wir fotografiert. Ich stehe einen halben Schritt vor meinen Kollegen und gestikuliere. Kurz nachdem der letzte Journalist das Haus verlassen hatte, tauchten die drei Gesuchten auf, arglos, sie hätten diese heikle Angelegenheit mir überlassen wollen, da einer Stimme ohne Widerspruch eher geglaubt würde. Dabei blieb es. Holtzbrinck fand am nächsten Abend, ich hätte mich gut geschlagen; ich schluckte meinen Ärger, von drei pfiffigen Alten verladen worden zu sein.

An die Unruhe gewöhnte ich mich. Fast immer trafen sich zwei oder drei und regten sich auf. Über die Unbeweglichkeit. Über die Abhängigkeit. Über die fehlende Übersicht. Manchmal auch über sich selber. Genügten diese Palaver nicht mehr, verlangte der Betriebsrat eine Betriebsversammlung, aber diese großen Meetings fanden, wenn mich meine Erinnerung nicht trügt, erst nach 1970 statt, als der Verlag die Häuser gewechselt hatte, wir in die Geleitsstraße in Sachsenhausen umgezogen waren, in den Schatten des Henningerturms.

Bis dahin blieb mir noch Zeit. Ich handelte, zusammen mit Wolfgang Mertz, mit dem Freien Hochstift in Frankfurt die Bedingungen der großen kritischen Hofmannsthal-Edition aus. Noch heute wird mir bange, stelle ich mir den wachsenden Turm von Bänden vor.

Ilse Simitis baute nicht nur an der kommentierten Lese-
ausgabe der Werke Sigmund Freuds, sie plante eine extravagant hergestellte, preiswerte Reihe psychologischer, analy-
tischer Literatur. Helmut Heißenbüttel hatte mich auf sie
vorbereitet. Sie hatte, als Fräulein Grubrich, in der Redaktion »Radio-Essay« bei ihm volontiert. Gescheit, schön und
eigensinnig, charakterisierte er sie. Inzwischen war sie mit
dem Staatsrechtler Spiro Simitis verheiratet. Sie hielt sich
zurück, offenbarte ihre Pläne erst, wenn sie ihr haltbar
schienen. Die Autonomie, auf die sie Wert legte, führte gelegentlich zu Spannungen. Ihrer Arbeit diente sie. Eine gemeinsame Reise nach London habe ich nicht vergessen. Es
ging um die Freud-Ausgabe. Wieder bot mir der alte Verlag,
für den ein bedeutendes Werk geordnet werden sollte, einen
Blick in eine Vergangenheit, die ich nur als Leser kannte.
Wir standen vor dem Reihenhaus, in dem Freud sein Exil
verbrachte. Eine ältere Dame empfing uns und brachte uns
in das Arbeitszimmer. Dort erwartete uns Ernst Freud, der
Sohn. Ilse Simitis erklärte und verhandelte. Ich sah mich um.
An der Wand stand die berüchtigte Couch wie ein Zitat.
Ohne Zweck, umgeben von Geschichten. Erst als Anna
Freud dazukam, stürmisch, in einem weiten Radmantel, aus
dessen Taschen Bücher guckten, Krimis, wie sie uns später
verriet, erst als diese ungemein präsente Person ihre Geschichte mitbrachte, verwandelte sich der Empfangsraum
wieder in sein Zimmer.

Ein Jahr danach suchte ich diesen Zauber vergeblich. Ich
reiste mit Mechthild, die Sophie erwartete, über die Insel,
las aus dem ›Familienfest‹ vor. Wir begannen in London, am
Goethe-Institut, logierten bei Erwin Wickert, dem deutschen Gesandten, und seiner Frau in einer weitläufigen
Wohnung. Sie waren aufmerksame und unbeirrbar freundliche Gastgeber. Wickert veröffentlichte seine Bücher wie
ich bei Goverts. Er kannte die Londoner Verleger und führte

uns bei einem Abendessen zusammen. Der Abend im Goethe-Institut holte mich zurück in das Zimmer mit der Couch. Nur ältere Leute hörten mir zu. Manche kannte ich bereits, wie Peter de Mendelssohn. Sie fragten mich aus, und ich merkte, wie wichtig ihnen Auskünfte über S. Fischer waren. Zwar war Anna Freund nicht anwesend, doch ich dachte sie mir her. In Oxford traf ich Gert Hofmann, in Newcastle, Edinburgh, Glasgow und Manchester verstörte ich Germanistik-Studenten mit meiner Pietisten-Erzählung. In Dublin hingegen gab es verständige Zuhörer und einen Pedell, der absolut Samuel Beckett glich.

Hans Altenhein verließ den Verlag, um einen Verlag zu gründen. Seinen Posten übernahm Jochen Greven, der bei Kossodo die Werke Robert Walsers herausgab. Greven passte vorzüglich in unsere Runde, bedächtig und fest in den Argumenten ging er mit den jungen Redakteuren um. Sie alle bebten von revolutionärem Eifer, wenn es jedoch um ihre Stellung ging, verhielten sich die Herren Kamberger, Koch, Schuler, Eichborn, Menne wie Duodezfürsten. Wer Spaß an diesem dialektischen Spiel hatte, kam gut mit ihnen aus.

Meiner Verlegerin ging es schlecht. Sie verschuldete sich mehr und mehr bei den Druckereien. Nachts, mit kurzem Atem, hatte ich eine Erzählung geschrieben, ›Ein Abend, eine Nacht, ein Morgen‹, in der ich Erinnerungen an Birgit variierte. Sie sollte im Herbst 1970 erscheinen. Bei einem Besuch im »Dreimäderlhaus« in Stuttgart-Möhringen – dort hatten die Verlegerinnen, Hildegard Grosche (Goverts), Inge Stahlberg und Cilly Lutter (Krüger), neben dem Kunstverlag Roland Hänssels ihren Sitz – empfingen mich die Damen in einer Laune, die ich nur so definieren konnte, dass sie ihre Angst und Wut mit einer Menge Sekt zu betäuben trachteten. Sie versanken in Erinnerungen, fluchten und verfluchten, und es gelang mir nicht, sie zu trösten. Ich stand nämlich als »Knecht« des Mannes vor ihnen, der sie »ruinierte«, ihre Verlage aufkaufte. Bis tief in die Nacht feierten wir den Untergang, tauschten Erinnerungen aus, und unversehens entwickelte sich der Knecht zum Retter, da die Damen übereingekommen waren, sich unter solchen Umständen nicht mehr plagen zu müssen, und mir die Verantwortung für ihre Programme übertrugen, so, wie es der Konzernherr geplant hätte: alle unters Fischer-Dach. Inge Stahlberg vergnügte mich mit der Drohung, dass ich das nächste Großbuch von Arno Schmidt, samt seinem Botschafter Krawehl, am Hals hätte, und Hildegard Grosche gab mir den Rest mit der gekicherten Feststellung: Und der Härtling wird sein eigener Verleger. Noch bevor der Kauf endgültig war, verhandelte ich. Auf keinen Fall wollte ich mein Verleger sein, die einzelnen Abteilungen im Haus mit meinen Wünschen oder mit meinem Misstrauen plagen, meine Honorarschecks unterschreiben. Ich wollte ein unabhängiger Partner bleiben. Während dieser unruhigen Tage besuchte mich Rainer Heumann, Literatur-Agent in Zürich, von Haus aus Sachse und nobel vom Scheitel bis zu Sohle; schon darum in seinem Berufsstand eine rare Erscheinung. Er wusste natürlich längst Bescheid, fragte mich, was ich vorhabe. Er teilte meine Meinung. Also brauchte ich einen neuen Verlag. Mir fiel Otto F. Walter ein, unser leises, in die Zukunft weisendes Gespräch auf der turbulenten Party bei Klaus Nonnenmann. Ich bat Heumann, ihn zu fragen und zu verhandeln. Es dauerte nicht lang, bis Otto F. anrief. Er schlug mir vor, was mich verblüffte, als Treffpunkt nicht Neuwied, den Luchterhand-Verlag, sondern eine Autobahnraststätte oberhalb von Neuwied. Mir schien es, als sei ich in einen Agenten-Thriller geraten. Dafür gibt es keinen geeigneteren Schauplatz als eine Raststätte morgens gegen neun. Ein paar Leute saßen einzeln an Tischen. Die Nacht schien den Raum noch nicht ganz verlassen zu haben. Otto F. fand ich, wie die Regel es vorschreibt, in der äußersten Ecke. Aber dann veränderte sich das Bühnenlicht. Er freute sich sichtlich über meinen Entschluss, und seine Freude sprang über. Er fragte, was ich plane, beschloss, sich gleich die Korrekturfahnen schicken zu lassen, konnte mir schon den Lektor nennen, Klaus Ramm, mit dem ich zusammenarbeiten würde. Für die Verträge sorge Heumann. Wir tranken Schnaps, umarmten uns, und ich versprach ihm, mich bald bei Luchterhand vorzustellen. Fünfundzwanzig Jahre erschienen danach meine Bücher bei Luchterhand. Ich fand ein wunderbares, von Abenteuer zu Abenteuer taumelndes Zuhause, das ich erst verließ, als es ein zweites Mal nacheinander den Besitzer wechselte. Wieder wartete einer, Reinhold Neven Du Mont, der mir irgendwann versichert hatte, sein Verlag, Kiepenheuer & Witsch, stehe mir offen, falls ich in Schwierigkeiten geraten sollte.

Arno Schmidt wurde Autor von S. Fischer. Ich hatte schon bewundernd bei Stahlberg verfolgt, wie an ›Zettels Traum‹ gearbeitet wurde, eine herstellerische Leistung, die vor allem dem immer aufgeregten Ernst Krawehl zu verdanken war. Ohne dieses Handwerk gelernt zu haben, schärfte er seine Blicke und wurde ein gefürchteter Kontrolleur. Er lebt, wie sein Meister, schon lange nicht mehr. In meiner Erinnerung bleibt er präsent mit seiner närrischen und großen Geschichte, eine Fabrik, ein Vermögen im Dienst an einem Dichter und seinem Werk geopfert zu haben. Seine Besessenheit machte es mir schwer, ihm immer meine Verehrung, meine Zuneigung zu zeigen. Aber ich ließ nicht davon ab. Der hoch gewachsene, hagere Mann, der immer »überstürzt« ging, mir jeden Tag einen Eilbrief nach Walldorf schickte, sodass die Kinder, wenn früh der Briefträger klingelte, ins Haus brüllten: Von Ernst Krawehl, Essen, Brunnenstraße 5; er wurde sowieso eine Legende. Und das auch auf der Buchmesse. Er ließ sich ein Lesepult aus Plexiglas anfertigen, auf dem er die großen Bücher Arno Schmidts ausbreitete und auslegte. Ich habe ihm oft gefesselt zugehört, wie viele junge Leute, die ihn anfangs schrullig fanden und sich dankbar und erstaunt von ihm verabschiedeten. Die verlegerische Arbeit an den Großwerken Arno Schmidts schloss die für Autoren wichtigste Abteilung aus: das Lektorat. An dessen Stelle trat die Herstellung. Die saß ein Stockwerk höher und zu ihr zog es mich regelmäßig. Bücher gestalten ist und bleibt eine Kunst. Jeder Verlag hat seinen Stil, und der wirkt umso ausgeprägter, wenn die Herstellung gut besetzt ist. Das war bei S. Fischer der Fall. Mit den Herren Greno, Kohler, Meiner, Rasch sich über Schriften, Seitenformate, Schmutztitel, Einbände und Schutzumschläge zu unterhalten, war das reinste Vergnügen, selbst wenn gestritten wurde, dass die englischen Linien sich bogen. Franz Greno übernahm das »Problem Schmidt«, reiste des Öfteren nach Bargfeld, kehrte mit verblüffenden Aufträgen zurück: für die Schreibmaschine des Meisters den breiten Wagen einer Buchungsmaschine anzuschaffen, braunes Farbband aufzutreiben und einen Hersteller, der sich auf chamoisfarbenes Papier verstünde.

1970 kam Sophie zur Welt, mit einem Bündel Ängsten und Sorgen. Noch während der Schwangerschaft hatten Ärzte bei Mechthild eine Toxoplasmose festgestellt. Das bedeutete, dass das Kind verstümmelt geboren werden oder später geistig behindert sein konnte. Ich fuhr mit Pan Janousek, meinem tschechischen Fahrer, zur Klinik, wir redeten uns gegenseitig Hoffnung ein. Mit Erfolg: Sophie wurde ein besonders eigensinniges, gescheites Geschöpf. Um Mechthild zu entlasten, fuhr ich mit den beiden Buben in die Ferien, nach Baltrum. Wir schafften die zwei Wochen, indem wir ein Abenteuer nach dem andern bestanden, unser Hotel auf den Kopf stellten, Sandburgen belagerten und durch Pappröhren uns gegenseitig fotografierten. Für zu

Hause. Auf der Insel lief uns Jochen Gelberg über den Weg, der die Buben und ihre Schwester Friederike schon kannte. Ich hatte, als Mechthild noch schwanger war, die Kinder dazu gebracht, von sich zu erzählen. Oder hatten sie mich dazu gebracht, auf sie zu hören? Die kleinen Protokolle wurden von der ›Süddeutschen Zeitung‹ veröffentlicht. Sie fanden Gelbergs Interesse. Er bat mich, zum Jugendbuchpreis 1969 die Festrede zu halten. Ich nahm mir vor, nachdem mich der Zustand der Kinderliteratur damals entsetzt hatte, programmatisch zu werden und über die Wirklichkeiten der Kinder nachzudenken. Gelberg ließ nicht locker. Ich sollte die Kinderprotokolle für ein Buch sammeln. Sie belegten die von mir geforderte Wirklichkeit. Er schlug den Grafiker Günter Stiller für die Bildgestaltung vor. Es wurde ein für seine Zeit ungewöhnliches Buch. Stiller fotografierte unsere Kinder, montierte, collagierte und färbte. ›Und das ist die ganze Familie‹ war der Titel. Es muss eine zweite Sprache geben, in der man sich von Anfang an und auf Dauer verständigt. Mit Jochen Gelberg ging es mir so: Wir wurden Freunde fürs Leben. Das Büchlein fand keine große Resonanz. Jochen drängte, ich solle endlich selber für Kinder erzählen. Mir fiel ein behinderter Junge ein, den Mechthild während ihres psychologischen Praktikums in einem Heim in Stuttgart-Sillenbuch kennen gelernt hatte und von dem sie gelegentlich erzählte: der Hirbel. Er konnte mich in eine Wirklichkeit führen, die Kinder wie Erwachsene aussparte. Ich ließ mich früher in den Verlag holen, machte abends ein paar Notizen und erzählte Marlene von Sobbe Kapitel für Kapitel. Ich war mir sicher, etwas begonnen zu haben, was mein Schreiben bereicherte, erweiterte.

Der Druck aus Stuttgart nahm zu. Die Zahlen ließen zu wünschen übrig. Das Taschenbuch allerdings stützte die Bilanz sehr, vor allem die ideologischen, politischen Titel wurden gekauft. Gerade sie missfielen den Stuttgartern.

Ein Taschenbuch, dessen Titel und Verfasser ich vergessen, nein verdrängt habe, sorgte anfangs für Aufregungen zwischen Georg von Holtzbrinck und mir, schließlich für einen Aufstand im Verlag. Der Alte hatte sich ein Vorausexemplar schicken lassen, es sofort gelesen und sich entsetzt über das Machwerk und seine platte Agitation. Er verlangte ein Gespräch mit mir. Noch ehe ich nach Stuttgart fuhr, las ich das Bändchen ebenfalls, um der Debatte gewachsen zu sein. Ich würde die Schrift, das war mir klar, nur halben Herzens verteidigen können, gleichsam als Zeiterscheinung und weniger als intellektuelle Leistung. Wie immer fanden wir einen Ton, der den anderen nicht herabsetzte oder verletzte. Nur rückte Holtzbrinck dieses Mal nicht von seiner Meinung ab. Er verlange, dass der Titel abgesetzt und makuliert werde. Damit werde, warnte ich, der häusliche Zwist öffentlich. Werner Schoenicke, der mir in Programmdiskussionen manchmal beisprang, blieb ebenfalls hart. Darauf müsse man es ankommen lassen. Die Frage, wie ich diese Entscheidung den Mitarbeitern in Frankfurt plausibel machen solle, beantwortete der Alte nicht ohne List: Sie haben mein Vertrauen. Das half mir nicht. Die Lektoren ließen nicht mit sich reden. Einige drohten mit Kündigung, andere waren drauf und dran, die Presse zu informieren. Die Hysterie, die um sich griff, glich einem schnell sich ausbreitenden Steppenbrand. Da ich dem Alten versprochen hatte, ihn am späten Abend darüber zu unterrichten, wie die Entscheidung im Verlag aufgenommen worden sei, kam mir die Idee, alle, die sich echauffierten, gleichsam an dem Telefonat zu beteiligen. Ich lud sie nach Walldorf ein, in der Hoffnung, sie dort bei Wein und Wasser wenigstens etwas zu beruhigen. Die Kinder schliefen bereits; Mechthild begriff schnell die Notwendigkeit des Überfalls. Das Wohnzimmer füllte sich, mehr als zwanzig Leute saßen und standen, diskutierten weiter, und Jochen Greven gelang es, die Wut zu ventilieren. Er fragte sich und die Lektoren nach der Qualität des Buches, und ob es sich seinetwegen lohne, die gemeinsame Arbeit aufs Spiel zu setzen. Fast alle blieben hartnäckig. Ich rief zur verabredeten Zeit an, teilte Holtzbrinck in aller Kürze mit, was inzwischen geschehen war, dass der halbe Verlag sich in Walldorf getroffen habe und unser Gespräch verfolge. Dessen Verlauf habe ich nicht mehr in Erinnerung, bis auf die Eingangsfrage des Alten: Können Sie das verstehen? Ich gab ihm keine Antwort, sondern lachte trotzig und hilflos zugleich. Er blieb ruhig, legte noch einmal die Gründe seiner Ablehnung dar. Ich wiederholte, weshalb ich für das Erscheinen des Bandes plädiere. Er sprach aus, was ich nicht aussprach: Obwohl Sie auch nicht glücklich damit sind? Mir gehe es um den Verlag, erklärte ich, und die gemeinsame Arbeit. Es folgte eine Pause, eine lange Pause. Ich hörte ihn entfernt sprechen, wahrscheinlich mit Werner Schoenicke. Dann sagte er, hörbar angestrengt: Gut, Sie haben Ihren Willen. Für den nächsten Tag rief er mich nach Stuttgart zu einem, wie er sagte, abschließenden Gespräch. Meine Gäste jubelten. Wir prosteten uns zu. Es wurde ein langer Abend.

Die Titel, die den Konzern verdrossen, aber viel gelesen wurden, sind mittlerweile vergessen, nicht einmal mehr in Antiquariaten zu finden. Und ich fürchte, dass selbst jene, die sich damals so inständig für sie einsetzten, sie aus dem Gedächtnis verloren haben.

Der Verlag beanspruchte mich nicht nur, er attackierte mich so sehr, dass ich keine Kraft und Zeit mehr zum Schreiben fand. Es lagen noch die Bandaufzeichnungen und Notizen, die ich aus Zwettl mitgebracht hatte – auf der Suche nach dem Grab meines Vaters und nach dem Zwölfjährigen, der ich dort bei Kriegsende gewesen war. Ich musste mich und meine Phantasie prüfen, ich musste eine Pause machen. Ich schreibe »Ich« und bin von diesem Ich so entfernt, wie nie vorher oder nachher. Es steckt zu fest in seiner Rolle, die ich schon nicht mehr spielen möchte. Der Mann von fast vierzig. Ein Macher. Auch ein Mächtiger, obwohl ihm Macht nicht geheuer ist. Jetzt gerät dieses Ich außer Atem.

Ich nahm mir für drei Wochen Ferien. Zum ersten Mal ohne Mechthild. Peter Weimar brachte mich nach Tonbach im Schwarzwald. In der »Traube« logierte ich in einem bequemen Zimmer, spazierte, schwamm, schrieb. Ich brachte das Buch fertig, bewies mir meine andere Existenz.

Zur Buchmesse 1971 kam Golo Manns ›Wallenstein‹ heraus. Der Autor beherrschte den Messestand. Ich freute mich für den leisen, sich in Frage stellenden und nun auftrumpfenden Mann. »Für diesmal ist's getan./Was fang ich nun an?« schrieb er in mein Exemplar. Er plante eine Arbeit über Seneca. Dazu ist er nicht mehr gekommen.

Das letzte Buch, dessen Entstehung ich verfolgte und das ich lektorierte, war Friedrich Torbergs ›Süßkind von Trimberg‹, die gefundene und erfundene Lebensgeschichte des Minnesängers mit dem Judenhut. Wann immer Torberg in Frankfurt vorbeischaute, brachte er Neuigkeiten aus dem Mittelalter, hielt zum Beispiel für unwiderlegbar, dass der Vater Süßkinds Sepharde und Arzt gewesen sei. Im Sommer 1972 hatte er das Manuskript beendet. Ich reiste zum Lektorat nach Wien. Nicht ohne Furcht. Denn ich traf nicht auf den bis in die Silbe beweglichen, blitzgescheiten und witzigen Autor der ›Tante Jolesch‹, sondern auf einen ungewohnten Torberg, der aus Liebe zu seinem Helden pathetisch und altfränkisch wurde. Das Wetter, der Ort trugen dazu bei, dass die vier Tage in Torbergs Garten sich mir einprägten wie Szenen auf einer hell ausgeleuchteten Bühne. Marietta, Torbergs Frau, hörte zu, redete manchmal leise herein, brachte Kaffee oder Wein, und Trimberg spielte sich unversehens auf der Folie ganz anderer Erinnerungen ab. Torberg erzählte, wie Marietta ihn im Exil über Wasser hielt, mit allerhand beschwerlichen Arbeiten, wie er sich mit Molnár traf, seinem Freund in New York, wie er einmal Thomas Mann zuhören durfte und nach einer vorwitzigen Bemerkung durchfiel. Diese Erinnerungen machten uns hellhörig. Wurde die Sprache im ›Süßkind‹ zu ältlich, reagierten wir nun beide. Am letzten Abend gingen wir zu dritt aus, feierten das satzfertige Manuskript. Noch mehr aber eine in der Arbeit erprobte Freundschaft. Zum Abschied schenkte er mir eines seiner Lieblingsbücher: ›Die Jungen aus der Paulstraße‹ von Ferenc Molnár. Die Kritik ging nicht besonders freundlich mit Torbergs Buch um. Es gelang mir nicht, ihn darüber hinwegzutrösten.

Klaus Harpprecht hatte sich bei Alexander Besser angekündigt. Das freute unseren Nachbarn. Er legte Wert darauf, dass ich von Anfang an dabei sei. Es entwickelte sich ein Abend, in dem alle einstigen und alle zu erwartenden Abschiede sich bündelten. Klaus erzählte von Amerika, von Korrespondenten in Washington, und ohne dass es ein Stichwort gab, gerieten wir aus Harpprechts Gegenwart in Bessers Vergangenheit. Er erinnerte sich zum ersten Mal, angeregt, spöttisch, erstaunlich gut gelaunt. Wir sollten bloß nicht annehmen, dass er in Tel Aviv gefaulenzt habe. Nur eines habe er sich nicht zugemutet: das englische Recht zu studieren, damit er vom Konsulenten zum Anwalt aufsteige. Nein, das nicht. Dafür hätten er und ein paar Freunde 1941 Kabarett gemacht. Nicht auf Englisch oder Hebräisch, sondern auf Deutsch. Er saß an dem kleinen »Privatschreibtisch«, hinter dem er sich verschanzte, wenn er auch abends von Ratsuchenden behelligt wurde, zog die Schultern hoch und lachte. Ihr werdet's nicht glauben, nein, ihr werdet es nicht glauben. Die Chansons seien, nach Meinung des Publikums, schmissig und aktuell gewesen. Er habe komponiert, die Texte habe sein jetzt in London lebender Freund geschrieben. Wollt ihr das hören? Ich traute meinen Ohren nicht. Ja, wir wollten! Das bedeutete aber, dass der Flügel abgeräumt werden musste. Auf ihm türmten sich in chronologischer Unordnung Zeitungen und Zeitungsausschnitte der letzten Jahre. Ihn hatte das Feuer gepackt, er wischte »das Zeug« einfach hinunter. Dann sang er, was er 1941 in Haifa, in Jerusalem und Tel Aviv gesungen hatte, in einem Kabarett der Jekkes, der deutschen Juden: »Mathilde, pack den Koffer ein, wir reisen nach Berlin.« Uns traf ein altes Heimweh, auf das wir nicht gefasst waren. Wir hörten zu, die Tränen liefen uns über die Wangen und am Ende bekam der wunderbare alte Mann anhaltenden Applaus. Für eine Lektion in Alltagsgeschichte. Unser Nachbar. Ich habe ihm nachgerufen, als er auf dem jüdischen Friedhof in Frankfurt beerdigt wurde. Ich habe ihm auch nachgeschrieben, einen Roman, in dem er Felix Guttmann heißt.

Noch einmal hatte ich den Verlag zu vertreten. Am neunzigsten Geburtstag von Katia Mann. Mit den Vorbereitungen war Golo beschäftigt. Voller Empörung erzählte er, man habe ihn, als er im »Baur au Lac« den Salon, einen bestimmten Salon, bestellen wollte, schnöde abgewiesen. Der sei an diesem Tag, am 24. Juli 1973, bereits belegt. Wissen Sie denn nicht, dass Ihr Hotel das Ziel der Hochzeitsreise meiner Eltern gewesen ist?, habe er den Kerl gefragt. Das ändere nichts an der Belegung. Er habe den Direktor rufen lassen. Der habe Bescheid gewusst und selbstverständlich seinen Wunsch erfüllt. Es gibt zu viele Vergesslichkeiten, klagte er. Erlebte ich eine Oper, eine Komödie, eine Tragödie? Das mischte sich unheimlich. Sie waren alle da, die Kinder – Monika, Michael, Golo, Elisabeth –, die Enkel, die alten Freunde. Wir bewegten uns, wartend, ein Glas Champagner in der Hand, zwischen den Tischen. Die Spannung packte uns derart, dass wir schwiegen und auf die große Schiebetür starrten. Nach einiger Zeit schoben zwei Hotelpagen die Türen auf und in der Mitte stand, fein ausgeleuchtet, das Geburtstags»kind«. Ich scheue mich nicht, die Greisin so zu nennen. Sie trug ein silbergraues, langes Abendkleid und stand ernst und erwartungsvoll, die Hände vor der Brust gefaltet. In dem kleinen, sehr blassen Mädchengesicht strahlten die uralten Augen. Wir applaudierten. Golo führte sie an ihren Platz. An ihrem Tisch, dem größten, durfte auch ich sitzen, zu meiner Rechten eine Dame, mit der ich mich den ganzen Abend vorzüglich unterhielt: Liesl Frank-Mittler, die Tochter Fritzi Massarys und Witwe des Dichters Bruno Frank, eines der engen Freunde Thomas Manns. Gegenüber saßen Werner Weber, Feuilletonchef der ›Neuen Zürcher‹, und Jean Rodolphe von Salis, Historiker an der Eidgenössischen Technischen Hochschule. Die vier weiteren Tische wurden von den Kindern präsidiert. Aufregungen, Turbulenzen und Erregungen brachten das Programm des Abends durcheinander. Die Kinder, Elisabeth, Michael und ein Enkel, spielten zum Vergnügen Katias einen Satz aus einem der Klaviertrios von Schumann. Wurden die Geschenke vor dem Essen oder danach überreicht? Es kann nur danach passiert sein. Denn hier trat das alte Kind Katia zutage. Die Gratulanten stellten sich in einer langen Schlange auf, die sich zwischen den Tischen wand, und warteten, Frau Katia ihre Geschenke überreichen zu können. Nur langsam wurde die Schlange kürzer, denn Frau Katia packte jedes Geschenk aus und kommentierte es. Manchmal klatschte sie in die Hände, manchmal äußerte sie laut ihr Entzücken, manchmal gab sie das Geschenk rasch weiter an Michael, der die Pflicht hatte, es auf dem Gabentisch zu deponieren. Ich bin mir nicht mehr sicher, ob tatsächlich nur die zwei Reden gehalten wurden, die sich mir aus verschiedenen Gründen einprägten. Die eine durch Katias Einwürfe; die andere durch ihre ungeheuerliche Offenheit. Zuerst sprach Herr von Salis, erinnerte an frühe und spätere Begegnungen, und oft korrigierte Katia das Datum oder die apostrophierte Jahreszeit. Nach dem Essen nahm Golo das Wort. Er nahm es und er nahm sich ein Herz. Er gratulierte nicht. Er sprach von sich, von seiner Stellung in der Familie, von dem kleinen Gololo, der ständig zurechtgerückt und zurechtgewiesen wurde, von dem Lehrer und Schriftsteller, dessen Arbeit der Vater nur wenig beachtete, von Besuchen zu Hause in Küssnacht oder Kilchberg, wo er sich in der Rolle eines keineswegs immer erwünschten Gastes sah. Niemand rührte sich. Viel zu spät klagte ein Sohn bei seiner Mutter die Liebe ein, nicht nur ihre, die der ganzen Familie: Ich bin so klein, so schwach als wie zuvor. Kaum hatte er zu Ende gesprochen, verließ er den Salon. Liesl Frank-Mittler forderte mich, als keines der Geschwister ihm folgte, auf, zu ihm hinauszugehen. Er lief auf dem Vorplatz auf und ab, flankiert von zwei geparkten Rolls-Royce. Ich wagte es, mich unterzuhaken. Wir spazierten rund um den Block, bis er meine Hand nahm, sie drückte: Mein Lieber, wir dürfen die Versammlung nicht allzu lange in ihrem Schrecken alleine lassen. Die Rede wurde nie veröffentlicht. Vielleicht kann ich sie einmal nachlesen, diese wortgenaue Maßlosigkeit aus Trauer und Liebe.

Im Herbst dreiundsiebzig probierte ich Anfänge für einen Roman, die Lebensgeschichte einer Frau, der ich Züge meiner Mutter gab. Die Versuche strengten mich an. Mit Mechthild überlegte ich, ob ich zu meinem vierzigsten Geburtstag kündigen solle. Fragte allerdings sie und auch die Kinder, ob wir uns das leisten könnten. Mechthild machte es mir leicht: Versuch's. Wenn es schief geht, findest du wieder eine Stelle. Georg von Holtzbrinck konnte meine Kündigung erst nicht akzeptieren. Ob ich begriffe, welche Vorteile und Privilegien ich aufgäbe, und ob ich sicher sei, von den Büchern leben zu können? Ich wusste keine andere Antwort als: Ich will es versuchen. Er wünschte mir, offenkundig zweifelnd, Erfolg in der neuen Freiheit. Einige Tage später erfuhr ich, Monika Schoeller, die Tochter Holtzbrincks, werde den Verlag, der ihr nominell ohnehin schon gehörte, übernehmen. Wir trafen uns ein paar Mal in Walldorf, dem Verlag stand ich noch ein halbes Jahr als Berater zur Verfügung.

Kann ich endlich aus der Rolle fallen?, frage ich mich übermütig. Dieses Ich hält vor einer Freiheit an, die es sich oft ausdachte, aber immer wieder aufgab. Jetzt muss es sich häuten.

Vom Fischer-Haus Abschied zu nehmen, fiel mir schwer. Es hatte mich auch geschützt, und die Menschen, die in ihm arbeiteten, waren Partner geworden, Mitstreiter. Als Wegegabe überreichten sie mir ein großes Foto. Auf ihm eilt der alte Otto Klemperer reisefertig über eine Straße, über ein Rollfeld. Auf einmal bin ich »der Alte«. Der Alte geht. Das Foto klebt seit dreißig Jahren an der Tür zu meinem Arbeitszimmer. Weiß ich, ob ich gehe, ob ich komme?

10

Der alte Mann

Der Winter endet. Seit drei Wochen scheint die Sonne. Der Himmel hat vergessen, dass es Wolken gibt. Ich überspringe dreißig Jahre und hole sie ein. Ohne mich an die Chronologie zu halten, an Lebensabschnitte. Ich sammle, was ich brauche, was mein Gedächtnis festhält. Was ich erzähle, ist in Varianten immer vorhanden. Es ist der Bestand, die Spur, die von dem Vierzigjährigen, der absprang, um auf sich zu hören, zu dem führt, der das Tempo seines Erzählens nicht nur notgedrungen wechselt: vom Allegro zum Andante. Wieder öffnen sich Räume, weiten sich aus, rufen ihr Personal. Ich kenne ihre Rollen, weiß für alle die Stichwörter. Sie treten auf, treten ab und bleiben.

Mitte der siebziger Jahre zog der Luchterhand Verlag nach Darmstadt um. Die Gebäude dienten im Ersten Weltkrieg als Kaserne. Im Parterre des Verlagshauses erstreckte sich, anschließend an die Büros, eine von zierlichen Eisensäulen gehaltene Halle, der ehemalige Pferdestall. Dauerten Feste bis in den Morgen, fielen die Übriggebliebenen auf ihren Stühlen zusammen, schliefen oder redeten weiter, konnte es geschehen, dass der Stall sich an seine Vergangenheit erinnerte, Pferde schnauften, leise wieherten und mit den Hufen scharrten.

Ich kann unangemeldet kommen. Nicht immer klopfe ich zuerst bei meinem Lektor. (Sie fangen, als sei es die Regel, ihren Beruf immer mit einem meiner Bücher an: Thomas Scheuffelen, Klaus Siblewski, Martin Hielscher und Olaf Petersenn.) Manchmal ziehe ich es vor, gleich zu Kalle Giese zu gehen, der Werbung und Vertrieb leitet, mit seiner Prokura, wie er behauptet, nichts anfangen kann, dessen unbändige Launen gleichermaßen gefürchtet wie genossen werden, der sich unwissend stellt und die scheinbar Wissenden aufs Glatteis führt. Passt es ihm, kann er sich über jeden Fliegendreck aufregen und den Revolutionären in aller Welt Grußadressen senden. Wir stimmten uns ohne Eile aufeinander ein. Unsere Freundschaft hat gehalten.

Nie wieder habe ich erlebt, wie Autoren ihren Verlag beleben und bestimmen. Bis zu dem berühmt-berüchtigten Statut, zu dem Günter Grass anregte und mit dessen Hilfe es uns gelang, den Verkauf des Verlags an die ›Westdeutsche Allgemeine‹ zu verhindern. Ein Triumph, der sich nur als Verzögerung entpuppte. Denn wenig später erwarben zwei beherzte Verlegerinnen, Elisabeth Raabe und Regina Vitali, mit Zustimmung der Autoren den Verlag, schafften aber nur eine kurze Strecke, bis sie aufgeben mussten. Ob Peter Bichsel und Christa Wolf, Irmtraud Morgner und Helga M. Novak, Horst Karasek und Max von der Grün, Gabriele Wohmann, Franz Hohler, Eva Demski – sie werden in ein andauerndes, nicht selten wirres, doch stets anregendes Gespräch einbezogen.

Geplant wird fortwährend und immerfort werden Pläne verworfen. Gerüchte lassen sich wunderbar austauschen, und der ferne, in seiner Villa über Neuwied residierende Verleger, Eduard Reifferscheid, lässt sich selten sehen, wenn jedoch, zu ausgiebigen Festen, gelegentlichen Ausfahrten in ein Weinlokal an der Nahe, Schifffahrten auf dem Rhein und Skatrunden zu Wasser und zu Lande. Durchreisende Dichter, die tagsüber nie gesehen werden, aber in manchen Gemütern nächtlich krakelige Spuren hinterlassen, entwickeln sich zu dauerhaften Legenden: H. C. Artmann erscheint uns in vielerlei Gestalt, sodass wir an seine ungreifbare Gegenwart fast schon glauben.

›Eine Frau‹ hat Erfolg. Mein Lektor Scheuffelen fragt

nach einem neuen Thema. Mit dem gehe ich seit längerem
um: Hölderlin. Seine Landschaft, die auch die meine ist,
rückt näher. Oft fahren wir mit den Kindern nach Nürtingen, spazieren durch die Stadt und im Winter oder Sommer
wagen wir wenigstens eine Woche Ferien auf der Schwäbischen Alb, im »Hirsch« in Erpfingen. Abends, wenn der
Stammtisch mir Zeit lässt, lese ich Hölderlin, vor allem die
Briefe. Er redet auf mich ein. Seine Ansprüche, seine revolutionären Hoffnungen ergreifen mich und machen mich, was
ich erst jetzt einsehe, zugleich immun gegen die Parolen
meiner Gegenwart. Hölderlin nachzuwandern wage ich allerdings nicht. Er war ein zu geübter und ausdauernder
Wanderer. Einmal versuche ich den Weg des aus Frankfurt
verbannten Liebenden zu wiederholen. Von Homburg nach
Bonames, von Sinclair zu Susette. Autobahnen halten mich
auf. Zu Hause und in der Frankfurter Universitätsbibliothek
lese ich Sekundärliteratur, erinnere mich an meinen Freund
Johannes Poethen und seinen Lehrer Beißner in Tübingen,
gerate in die Heideggerschen Auslegungen und ende wütend in einer Sackgasse: Jede gelehrte Erläuterung entfernt
mich von Hölderlin. Dabei bleibt mir dieser überm Wasser
schwebende, rätselhafte Verse wispernde Kopf gleichgültig,
solange er keinen Leib hat. Den möchte ich ihm schreiben.
Hölderlin, sage ich zu Scheuffelen und erwarte, dass er mir
das Vorhaben ausrede. Im Gegenteil, er ermutigt mich. Auch
mein Verleger Reifferscheid schickt mich mit einem skepti-
schen Bescheid auf die lange Reise: »Das Programm, das Sie
im letzten Absatz Ihres Briefes umschreiben, kann ich nur,
boshaft von Natur, glossieren als Viel zu Viel. Aber Sie sind
noch – loben Sie Gott den Herrn – in dem Alter, in dem ein
Hochbegabter wie Sie, sich vom Momentanen, vom Augenblick treiben lassen darf, richtiger sollte. Es gehört dazu
Spontaneität und entwickelt sich nicht aus dem Verstand.«
Mein Zimmer in Walldorf wächst zu. Bücher und Papiere

häufen, türmen sich. Dennoch breche ich aus. In einen Sommer, der nicht enden will (im Grunde bis heute nicht). Kalle verlängert einen Abend im Verlag, indem er zu sich nach Hause lädt, nach Kranichstein, wo er Fantik längst alarmiert hat. Die beiden sind unvergleichliche Gastgeber. Fantik ist Bretonin, es kann sein, sie hat den Sommer zum ersten Mal beim Namen genannt: Saint Père. Die Aussicht auf ein grünes Meer lockt, auf ein flüchtig beschriebenes Haus, in dem alle, vier Erwachsene und sechs Kinder, genügend Platz finden. Wer, frage ich mich, hat die sechs Wochen bestimmt? Verfügte Kalle über so viele Überstunden, war ich mit dem ›Hölderlin‹ schon über dem Berg? Es wurden sechs Wochen.

Wir stopfen uns sechs in den Kadett und halten elf Stunden Fahrt aus; Mechthild am Steuer. In Saint Père werden wir von einem milden Honiglicht empfangen, suchen in dem alten Steinhaus Schlafstätten. Die Kinder schlüpfen zueinander. Wir treffen uns auf der Terrasse, die von Lavendel umsäumt ist, lernen Fantiks Eltern kennen, André, den gaullistischen Advokaten, der in racineschem Französisch redet und gelassen mit seiner Frau Suzanne, von der er getrennt lebt, doch mit ihr vereint Urlaub verbringt, über die französische Innen- und Außenpolitik debattiert, die sie als Maoistin ohnehin skeptisch verfolgt. Wir trinken Champagner aus einer kleinen Kellerei bei Reims. Aus der Scheune des Nachbarhauses – dort lebt Mademoiselle Binouf allein – schießen Fledermäuse in den mattgrauen, noch nicht von Sternen besetzten Himmel. Zum Essen, zum Spielen, zum Diskutieren treffen wir uns in der zentralen Wohnküche an einem ausladenden Tisch, der noch Platz für Gäste lässt, und speisen, was Meer und Land hergeben. Abends ziehen sich die Kinder nach oben, unters Dach zurück, alle scharen sich um Fabian, der Geschichten erzählt.

Wir sitzen in Cancale auf der Kaimauer. Kalle öffnet

routiniert mit dem Messer Austern, wir schlürfen eine nach
der andern, die flachen, die Cancalaises, die inzwischen sehr
rar geworden sind. Ich gehe in das Tabakgeschäft am Ha-
feneck und kaufe eine Cartouche de Gauloises. Die Kinder
rennen uns voraus, verschwinden in den Gassen, ziehen ihr
Gelächter hinter sich her.

Ich komme aus dem Wald. Das ist ein Satz, der im Grund
nicht zu mir passt. Aber seit Wochen komme ich von der
»Startbahn« aus dem Flörsheimer Wald, schmutzig, müde,
außer mir. Manchmal begleitet mich eines der Kinder nach
Hause. Ich komme aus dem Wald, dieses Mal in den Pferdestall, denn ich habe versprochen, der ganzen Belegschaft
aus der ›Dreifachen Maria‹, der Geschichte von Eduard Mö-
rike und Maria Meyer, vorzulesen. Hans Altenhein hat diese
Lesungen eingeführt. Alle im Haus sollten ein Manuskript
kennen, das der Verlag bald veröffentlichen werde. Es fällt
mir schwer, vorzulesen. Eben habe ich noch gemeinsam mit
einem alten Walldorfer Handwerker einen Jungen umklam-
mert, der im Fliegenpilzrausch mit einer Axt auf einen »Bul-
len« losgehen wollte. Wie weit habe ich mich von meinem
Eduard entfernt.

Verdruss und Wut begannen mit einem Auftrag. 1980
wurden die Mörfelder und Walldorfer unruhig, genauer gesagt, die Gemeinden rund um den Flughafen Frankfurt. Seit
längerem wurde geplant, eine zu den beiden anderen Landebahnen quer liegende Startbahn durch den Wald zu ziehen.
Ein großes, vor Fluglärm und Abgasen schützendes Areal
Wald sollte verloren gehen, ein Kinderwald für die alten
Walldorfer. An den öffentlichen Debatten nahm ich nicht
teil. Zur gleichen Zeit fragte mich das ZDF, ob ich einen
Film über die Gegend drehen wollte, in der ich lebte. Die
Filmarbeit lehrte mich sehen, was ich vorher nur geahnt
hatte. Der Garten, das Haus – nach den Dreharbeiten kamen

sie mir vor wie eine Insel in einer Landschaft, die zerschnitten wird von Straßen, Autobahnen, Eisenbahnen, von Trassen aller Art, von Start- und Landebahnen, eine Verkehrstopographie, die den Bäumen an die Wurzeln geht, die Bäche im Bruch auszutrocknen droht. Selbst das Wild passte sich der neuen Ödnis an: Das Rudel von Damhirschen wurde offenbar schwerhörig, reagierte nicht mehr auf die niedrig fliegenden, dröhnenden Maschinen.

Walldorf, an dessen Peripherie ich in jeder Hinsicht lebte, kam mir nach diesen Blicken auf »meine Gegend« nah. Diese bescheidene, von Waldensern gegründete Siedlung, die Renitenz seiner Bürger, eine Mitgift der Gründer. Es zogen ja nicht nur junge Leute in den Wald, bauten dort Hütten, sondern vor allem auch die Alten, Handwerker, Beamte, Arbeiter, Hausfrauen. Da wurde der schlichte Grund ihres Lebens und ihrer Erinnerungen angegriffen. Ihre Fremde offenbarte sich von neuem, und ich verstand sie, Flüchtling wie sie. Mein Film passte der Redaktion nicht ganz ins Konzept. In ihm kam zu wenig Heimat vor, dafür gab es zu viele Riesenbagger und Baumsägen.

Im Flörsheimer Wald wird eine Kirche gebaut, ein Gemeinschaftshaus und die Schreiberhütte, in der Horst Karasek, oft unterstützt von der Dichterin Helga M. Novak, Bücher sammelt und verleiht, Sozialarbeit betreibt, Junkies die Leviten liest, Kommunisten mit seinem Anarchismus erzürnt. Einmal schlafe ich in einem der Erdlöcher, die von den Jungen gegraben wurden. Ich habe in der überfüllten Gemeinschaftshütte gelesen, eine Erzählung über Ottla, Kafkas Schwester, das Licht fehlte, der winzige Kegel einer Taschenlampe musste genügen. Danach bin ich noch durch den Wald spaziert. Für mich, der ich nachtblind bin, ein Stolperabenteuer. Ich gehe gewissermaßen an der »Linie« entlang, die Polizei und Demonstranten trennt, unterhalte mich mit Polizisten, die sich langweilen und frieren wie ich,

und als ich einen von ihnen frage, wieso sie auch unter-
schiedslos auf die Alten einschlügen, erwiderte der durchaus
dienstlich: Die hat niemand beauftragt, sich mit den Chaoten zu verbünden. Ich schlüpfe unter die Erde, vorsichtig
und blind, stoße gegen einen Widerstand und höre: Nicht
weiter rutschen! Hier ist gerade noch Platz. Es riecht dumpf
und säuerlich. Ich versuche sparsam zu atmen. Nachdem
wir ein paar Sätze gewechselt haben, wünscht mir die Mäd-
chenstimme eine gute Nacht. Allzu lang habe ich nicht
geschlafen. Meine gekrümmten Glieder wecken mich. Ich
hangle mich über den rutschenden Erdrand hinaus. Das
Licht träufelt mit dem Tau in den Morgenwald. Die bizarren
Holzbauten liegen still. An dem Tisch vor der Schreiberhütte steht in dickem Pullover und langen Unterhosen Helga
Novak, verfolgt mit leisem Lachen meinen Aufstieg und
fragt: Willste nen Kaffee? Ich komme mir vor wie aus der
Zeit gefallen. Oder habe ich die Zeiten verwechselt? Der
Waldschreiber setzt sich neben mich, lehnt sich an, wir tauschen Wärme aus. Er gibt einen Bericht über die Möglichkeiten des kommenden Tags mit der beruhigenden Schluss-
formel: Morgen räumen sie noch nicht. Horst Karasek war
damals schon krank, später versagten seine Nieren. Ich
mochte ihn sehr. Tranken wir miteinander, nannte er mich
einen »feinen Pinkel und Großschriftsteller« und boxte mich
gegen die Brust. Mit seinem traurig in die Mundwinkel
hängenden Bart sah er aus wie ein Steppenreiter, und diesen
Eindruck bestätigte er auch: Seine Vorfahren seien Kirgisen-
häuptlinge gewesen. Nach Horsts Tod bat mich sein Bruder
Hellmuth, ihm nachzurufen. Ich habe ihn in mein Gedächtnis geredet, das er, der kleine Waldschreiber und große Anar-
chist, nun in konstanter Unruhe hält.

Irgendwann werde ich aus der »Zentrale der Bürger-
initiative« angerufen. Das Warnsystem funktioniert. Heute
werde wahrscheinlich geräumt. Die Polizei kreist das Dorf

ein. Ich ziehe meine Regenjacke über, laufe los, treffe unterwegs noch andere, die alarmiert wurden. Wir schaffen es, ins Walddorf zu gelangen, obwohl überall Polizei auftaucht und neue Hindernisse errichtet. Die Waldleute haben bereits einen schützenden Kreis um das Dorf gebildet. Um diese Zeit sind es vor allem Rentner, Handwerker, Selbständige, schwänzende Schüler, dazu die Hüttenbewohner, die Ausgeflippten, die Chaoten. Ihnen gegenüber stehen in einem martialischen Kreis, geschützt durch Schilde und mit gezogenem Knüppel, Polizisten. Ein zeitfernes, lächerliches Spiel: Ritter gegen Bauern. Die »Küchenbrigade« – ältere Walldorferinnen, die für das leibliche Wohl der Demonstranten sorgen – befindet sich schon auf dem Plan. Horst nimmt mich mit auf eine Kontrollrunde, wie er sagt. Er redet den Chaoten, wenn es möglich ist, die Waffen aus, Stahlkugeln oder Äxte. Ich stelle mich in die Reihe zwischen Fabian und einem Walldorfer Tischlermeister. Die Strategie läuft offenbar darauf hinaus, durch langes Warten die Wut anzuheizen. Das gelingt. Als gegen Mittag erst einmal Blendgranaten abgeschossen werden und andere einschüchternde Geschosse, fallen die Polizisten über uns her, schlagen zu. Ich bleibe stehen, laufe nicht vor ihnen her, vor ihnen weg. Ein paar Stockhiebe treffen mich auf den Schultern, auf den Armen, mit denen ich meinen Kopf schütze. Fabian wächst eine böse Beule auf dem Hinterkopf und mein Schreinermeister läuft blind zwischen den Bäumen umher. Ihn hat aus großer Nähe eine Ladung Tränengas ins Gesicht getroffen. Wir weinen alle. Wir sehen zu, wie große Bagger den Polizisten folgen und die Hütten niederwalzen. Bis auf die Kirche. Sie wird zwar in Eile, doch sorgsam abgebaut. Die Einzelteile werden im Bauhof deponiert. Seit Jahren steht sie wieder, zwischen Walldorf und Mörfelden, und die Gottesdienste zu Weihnachten haben Tradition.

Die Startbahn wurde gebaut. Als ich zum ersten Mal mit

einer Maschine in dieser gewaltigen Schneise startete, hinunter auf den Waldrest schaute, schämte ich mich. Inzwischen ist mir klar, dass ich mich oft vorher und nachher hätte schämen müssen über das, was ich im Lauf meines Lebens verloren gab, verloren geben musste. Ein Geschenk nahm ich mit aus dem Wald. Meine Kinder – bis auf Sophie, die noch zu klein war – teilen die »Flörsheimer Erfahrung«: die bürgerliche Ohnmacht vor der Staatsgewalt. Wir alle sind keine professionellen Demonstranten. Es fällt uns schwer, uns öffentlich einzureihen, in der Menge für etwas politisch einzustehen. Oft haben wir über die Sprachlosigkeit gesprochen, über die primitiven Parolen, die an die Stelle eines Gesprächs treten, als gäbe es zwischen Gut und Böse nicht die vielfältige Gegend Leben. Unsere Vorstellung von Demokratie hat darunter nicht gelitten.

In Heilbronn hörte ich Mitsuko Shirai und Hartmut Höll mit Liedern von Schubert, Alban Berg, Wolff zum ersten Mal. Ihr Anspruch drückte sich in ihrem Auftreten als »Lied-Duo« aus. Nicht eine Mezzosopranistin und ihr Begleiter am Klavier, nein, ein Duo, in dem sich Sängerin und Pianist gleichberechtigt dem Lied widmen. Mit ihnen begann ich eine Reise zur Musik, die bis heute kein Ende gefunden hat.

Immer schon hörte ich Musik, wenn ich schrieb. Meistens Klavier. Sie hat meinen Wörtern Halt gegeben, die Sätze vorangetrieben, oft das Tempo bestimmt, mich Pausen gelehrt. Seit der ersten ›Winterreise‹ in Nürtingen zählt Schubert zu den Musikern, denen ich folge, im Konzertsaal, auf CDs. Dennoch suchte ich keinen Kontakt zu Musikern. Das änderte sich an jenem Abend in Heilbronn. Ich lernte die beiden kennen und wir sprachen ganz selbstverständlich über das Material, das auch mich stimulierte. Danach trafen wir uns regelmäßig, vor und nach den Konzerten, und ich wünschte mir, wenn auch noch heimlich, Hartmut, Mitsuko und ich fänden eine Möglichkeit zusammenzuarbeiten, ein Projekt, in dem Musik und Literatur aufeinander antworten. Hartmut schien zu ahnen, womit ich umging. Er fragte mich, ob ich an einem Sommerkurs in Finnland teilnehmen wolle, den Musikern Liedtexte erklären, über die Dichter Auskunft geben, eben erzählen, wie ich es gewohnt sei. Dazu musste er mich nicht überreden. Wir – Mechthild und Sophie begleiteten mich – reisten in den finnischen Sommer, mein Gepäck beschwert von Goethe, Heine, Rückert und natürlich dem »Fischer-Dieskau«, dieser hilfreichen Sammlung vertonter Gedichte, wohnten für wenige Tage in einem »Opisto«, einem Ferienheim, und danach in einer Hütte, einem Mökki, auf der Insel Loikansaari, die uns jeden Abend, wenn wir hinausfuhren, ein Schauspiel bescherte, das den Tag, die Gänge zwischen Musik und Poesie, erst vollendete: Zur Insel führte ein schmaler Damm, und die sinkende, nie ganz hinterm Horizont verschwindende Sonne hob Wasser und Land in ein eigenes Licht, brachte uns ins Schweben.

Jeden Morgen im Übungsraum lerne ich, wie schwer eine Stimme zu fassen ist, diese tönende Ruhlosigkeit zwischen Zwerchfell und Stirnhöhle. Ich lerne Stimmfähigkeiten und -färbungen zu unterscheiden, mit den Sängern aufzuatmen, wenn ein Lied, eine Passage glückte. Wenn die Stimme stimmt. Oft treffen wir uns in der Sauna, rennen durch den Wald in den See, braten Fisch auf dem offenen Feuer, und sobald es dunkel wird, der See das Mitternachtslicht spiegelt, lauschen wir in den Wald, ob nicht die Bärin mit den beiden Jungen, vor der wir gewarnt wurden, brummt.

Es blieb nicht bei diesem einen Sommer. Aber der beschenkte uns mit einer Erfahrung, die mehr und mehr Gestalt annahm und zu einem Projekt wurde, das wir leidenschaftlich verfolgten. Immer wieder wurde ich gebeten, die ›Winterreise‹ zu erklären, selbstverständlich auch die ›Schöne Müllerin‹. Ich bat Hartmut um eine »Vorführung«: ganz einfach die melodischen Kerne des Zyklus auf dem Klavier aneinander zu reihen. Wir staunten. Schuberts Genius ließ uns keine Ruhe. Wie würde sich eine instrumentale Fassung anhören? Welches Instrument könnte »Stimme« sein? Da Hartmut bereits länger mit Tabea Zimmermann zusammenarbeitete, bekam die Bratsche Vorrang, zu Recht, denn sie scheint mir der Menschenstimme mit ihrer eigentümlichen Zwischenlage am nächsten. ›Zweimal Winterreise‹: Damit wollten wir die Hörgewohnheiten des Publikums stören.

Zu Beginn spreche ich über Wilhelm Müller, danach wird die ›Winterreise‹ von Bratsche und Klavier gespielt, einige der Gedichte lese ich zusätzlich. Nach der Pause singt kein Bariton, sondern ein Mezzo, Mitsuko. An die erste Aufführung erinnere ich mich im ›Wanderer‹: »Kein Tag war 1987 so heiß wie der 2. Juli. Mitsuko Shirai sang. Tabea Zimmermann übernahm die Singstimme auf der Bratsche. Und Hartmut Höll begleitete sie beide. Mitsuko sang den ›Lindenbaum‹ so, daß alles, was diesem Lied an Volkstümlichkeit, an Traulichkeit und Sängerseligkeit anhaftet, vergessen war. [...] Ich hatte Monate vor diesem Konzert in Düsseldorf in einem Antiquariatskatalog die erste, von Gustav Schwab herausgegebene und eingeleitete Ausgabe der Gedichte Wilhelm Müllers gefunden und mich durch Otto Erich Deutschs großen Dokumentenband zu Schuberts Leben gearbeitet – jetzt verbanden sich die Stimmen, die des Komponisten, die des Poeten.«

In Wien wanderte ich Schubert nach, lange von Selbstgesprächen begleitete Gänge, vom Himmelpfortgrund bis in die Innere Stadt. Ich schrieb mein erstes Buch über einen Musiker und die Musik, den ›Schubert‹, und um auch dem Lied auf der Spur zu bleiben, verfolgte ich den Lauf des redenden Bächleins, das den Müller begleitet, in die Winterreise aufgeht, wo es schließlich versiegt. ›Das wandernde

Wasser in der romantischen Musik und Literatur‹ nannte ich meine Vorlesungen, als »Poet in Residence« am Mozarteum in Salzburg.

Mit Hartmut und Mitsuko setzte ich die Arbeit fort, es kamen Komponisten hinzu, Wilhelm Killmayer, der Gedichte von mir vertonte, wie auch Wolfgang Rihm und Karl Michael Komma und Giselher Klebe, mit dem ich nächtens telefoniere, zur Stunde der Schwermütigen. Aribert Reimann erlaubte mir, das Tagebuch des Doktor Richarz zu lesen, die Krankengeschichte Robert Schumanns, und half mir über die Schwelle, von diesem Schwierigen zu erzählen. Wolfgang Erk, mein um Anregungen nie verlegener, in den Künsten und der Musik kundiger »Nebenstellenverleger«, veröffentlichte außer Gedichtbänden und Erzählungen vor allem die Bände, in denen ich meine Aufsätze über Musik und bildende Kunst sammle. In seinem Verlag in Stuttgart, dem Radius Verlag, traf und hörte ich Elisabeth Leonskaja. Wir widmeten uns gemeinsam Schubert, und mein Glück war kaum zu überbieten. Scot Weirs heller Tenor folgte mir in den Traum, als wir mit dem Folkwanger Gitarrenduo zu einer leise klirrenden Winterreise aufbrachen. Und vor ein paar Jahren meldete sich Eckart Heiligers und fragte vorsichtig nach, ob ich nicht mit dem Trio Jean Paul unterwegs sein wolle. Mit ihm am Klavier, Ulf Schneider mit der Geige und Martin Löhr mit dem Cello habe ich inzwischen vielfach ausprobiert, wie Sprache auf Musik und Musik auf Sprache reagiert; wie kein Abend dem andern gleicht, sondern vier Stimmen, wahrhaft einzeln nach Lust und Laune gestimmt, aufeinander einreden, sich bestärken und dämpfen, Leidenschaften und Melancholien teilen. E. T. A. Hoffmanns Musik entdeckten sie mit mir zusammen, als ich zum ersten Mal, von ihnen attachiert, in der Berliner Akademie aus ›Hoffmann oder Die vielfältige Liebe‹ las. Unsere Zusammenarbeit wird, hoffe ich, noch eine Weile fortdauern.

Auf Kivisaari, der Insel im großen finnischen See, schrieb ich am ›Schumann‹. Die Tagebücher von Doktor Richarz nahmen mich in ihrer kargen Anschaulichkeit derart mit, dass es mir fast die Sprache verschlug und unversehens der Wald und das Wasser zu singen begannen. Hartmut und Mitsuko hatten Mechthild und mich auf die Insel eingeladen. Wir sollten kommen, wenn die Sonne am Horizont hängen bleibt. Sie hatten ein Holzhaus bauen lassen und ein paar Schritte entfernt, nah am Ufer, eine Saunahütte, mit großem Schlafraum und einer Arbeitsecke, für die Hartmut eine Fensterbank eigens zur Schreibplatte ausweiten ließ. In der Mitte der Insel bezog Ralph Gothóni, der finnische Pianist und Komponist, ein altes Haus, zusammen mit Aila, seiner Frau, und Maris, dem dichtenden, Klavier spielenden Sohn. Ständig war Musik gegenwärtig. War ich müd vom Schreiben, satt vom Schauen und Hören, setzte ich mich auf die Terrasse, sang in mich hinein, Schuberts ›Im Abendrot‹, das Lied, in dem sich Jubel und Abschied vereinen. »Und dieses Herz, eh es zusammenbricht,/trinkt noch Glut und schlürft noch Licht.« Aila Gothóni kam und ging. Sie lud zu einem opulenten Krebsessen ein und war wieder verschwunden. Nie wieder traf ich einen Menschen, der eine solche Aura besaß. Das Ebenmaß ihres Gesichts wurde gesteigert vom Eigensinn. Sie bewegte sich aus einer Spannung, die sie größer sein ließ. Es kam mir vor, als brächte sie stets ihren eigenen Raum mit, in dem ihre Gebärden ausdrucksvoller wurden, in dem sie auch für sich blieb. Wir hatten Kivisaari längst verlassen, die letzten Seiten zu meinem Schumann waren geschrieben, da erfuhren wir, Aila sei mit dem Auto tödlich verunglückt, auf einer dieser schnurgeraden finnischen Straßen, die hinter den Horizont führen. Ihre Urne wurde auf Kivisaari eingegraben, unter Blumen und Steinen. Wir sind nicht mehr dort gewesen.

Ich las, es ist Jahrzehnte her, in der Buchhandlung Deter-
mann in Heilbronn aus ›Eine Frau‹. In der Diskussion
danach meldete sich eine Zuhörerin – ihre helle Mädchen-
stimme habe ich noch im Ohr – und verblüffte mich mit der
Frage, ob ich in einem Kapitel, aus dem ich vorlas, Musil
nicht nur in der Überschrift, sondern auch im Text selbst
zitiert habe. Wir setzten das Gespräch fort, bis heute. Elisabeth Hackenbracht und Rolf, ihr Mann, wurden unsere
Freunde. Hartmut Höll war einer seiner Schüler am Gymnasium. Zur Musik, zur Literatur trat jetzt in ausholenden
Gesprächen die Malerei. Die wiederum schickte uns vier auf
Reisen. Zuerst in den Süden Frankreichs, in die Gegend
zwischen Abt und Bonnieux, später nach Montepulciano,
Rom, Venedig und Florenz. Zu Beginn und zu einem nur
vorläufigen Ende dieser Wanderungen durch Städte, Land-
schaften und Galerien stehen zwei »Bilder«, von denen ich
zehre, es sind wahre Lockrufe der Wiederkehr: Es ist heiß,
die vom Grillengesang vibrierende Luft duftet. Wir, auch
die Kinder sind dabei, spazieren suchend über den Friedhof
von Lourmarin, bis wir vor dem Doppelgrab von Albert
und Francine Camus stehen. Auf seiner Hälfte wächst Ros-
marin, auf ihrer Lavendel. Der Stein ist schon in die Erde
eingesunken. Mir scheint es die schlichteste und dauerhaf-
teste Form des Zwiegesprächs. Jahre später sind wir zu viert
unterwegs nach Florenz, genauer gesagt zu einer Zuflucht
in den Bergen oberhalb des Ortes Scandicci. Wir werden
von zwei jungen Frauen begrüßt, die in ihrem Weingut
»Podere del Leone« Gastwohnungen eingerichtet haben.
Mechthild und ich beziehen unser Apartment. Dann trete
ich hinaus auf den Balkon und halte den Atem an: Tief unter
mir, gebettet in einem rosanen, den Abend vorausnehmen-
den Licht, liegt die Stadt. Ich rufe Mechthild, lege meinen
Arm um ihre Schulter und vierzehn Tage lang werden wir
auf den Balkon treten und die Verwandlungen einer Stadt

bestaunen. Unten warten die Bilder, warten Tizian und Ghirlandaio.

Nach Heilbronn, zu den Determanns, komme ich mit jedem neuen Buch. Dort treffen wir neben Hackenbrachts auch noch andere Freunde: Dagmar und Hans Bruckmann, Mechthilds Bruder Horst und seine Frau Dagmar. Einer fehlt mir, ein kleiner, sich schnell bewegender Mann mit einem kühnen, von Narben versehrten Gesicht und hungrigen Augen: der Maler Axel Arndt. Er redete wie jemand, der tagsüber schweigt, drückte die Wörter aus der Gurgel wie kleine Steine. Mit ihm kehre ich nach Lourmarin zurück. Dorthin begleitete er Bruckmanns, um zu zeichnen, zu malen. Seine oft nur zwei Hände großen Bilder, auf denen rätselhafte Städte aus dem Kindergedächtnis wuchsen, Spiegelbilder Berlins, die Stadt, in der er geboren wurde und die er liebte. Das Café, das er täglich frequentierte, lag in einer Kurve an der Durchgangsstraße, und man musste fürchten, von den Lastwagen mitgerissen zu werden. Ihre Motoren dröhnten so, dass sie ihm lange Reden ersparten. Dennoch redete er, mit den Augen, den Händen, den Schultern, den Fingern. Ab und zu war auch ein Wort zu hören. Wir tranken den Roten der Gegend. In Gedanken wollten wir noch eine Ewigkeit an dem runden, wackligen Tisch bleiben. Er starb. Als er auf dem Friedhof von Korb beerdigt wurde, war es so hell wie in Lourmarin. Nur die Grillen sangen nicht.

Habe ich Leben gelernt? Wie viel? Was habe ich mir aufgehoben? Wahrscheinlich genügt es nie. Doch noch einmal, nachdem alle Ichs ihrem Alter entschlüpft und zum alten Mann geworden sind, noch einmal ein Anflug von Anarchie, ein Aufbruch. Den verdanke ich Hölderlin. Die Botschaft erreichte mich über Valérie Lawitschka, die Geschäftsführerin der Hölderlin-Gesellschaft. Damals besaßen wir noch nicht die kleine Wohnung in Tübingen, meine Schreibstube über dem Ammertal, und ich hielt mich deswegen oft und gern im Turm auf. Da gebe es ein Theater auf der Alb, in Melchingen, das plane, gefördert von der Stadt Tübingen, ein Sommerfestspiel über Hölderlin, eine ganz und gar verrückte Angelegenheit, und die beiden Beauftragten, der Intendant des Lindenhof-Theaters, Zellmer, und der Intendant des Tübinger Zimmertheaters, Wickert, wollten mit mir reden, mich in ihre Arbeit einbeziehen. Nachdem mich die beiden in einer Mössinger Kneipe mit Anfängen traktierten, fuhren wir hinauf zum Lindenhof, wo ich unter die Schauspieler geriet, junge Leute, gerade der Schule entsprungen, aber schon mit einer Intensität ihre Rollen ausprobierend, dass ich gar nicht aus dem Staunen kam. Vor allem als eine junge Frau, Dietel gerufen, von deren schönem, schattigem, kantigem Hexengesicht ich die Blicke nicht mehr lassen konnte, als Dietel die Gitarre anspielte und danach eine halbe Stunde ihr Leben sang, die Ballade einer katholischen Bauernkindheit, wild und wahr, und Uwe Zellmer mich der Runde vorstellte, indem er sie mir alle vorstellte: Des send se. Das sind sie geblieben, zwanzig Jahre lang, himmelwärts planend, Kiesel zerkleinernd, von Regisseuren geplagt, sie nicht minder plagend, vom Land Baden-Württemberg zum einzigen »Regionaltheater« erklärt – und bei ihnen durfte die Geschichte anders gehen, als das Ländle sie im Allgemeinen verträgt. Das fing politisch an, noch in der Schule. Studienrat Uwe Zellmer, von Marx beseelt, lud Schüler ein, ihre Ängste, ihre Wut, aber auch ihre Hoffnungen auszudrücken. Sie holten Schwung. Sie sprangen geprüft oder ungeprüft ins Leben, das für sie nur Theater bedeuten konnte. Drei allen voran: Uwe Zellmer, Dietlinde Elsässer und Bernhard Hurm. Selbstverständlich spielten sie Revolution und ließen Sprüche los, als wären es Raketen. Dabei merkten sie (noch) nicht, dass ihr Aufruhr nicht in renitenten Stoffen, längst platten Parolen lag, sondern in ihrer Sprache, ihrer Mundart. Mit jedem Stück entdeckten sie für sich die Lust an der Nähe: ›Hoimataberau‹ heißt ein Stück von Franz Ott, in dem Heimat und Anarchie in eins gesetzt werden, der tägliche Wahnsinn in unvergesslichen Bildern ritualisiert wird. Das Hölderlin-Stück überrumpelte uns alle, allein durch die »Bühne«, ein vor dem Hölderlin Turm auf dem Neckar verankertes Floß, das mit einer Turmreplik versehen wurde, einem hohen, aus schwankenden Hölzern gefertigten Aufbau, und auf dieser Höhe wiederum, ohne Halt, turnte, träumte, rezitierte und schwieg Bernhard Hurm als Hölderlin. Wir starrten ungläubig zu ihm hoch, mir schien es, als würden alle Sätze Hölderlins, auch die schwierigsten, schwerelos. Ein zweites Mal huldigten sie Hölderlin auf der Neckarinsel, in einem ausschweifenden, trauerseligen Festmahl, und ein drittes Mal wanderten wir ihm nach durch Nürtingen, und meine Stadt veränderte sich in seiner Heimkunft.

Die Melchinger spielen Molière, Schiller, Büchner in der zum Theater ausgebauten Scheune, sie färben die großen und vertrauten Sätze mit ihrer Herkunft, ihrem Gedächtnis und ihren Erfahrungen ein. Da wird nicht groß das Kleine und das Große nicht klein. Das Melchinger Maß geht anders: Jeder Schritt führt in eine veränderte Freiheit. Das ist anstrengend. Ich habe die Freunde in vielen Debatten ausgehalten. Wenn nichts mehr klappte, jeder jedem misstraute, die Anarchen sich als Hierarchen kostümierten. Aber weil sie alle auf ihre Weise dem Melchinger Traum anhängen, geht es weiter. Manchmal geriet ich in ihre Pläne. Manchmal spazierten wir über die Melchinger Hügel. Manchmal trafen wir uns im »Hirsch« in Erpfingen, der vor Jahrzehnten für uns und die Kinder eine vertraute Herberge war, und der »junge« Windhösel hat es inzwischen zu einem Stern im Michelin gebracht. Sie alle, denke ich, reißen sich immer ein

Stück aus dem Himmel. Schreib was für uns, bat mich Uwe. Das Ensemble führte meine ›Melchinger Winterreise‹ auf, ein Spiel in zwei Teilen. Zum einen im Freien, im Schnee, in der Kälte, rund um den Himmelsberg, zum andern in der Scheune. Ich erzähle von mir, dem Flüchtlingskind, und dem Stadtwanderer Schubert. Sie spielten es drei Winter lang. Die Bilder verselbständigten sich, der Engel der Geschichte, der im Schnee seine Spur ziehende Schubert, der Maler, der selbst zum Bild wird. Zu ihnen, zu den allmählich auch alternden Wilden, wird es mich immer ziehen.

Noch einmal auf ein Mädchen zulaufen, in Leipzig, zwischen Moritzbastei und Gewandhaus, eine andere Sprache versuchen, Gefühle erneuern und mit verändertem Blick sehen, was sich ständig wiederholt. Das Niemandsland zwischen zwei Staaten besetzen, die zu einem Land werden, und auf die verbrauchten Sätze pfeifen. Sich eine Zukunft versprechen, die unter den allgemeinen großen Versprechungen ohnehin zusammenbricht. Ich rede mich ihr ein. Sie zeigt mir ihr Berlin, sie kennt sich aus. Wir zählen die Schritte von der Schönhauser Allee bis zum Dorotheenstädtischen Friedhof. Am Ende laufen wir nicht voreinander weg, wir winken einander zu und sie entlässt mich in mein Leben.

Noch einmal, nach dem Fest im Zelt, in das Stadtschreiberhaus an der Borngasse in Bergen ziehen, in der ersten Nacht mit dem Bett einstürzen. Im Höfchen pflanze ich mit Schulkindern einen Ginkgo, der inzwischen einen breiten Schatten wirft. Noch einmal hinüberlaufen in die Marktstraße zu Schneiders, mit Franz Joseph über Popper, den Pragmatiker unter den Philosophen, streiten, von Ammes mit einer Players versorgt werden, während Adrienne aus dem Suhrkamp Verlag erzählt, mit Peter Bichsel über Kneipen und ihre

Stammgäste philosophieren, mit Nicolas Born einen Schnaps trinken und auf den witzigen Satz warten, mit dem Jurek Becker sich zu verabschieden pflegt.

Noch einmal Lore am Bahnhof abholen, reden, erzählen und dabei einsehen, dass Erinnerungen nicht teilbar sind; danach durch den Städel wandern und hinüber ins Liebighaus, wo der schöne Kopf Susette Gontards darauf wartet, bewundert zu werden.

Das alt gewordene Ich sammelt ein. An manchen Tagen nimmt die Müdigkeit mich gefangen. Anfangs habe ich mich ihr widersetzt, nun nicht mehr. Es treten auch Schmerzen auf, die ich vorher nicht kannte. Sie gehören dem Ich, das ich noch werde.

Es ist der 5. März 2003.

Die Welt wartet auf einen Krieg. Das ist ein pathetischer Satz. Nur lässt die Zeit keinen andern zu.

Fürs Wochenende haben sich die Kinder mit ihren Kindern angesagt. Mechthild und ich werden ungeduldig warten, aufspringen, zur Tür laufen, wenn im Garten Stimmen laut werden.

Markus Werner im dtv

Zündels Abgang
Roman
ISBN 3-423-10917-3

Das Ehepaar Zündel hat getrennt Urlaub gemacht. Als
Konrad heimkehrt, bereitet
ihm Magda einen sehr reservierten Empfang. Zündel
plant seinen Abgang.

Froschnacht
Roman
ISBN 3-423-11250-6

Franz Thalmann ist Pfarrer,
Ehemann und Familienvater,
bis eines Tages sein Reißver-
schluß klemmt … »Ein heimlicher Zeitroman, der Dinge
und Geschehnisse benennt,
die nur scheinbar weit weg
von uns sind … Den Schuß ins
Herz spürt man erst später.«
(Frankfurter Rundschau)

Die kalte Schulter
Roman
ISBN 3-423-11672-2

Moritz, Kunstmaler, lebt von
Gelegenheitsarbeiten. Sein
einziger Halt ist Judith, die
einen sicheren Beruf und
einen gesunden Menschen-
verstand hat.

Bis bald
Roman
ISBN 3-423-12112-2

Lorenz Hatt, Denkmalpfleger,
lebt mehr oder weniger unbekümmert vor sich hin – bis
sein Herz schlappmacht …
»Erneutes Staunen, Spannung,
Vergnügen an Werners Lako-
nik und Komik.« (SZ)

Festland
Roman
ISBN 3-423-12529-2

Sie leben beide in Zürich,
doch sie kennen sich kaum.
Eines Tages aber kommen der
Vater und seine nichteheliche
Tochter ins Gespräch. »Was
mich berührt hat: der wunder-
bare Ton dieses Buches.«
(Marcel Reich-Ranicki)

Der ägyptische Heinrich
Roman
ISBN 3-423-12901-8

Eine faszinierende Spuren-
suche: Familiensaga, Reise-
bericht, historischer Roman
und viel mehr. »Spannend,
intelligent, witzig.« (Thomas
Widmer in ›Facts‹)

Uwe Timm im <u>dtv</u>

»Als Stilist und Erzähler sucht Uwe Timm
in Deutschland seinesgleichen.«
Christian Kracht in ›Tempo‹

Heißer Sommer
Roman
ISBN 3-423-**12547**-0

Johannisnacht
Roman
ISBN 3-423-**12592**-6

»Ein witzig-liebevoller Roman
über das Chaos nach dem Fall
der Mauer.« (Wolfgang Seibel)

Der Schlangenbaum
Roman
ISBN 3-423-**12643**-4

Morenga
Roman
ISBN 3-423-**12725**-2

Kerbels Flucht
Roman
ISBN 3-423-**12765**-1

Römische Aufzeichnungen
ISBN 3-423-**12766**-X

**Die Entdeckung der
Currywurst**
Novelle
ISBN 3-423-**12839**-9

»Eine ebenso groteske wie
rührende Liebesgeschichte ...«
(Detlef Grumbach)

Nicht morgen, nicht gestern
Erzählungen
ISBN 3-423-**12891**-7

Kopfjäger
Roman
ISBN 3-423-**12937**-9

Ein faszinierender Roman aus
dem Wirtschaftsleben.

Der Mann auf dem Hochrad
Roman
ISBN 3-423-**12965**-4

Rot
Roman
ISBN 3-423-**13125**-X

»Einer der schönsten, span-
nendsten und ernsthaftesten
Romane der vergangenen
Jahre.« (Matthias Altenburg)

Bei <u>dtv</u> junior:

Rennschwein Rudi Rüssel
ISBN 3-423-**70285**-0
Die Piratenamsel
ISBN 3-423-**70347**-4
Der Schatz auf Pagensand
ISBN 3-423-**70593**-0
Die Zugmaus
ISBN 3-423-**70807**-7

Bitte besuchen Sie uns im Internet: www.dtv.de